この1冊でよくわかる

ソフトウェアテストの教科書 [増補改訂 第2版]

品質を決定づける
テスト工程の基本と実践

布施昌弘、江添智之、永井努、三堀雅也 [著]
石原一宏、堀明広 [監修]

A TEXTBOOK OF
SOFTWARE
TESTING
TECHNIQUES.

SB Creative

本書に関するお問い合わせ

この度は小社書籍をご購入いただき誠にありがとうございます。小社では本書の内容に関するご質問を受け付けております。本書を読み進めていただきます中でご不明な箇所がございましたらお問い合わせください。なお、お問い合わせに関しましては下記のガイドラインを設けております。恐れ入りますが、ご質問の際は最初に下記ガイドラインをご確認ください。

ご質問の前に

小社 Web サイトで「正誤表」をご確認ください。最新の正誤情報をサポートページに掲載しております。

- **本書サポートページ URL**
  https://isbn2.sbcr.jp/08750/

ご質問の際の注意点

- ご質問はメール、または郵便など、必ず文書にてお願いいたします。お電話では承っておりません。
- ご質問は本書の記述に関することのみとさせていただいております。従いまして、○○ページの○○行目というように記述箇所をはっきりお書き添えください。記述箇所が明記されていない場合、ご質問を承れないことがございます。
- 小社出版物の著作権は著者に帰属いたします。従いまして、ご質問に関する回答も基本的に著者に確認の上回答いたしております。これに伴い返信は数日ないしそれ以上かかる場合がございます。あらかじめご了承ください。

ご質問送付先

ご質問については下記のいずれかの方法をご利用ください。

▶ Web ページより

上記のサポートページ内にある「この商品に関する問い合わせはこちら」をクリックすると、メールフォームが開きます。要綱に従って質問内容を記入の上、送信ボタンを押してください。

▶郵送

郵送の場合は下記までお願いいたします。

〒 105-0001
東京都港区虎ノ門 2-2-1
SB クリエイティブ　読者サポート係

はじめに

増補改訂版の序に寄せて

「これからソフトウェアテストを学ぶ初学者にとって、本当にわかりやすい、真にスタンダードとなる『教科書』を世に出したい」という想いで2012年に本書初版を発行して以来、おかげさまで多くの方にご愛読いただき、技術書としては異例の販売部数と刷数を重ねることができました。とはいえ、初版から9年の歳月が経過し、伝えたい本質こそ変わりませんが、現在の技術の進歩とソフトウェア開発の現状によりマッチするよう増補改訂を行いたいと思っていたところ、この度版元よりその機会を頂きました。また今回の改訂にあたり、最前線で活躍する気鋭のエンジニア達を新たに執筆陣として迎えることができたのは、大きな喜びとするところです。本書が、これからソフトウェアテストの世界を学び、実践する皆さんにとって、常に座右に在る一冊となれば、これほど嬉しいことはありません。

石原一宏

増補改訂版の出版にあたり

この度は、増補改訂版をお手に取ってくださり、誠にありがとうございます。

教科書の増補改訂の話をいただていて最初に考えたのは、初版の良いところを残しつつ、いかに新しい要素を追加するか、ということでした。

具体的な変更点についてです。まず開発手法をめぐり、初版の出版当初と比べてアジャイル開発が適用されるプロジェクトが増えてきました。アジャイル開発におけるテストの位置づけはこれまでと変わりませんが、その手法はウォーターフォールモデルとは大きく異なります。増補改訂版ではテストの視点から見たアジャイル開発について新たな章を設けました。

また、テストの自動化についても近年、大きく進歩、浸透しました。その分、テストの自動化をめぐってうまくいったプロジェクト、そうではなかったプロジェクトも見られます。増補改訂版ではテストの自動化を導入するにあたっての注意点を解説する新たな章を設けました。

ただし、初版のコンセプトである「本当にわかりやすいこと」「本当に実践的であること」は変わりありません。現場で使っていただけることが何よりも重要と考えています。初版から時間がたった今でも、「ソフトウェアテストについて学びたい」という方が多くいらっしゃることでしょう。その皆様にできるだけご覧いただき、テストの技術の向上に貢献できるならば幸いです。

布施昌弘

CONTENTS

Part 1

ソフトウェアテストの基本

ここでは、ソフトウェアテストの概要と、社会の中におけるソフトウェアテストの役割、および開発に携わるすべてのエンジニアに必要な品質意識について解説します。また後半では、ソフトウェアの開発工程におけるソフトウェアテストの位置づけについて解説します。

Chapter 01 ソフトウェアテストとは

本書は「**ソフトウェアテスト**」の実践的な教科書です。本書後半では、より確実、かつ効率的にソフトウェアテストを実施するための、さまざまな技法やテクニック、注意点などについて詳しく解説しています。しかし、それらを正確に読み進め、習得するためには、前提条件として「**ソフトウェアテストとは何か**」について、正しく理解しておくことが必要です。

そこで本章では、具体的な技法などの解説をはじめる前段階として、ソフトウェアテストについて、その概要や役割などを説明します。すでに実務でソフトウェアテストを行っているエンジニアの方々も復習を兼ねて本章を読み進めてください。

ソフトウェアテストの必要性

ソフトウェアテストとは具体的には何を行うことなのでしょうか。文字どおりに解釈すると「**ソフトウェアをテストすること**」です。しかし、“ソフトウェア”と“テスト”の２つの言葉の意味がわからなければ、「ソフトウェアをテストすること」の意味を正しく理解することはできません。そこで、最初にソフトウェアについて説明します。

ソフトウェアとは、コンピュータが理解できる命令形式（プログラミング言語）で記述された「**コンピュータを動作させるためのプログラム**」であり、「**命令文をコンピュータに実行させたい順番に並べて記述した文章**」ともいえます。

私たちの身の回りにある多くの電化製品にはコンピュータが組み込まれており、ソフトウェアが搭載されています。例えば、炊飯器に「玄米を夜の7時に、

図1-1 ● 身近にあるさまざまなソフトウェア

硬めに炊く」と設定すると、搭載されているソフトウェアが加熱温度や炊飯時間、炊飯器内の圧力などを制御して、そのとおりにご飯を炊き上げます。洗濯機やエアコン、携帯電話といったその他の電化製品にもソフトウェアは搭載されています。また電化製品以外にも、駅にある券売機や自動改札機、コンビニにあるコピー機やPOSレジにもソフトウェアは搭載されています。私たちの生活は、多くのソフトウェアによってより快適になっているといえます。

このように私たちの日常に深く浸透したソフトウェアが誤動作を起こすとどうなるでしょうか。炊飯器に設定した時刻にご飯が炊き上がっていなければ食事ができません。500円硬貨を投入して200円の切符を購入したにも関わらず、おつりが100円しか出てこなかったり、有効期間中の定期券を使っているのに、自動改札機を通ることができなかったりしたら困ります。つまり、ソフトウェアが誤動作を起こすと、時間や金銭を失うといった不便な事態になってしまうのです。

そのため、開発者は「**誤動作を起こさないソフトウェア**」を開発する必要があり、それを実現するために行うのが、ソフトウェアテストなのです。

ただし「誤動作を起こさなければそれでよい」というものでもありません。ユーザーのニーズ（要求）を満たしているかどうかも重要です。例えば、まったく誤動作をしないけれど、操作が複雑な場合や、そもそも見た目に満足できない場合に、その製品を購入するでしょうか。恐らく、ほとんどのユーザーはより自分のニーズに合った製品を選ぶでしょう。このため開発者は「**ユーザーが求めているものは何か**」「**自分たちが作った製品に満足してくれるのか**」についても考えることが必要です。

つまり、冒頭に定義したソフトウェアテストについて、もう少し正確に定義し直すと次のようになります。

ソフトウェアテストとは、欠陥を取り除いて、ユーザーの要求を満たす、品質のよいソフトウェアを作ること

この定義文を読んで「**なるほど、そういうことか**」と納得してはいけません。「欠陥とは何か」「品質のよいソフトウェアとは何か」という疑問を持つことが大切です。テストを行う際は、設計書や仕様書といったさまざまなドキュメントに目を通すことになりますが、この場合も、**各ドキュメントに書かれている文面を自分の理解の範囲内で完結するのではなく、設計者や開発者の真の意図を理解する必要があります**。本書における「欠陥」と「品質のよいソフトウェア」の定義については以降で詳述します。

欠陥とは

ソフトウェアが誤動作を起こすことを「**ソフトウェアに欠陥がある**」といいますが、一口に誤動作といってもその原因はさまざまです。ハードウェアに原因があることもあれば、操作内容に原因があることもあります。本書では「**誤動作の原因がソフトウェアにあることが特定されたもの**」を欠陥と定義しています。また、原因が特定される前の欠陥と思われる現象のことを「**不具合**」と呼び、区別しています。

欠陥は、ソフトウェアを作る際に人間のミスによって作り込まれます。ソフトウェアテストの主な役割は、ソフトウェアを搭載した製品やサービスを市場に出す前に、欠陥がないかテストすることです。

MEMO

「欠陥」という用語は「**バグ**」や「**不具合**」「**障害**」と呼ばれていることもあります。これらの用語は、組織やプロジェクトによって呼び方や定義内容が異なる場合もあるので、誤解を避け、共通認識を得るためにも、**プロジェクトの開始前にあらかじめ用語集などで定義しておく必要があります。**

ソフトウェア関連のトラブル事例

ソフトウェアテストの必要性を理解するために、ソフトウェアの欠陥によって発生したソフトウェアのトラブル事例をいくつか紹介します。

東京証券取引所 —— 大規模システム障害により取引停止

共有ディスクの１号機にメモリ障害が発生した際に、２号機に切り替わらず、その影響で終日取引停止となった。原因は、障害発生時に行われるべき切り替え処理が正しく設定されていなかったことによる。（2020年10月1日）

URL https://www.jpx.co.jp/corporate/news/news-releases/0060/20201005-01.html

電子マネー決済端末 —— 重複取引

トランザクション・メディア・ネットワークス社が提供する電子マネーサービスの決済端末を利用する一部の店舗で、電子マネーの重複取引が発生した。原因はシステムの不具合による。（2020年10月19日）

URL https://www.tm-nets.com/2020/10/info/

新型コロナウイルス接触確認アプリ —— プッシュ通知が表示されない

新型コロナウイルス接触確認アプリ「COCOA」にて、陽性者との接触をプッシュ通知する機能があるが、実際に接触すると「陽性者との接触はありませんでした」と表示されてしまった。（2020年9月24日）

URL https://www.mhlw.go.jp/stf/newpage_13736.html

新型コロナウイルス接触確認アプリ —— 通知がこない

Android端末にて新型コロナウイルス接触確認アプリ「COCOA」を利用の場合に、陽性登録を行ったアプリ利用者と濃厚接触の条件（1メートル以内15分以上）に該当する接触があっても、接触として検知・通知が行われていないことが判明した。原因は前年9月28日に行われたアップデートによるもの。（2021年2月3日）

URL https://www.mhlw.go.jp/stf/newpage_16532.html

雇用調整助成金の受付システム —— システム障害

雇用調整助成金の申請時に、他人の氏名やメールアドレス、電話番号を閲覧できてしまう不具合が発生した。(2020年5月20日)

URL https://xtech.nikkei.com/atcl/nxt/mag/nc/18/020600011/071400059/

上記の事例を見ていくと、東京証券取引所でのシステム障害は1日で復旧しましたが、その損害額は大きく、また日本だけに留まらず世界中の経済に影響を与えました。

電子マネー決済端末の不具合は、私たちの生活に身近なところで発生した事例です。さまざまなものが電子化されつつある現状において、システムやソフトウェアの障害が、一般の人の財産にまで影響が及びはじめていることを示しています。

COCOAや雇用調整助成金に関する障害は、どちらも2020年に流行した新型コロナウイルスに関連したシステムで発生したものです。これらの障害が発生した共通の原因として、急激な新型コロナウイルスの拡大に伴い、急ピッチで開発が進められたことが挙げられます。**短納期開発に潜むソフトウェアリスクやシステムリスクが顕在化した事例**といえます。結果として、COCOAは感染予防の本来の役割を果たせなくなり、助成金のトラブルでは個人情報が流出してしまいました。

なお、上記で紹介した障害事例はすべて、2021年3月時点で修正されています。

ソフトウェアの進化と開発現場

ソフトウェア関連のトラブル事例を見た人は「**なぜ欠陥を防げないのか**」と不思議に思うかもしれません。しかし、ソフトウェアの欠陥によるトラブル事例は後を絶ちません。ここではその要因の1つである「ソフトウェアの開発現場」の現状を少し探ってみます。

ソフトウェアはここ数十年で大きな進化を遂げました。例えば、登場した当時の携帯電話には通話機能しかありませんでしたが、数年後には、通話機能に加えて、スケジュール機能やメール機能が追加されました。さらにその後、カメラ機能やインターネット閲覧機能、テレビ機能、電子マネー機能などが追加されました。スマートフォンともなると、あらゆる機能をユーザー自身が追加できるようになっています。

このように、**ソフトウェアを搭載した製品は、多機能化する傾向**にあります。また、**開発期間の短縮**も開発に携わるエンジニアの負担として重くのしかかります。以前は数年をかけて開発していた規模のシステムと同程度のものを、最近では数カ月で開発しなければならない場合もあります。開発期間を単純に過去のシステムと比較することはできませんが、ソフトウェアの開発期間が短縮されていることは確かです。

このような状況の中でソフトウェアが作られている現在では、十分な余裕を持つことができないため、欠陥が作り込まれてしまう一因となっているのです。

欠陥のないソフトウェアを作成するために

ソフトウェアは人間が作成するため、最初から完全な（欠陥のない）ソフトウェアを作成することはほぼ不可能です。そこで重要になるのが、ソフトウェアテストです。テストを効果的・効率的に行うことで、欠陥を最小限にすることができます。しかしその一方で、ソフトウェアテストのノウハウはまだ十分に認知されておらず、相変わらず**勘**と**経験**と**度胸**に頼ったテストしか行われない開発現場も、決しては少なくありません。そのため、一人でも多くのエンジニアが、**欠陥を検出する技術や方法**を身につけることが求められています。

MEMO

テストの考え方は下流工程だけでなく、上流工程でも活用できます（上流工程については第２章を参照）。テスト技術を適用して欠陥除去や品質向上を目指す手法も存在します。その取り組みの１つに「**W字モデル**」があります。W字モデルとは、テスト担当者もシステム設計（上流工程）に参加し、開発者と一緒に、テストの視点で仕様書を作成していく開発モデルです。詳しくは、p.24で解説します。

ソフトウェアの品質とは

ここからは、先述したソフトウェアテストの定義の中にあった「**品質**」について説明します。「品質のよいソフトウェア」とはどのようなソフトウェアでしょうか。アメリカの著名なコンサルタントであるフィリップ B.クロスビー氏は「**品質とは要求を満たすことである**」*1と定義しています。また、同じくコンサルタントとして知られるG.M.ワインバーグ氏は「**品質は誰かにとっての価値である**」*2と定義しています。

これらの2つの定義から、品質のよいソフトウェアとは「**ユーザーの要求を満たし、ユーザーに価値を提供するソフトウェアである**」ということができます。テストを行う際に常に意識しておかなければならないのは**ユーザー**です。「ユーザーの要求や、ユーザーにとっての価値とは何か」を考えながら、テストを行うことが重要です。ソフトウェアに対するユーザーの感想として「**使い勝手がよい**」「**操作がわかりやすい**」といった表現を耳にします。ユーザーがソフトウェアを気に入るとき、その背景にはユーザーに価値をもたらす多くの要素が存在しています。それらを、ユーザーにとっての品質と考えてテストすることが重要です。

ISO/IEC 25010（製品品質モデル）

依然として「ソフトウェアの品質」の定義が抽象的なので、もう少し具体的に捉えるために、ソフトウェアの品質特性規格である「**ISO/IEC 25010**」を見ていきます。

ISO/IEC 25010では、ソフトウェアの品質を次の8つの特性に分類しています。

- 機能適合性
- 性能効率性
- 互換性
- 使用性
- 信頼性
- セキュリティ
- 保守性
- 移植性

そのうえで、各特性における**副特性**を次の図のように定義しています。このように分類することで、特性ごとに品質の良し悪しを考えることができます。

*1 フィリップ B. クロスビー（1980）『クオリティ・マネジメント』日本能率協会、p.11より引用。上記は筆者意訳。原著では「品質とは要求条件との一致である」（Quality is conformance to requirements.）。
*2 G.M.ワインバーグ（1994）『ワインバーグのシステム思考法』共立出版、p.7より引用

図1-2 ● 品質の特性（ISO/IEC 25010）

品質特性図

品質特性	副特性	説明
機能適合性	Functional Suitability	明示的・暗示的なニーズを満足する機能を提供すること
	機能完全性	要求された機能がすべて実装されていること
	機能正確性	求められた結果を正確に提供すること
	機能適切性	目的達成に不要な手順が含まれていないこと
性能効率性	Performance Efficiency	明記された条件と資源の関係が適切であること
	時間効率性	機能を実行するときの処理時間などが適切であること
	資源効率性	機能を実行するときに使用される資源が適切であること
	容量満足性	製品またはシステムの最大限度がニーズを満足すること
互換性	Compatibility	同一環境であれば情報の共有ができること
	共存性	同一環境であれば他に影響を与えずに効率的に機能を実行できること
	相互運用性	2つ以上のシステムで情報交換し、すでに交換された情報が使用できること
使用性	Usability	明示された利用状況において、有効性、効率性、満足性をもって利用者がシステムを利用できること
	適切度認識性	利用者がニーズにマッチしているかどうか認識できること
	習得性	利用者の学習目標が達成できること
	運用操作性	システムが運用しやすいこと
	ユーザーエラー防止性	システムが利用者のエラーを防げること
	ユーザーインターフェイス快美性	利用者にとって満足できるユーザーインターフェースであること
	アクセシビリティ	さまざまな利用者が目標達成できること

品質特性	副特性	説明
信頼性	Reliability	明示された時間や条件で機能を実行できること
	成熟性	信頼性と利用者のニーズが合致していること
	可用性	いつでもシステムが利用できること
	障害許容性	故障が発生していても運用ができること
	回復性	中断または故障後に希望する状態へ復元できること
セキュリティ	Security	製品またはシステムが情報を保護すること
	機密性	アクセスコントロールできること
	インテグリティ	修正権限のない状態ではデータの修正ができないこと
	否認防止性	後から否認できないような仕組みがあること
	責任追跡性	責任の追跡が可能であること
	真正性	情報の正しさが証明できること
保守性	Maintainability	修正や仕様変更への対応ができること
	モジュール性	1つのモジュールに対する変更が他に影響しないような構成になっていること
	再利用性	資産の再利用ができること
	解析性	故障などが発生した場合に原因の識別ができること
	修正性	品質の低下を起こさずに修正できること
	試験性	テストの基準が明確で、テストができること
移植性	Portability	別の利用環境に構成要素を移せること
	適応性	システムが周辺のハードウェアや利用環境の進化に適応できること
	設置性	明示された環境においてシステムの設置または削除ができること
	置換性	同一環境において同じ目的を達成する別製品に置換できること

MEMO

上記で解説している **ISO/IEC 25010** は、SQuaRE（Software Quality and Evaluation）シリーズとして、2005年にリリースされました。現在の最新版は、**ISO/IEC 25010:2011（JIS X 25010:2013）**です。本書ではこの最新版を採用しています。

求められる品質意識

人の嗜好が多様化している現在では、テスト担当者がユーザーの求めているものを完全に把握することは困難です。例えば、自動洗濯機をとってみても、ある人は乾燥機能に重きをおき、またある人は節水・節電機能に重きをおきます。このように考えると「**全ユーザーの満足度を満たす品質を一概に決めることはできないのではないか**」という疑問が浮かび上がってきます。

この疑問を考える際に有効な品質モデルに、ユーザー満足と品質の関係を示した「**狩野モデル**」と呼ばれるモデルがあります。狩野モデルでは、品質をユーザーの要求に応じて「**当たり前品質**」「**一元的品質**」「**魅力的品質**」の３つに分類しています。

表1-1 ● 狩野モデルにおける品質の分類

品質要素	充足	不充足
当たり前品質	当たり前	不満
一元的品質	満足	不満
魅力的品質	満足	仕方がない

当たり前品質とは、ユーザーの「基本要求」を満たす品質です。基本要求とは、ユーザーが「これだけは絶対に満たして欲しい」と考えるものです。充足されていて当たり前であり、不充足の場合は不満に感じる機能といえます。洗濯機において基本品質に相当するのは「洗濯物がきれいになること」でしょう。各メーカーはこの基本品質を満たすべく、洗浄力を向上させる努力を続けています。

一元的品質とは、充足されていると満足し、不充足の場合は不満に感じる機能です。つまり、それを満たすことができればユーザーの評価が上がり、満たせなければ評価が落ちるようなものです。洗濯機において一元的品質に相当するのは静音機能や節水・節電機能、洗濯物の取り出しが容易なデザインなどです。

魅力的品質とは、充足されていると満足し、不充足の場合は「仕方がない」と感じる機能です。つまり、ユーザーの期待を上回るもの、実現すればユーザーに大きな満足を与えるようなものです。ユーザーが実現不可能だと感じている機能や予想もしていなかった機能を実現することができれば、それは大きな満足につながります。洗濯機において魅力的品質に相当するのは、確実にシミを抜いてくれる機能などではないでしょうか。

このような「品質とユーザー満足度の関係」について、テスト担当者は最初の段階でしっかりと意識することが大切です。

図1-3●狩野モデルにおける品質の分類

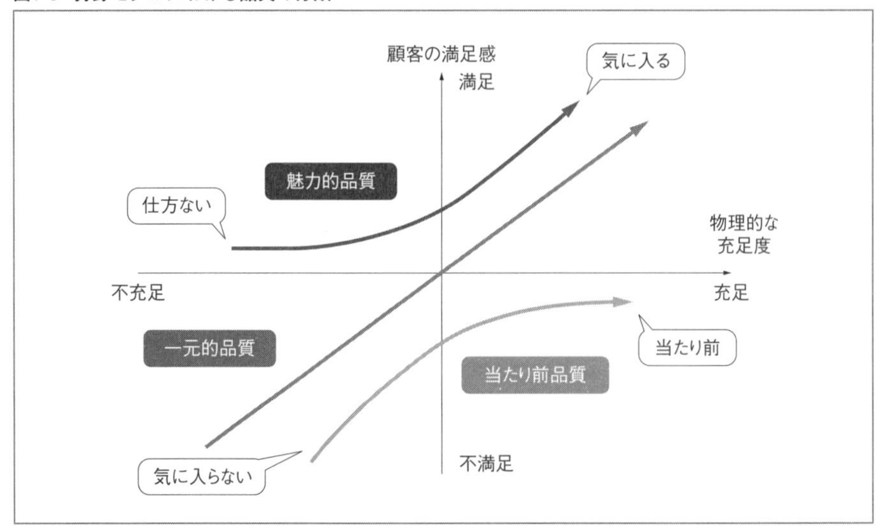

出所：日科技連（https://www.juse.or.jp/departmental/point02/08.html）

なお、以前は魅力的品質であったものが、時間とともに当たり前品質になることもしばしばです。どの品質に分類されるかは、分類時点の状況によって変わります。前述した洗濯機の一元的品質（静音機能や節水・節電機能など）は、すでに多くの製品に搭載されているため、当たり前品質といえるかもしれません。

テストを行う際は、品質とユーザー満足度の関係を理解したうえで、対象ソフトウェアの各機能を狩野モデルの品質要素に分類しておくとよいでしょう。そうしておけば、魅力的品質の機能よりも当たり前品質の機能のテストに多くの時間を割り当てるなど、時間が限られている場合でも適切に時間配分ができます。また、各品質要素の分類に対して、どのようなテストを行えばよいのかを検討する際にも役立つでしょう。

ソフトウェアの欠陥を減らすために、テストすることは重要です。しかし、それだけでは十分ではありません。**開発仕様書上では欠陥に分類されないものでも、ユーザーが不満に感じると考えられるものは欠陥として拾い上げ、品質を高めるべく働きかけることも重要**なのです。

テストの視点

ソフトウェア品質の概要を理解したところで、「**テスト担当者が持つべき視点**」を確認しておきましょう。テストを行っていくうえで、次の２つの視点を常に持っておくことをお勧めします。

V&V

１つ目は「**Verification & Validation（検証と妥当性確認）**」です。略して「**V&V**」ともいいます。

Verification（検証）とは、開発仕様書（ソフトウェアの設計図）のとおりにソフトウェアが作成されているかを確認することです。Verificationを行う際は、ソフトウェアを実際に動作させます。開発仕様書は開発工程ごとに作成されるので、Verificationも開発工程ごとに行います。

Validation（妥当性確認）とは、ユーザーの要求どおりにソフトウェアが作成されているかを確認することです。Validationでは、ソフトウェアを動作させるだけでなく、開発仕様書の妥当性チェックも行います。

すでに気づいた人もいると思いますが、すべての欠陥は「**Verificationで見つかる欠陥**」と「**Validationで見つかる欠陥**」のいずれかに大別できます。

コピー機を例に考えると、Verificationで見つかる欠陥とは「モノクロコピーを指定したのに、カラーコピーされてしまう」といった欠陥です。一方、Validationで見つかる欠陥とは「１枚だけコピーをとるのにも、枚数指定のために［1］キーを押してから、コピーボタンを押さなければならない」といった欠陥です。この場合、［1］キーを押すことによってユーザーの目的は達成されますが、コピーを１枚とるたびに毎回枚数を指定しなければならないのは、ユーザーの立場からすると使い勝手が悪いように感じます。

一般的に、開発担当者はソフトウェアを作るという立場上、開発仕様書を重視して製品を見ます。それに対して、**テスト担当者はVerification & Validationの視点でテストを行うことが必要**です。そのためにも、テスト対象のソフトウェアに対して、常に「ユーザーの要求は何か」「ユーザーにとって問題にならないか」といった疑問を持つようにしましょう。

Never、Must、Want

２つ目は「**Never、Must、Wantの視点**」です。テスト対象について、次の視点を持ち、それぞれについて、どのようなものがあるかを分析するようにしましょう。

Never：あってはならないこと
Must ：できなければならないこと
Want ：できたらよいこと

Neverは、そのテスト対象を使用するうえで絶対に起こってはいけないことです。**人の生命や財産に影響を及ぼすような事態**を想定します。リスクといい換えてもよいでしょう。例えば、

- 携帯電話のバッテリーが異常に発熱する
- 会員情報が漏洩する
- 商品購入サイトで金額の合計が間違っている

などがあります。少し極端な例もありますが、テストを実施する際にはこういった意識を持っておくようにします。特にリリース直前はこういった事態が**「起こらない、発生しない」ことをテストで確認する**ようにします。

Mustは、テスト対象を使用するうえで、できなければならないことです。仕様として示されていることはもちろんのこと、**ユーザーが思ったとおりに要求を達成できるかどうか**を確認します。先述した狩野モデルの「当たり前品質」に近いです(p.11)。また、リリースの目玉機能などもここに含まれる場合があります。

Wantは、できたらいいなと思うものです。言い換えると**製品に求める要望**です。こういったことはテストを実施している最中に思いつくことがあります。テストを実施する際はテストケースを実行することに意識が行きがちですが、「**仕様どおりではあるが改善したほうがよい点**」や「**ユーザビリティへの気づき**」などがあれば、積極的にメモに記してどこかに残しておきましょう。これらの情報は、次の派生開発やプロセス改善などに役立ちます。

Chapter 02 ソフトウェア開発の流れとテスト工程

本章では、ソフトウェアの開発工程全体におけるテスト工程の位置づけや開発工程との対応関係について説明します。ソフトウェアの開発経験が少ない方は本章を読んで全体の流れを把握してください。

ソフトウェア開発の流れ

ソフトウェア開発の一般的な流れに、**図2-1**のような「**ウォーターフォール型開発モデル**」があります。また、最近はアジャイル開発などの「**反復型開発モデル**」も増えてきました。ここではウォーターフォール型開発モデルについて解説していきます。アジャイル開発とテストとの関係については第12章で解説します。

ウォーターフォール型開発モデル

ウォーターフォール型開発モデルでは、**1つの工程が完了してから次の工程を開始します**。具体的には、最初にソフトウェアの要求定義を行い、要求定義の完了後に基本設計を行います。その後も同様に、基本設計の完了後に詳細設計を行い、詳細設計の完了後にコーディングを行い、そしてコーディングの完了後にテストを行います。このように、あたかも水が上から下へ流れ落ちるように各工程を進めていくことから、ウォーターフォール型と呼ばれます。通常、モデル図のコーディング（実装）までの工程を「**上流工程**」と呼び、コーディングより後の工程を「**下流工程**」と呼びます。

図2-1 ● ウォーターフォール型開発モデル

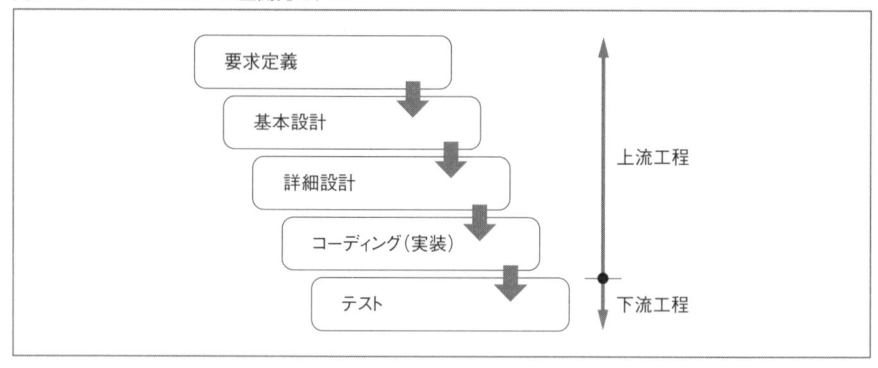

上図のように、ウォーターフォール型開発モデルでは、テスト工程は1つの工程として表されるのですが、実際は、**要求定義からコーディングまでの全工程に対応したテストを実施していく必要がある**ため、テスト工程はいくつかの工程に分かれます。なかでも、上流の各開発工程に対応させてテスト工程を分割したものを「**V字モデル**」といいます。

図2-2 ● V字モデル

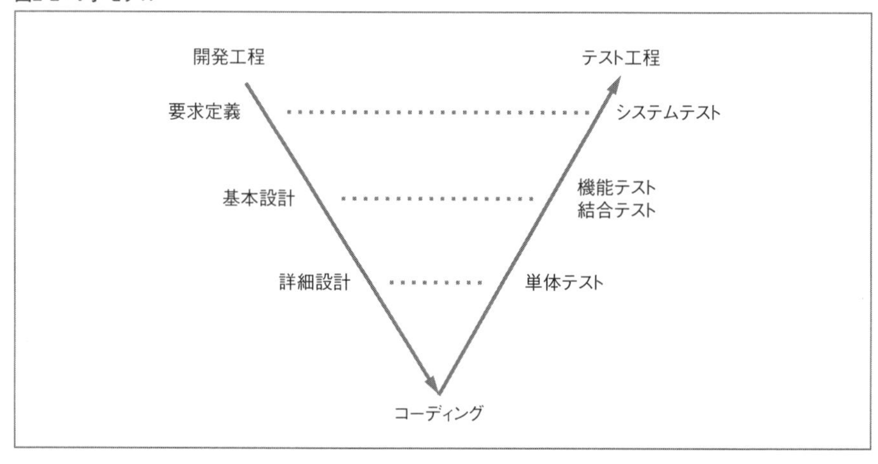

V字の左側が「**開発工程**」（ソフトウェアを作る工程）です。V字の下方向へ向かって工程が進み、コーディングが完了すると、ソフトウェアを作る工程が一旦終了します。V字の頂点で矢印は折り返し、次にV字の右側である「テスト工程」

(ソフトウェアをテストする工程)へと移ります。最初に行われるのは**単体テスト**です。その後、**結合テスト**、**機能テスト**、**システムテスト**の順に各テストを行っていきます。

ここまでの説明であれば、V字ではなく直線で表せそうですが、あえてV字で表す理由は、**左側の開発工程と右側のテスト工程が対応付けられていることを示すため**です。つまり、最後のテスト工程であるシステムテストでは、最初の開発工程である要求定義で決まったことをテストし、同様に、結合テストや機能テストでは、基本設計の内容をテストします。

以上の説明でソフトウェア開発の流れとV字モデルにおけるテスト工程の概要がわかったと思います。ここからは具体例を用いながら各工程で行う作業についてより詳しく見ていきます。テストそのものの解説からは少し離れますが、とても重要な内容です。

要求定義

要求定義とは、ソフトウェアシステムの発注者である顧客のニーズや、ソフトウェア搭載製品の企画担当者が頭に描く要望を、製品企画書やヒアリングによって引き出したうえで、それらをわかりやすく整理し、最終的に要求として定義することです。これによって、これから作るべきソフトウェアの到達目標が明らかになります。

ここではスポーツジムで見かけるエアロバイクのメーカーを例に要求定義を見てみましょう。企画担当者が、開発エンジニアに新製品のイメージを次のように伝えます。

エアロバイクのユーザーに聞き取り調査をしたところ、運動に飽きやすいという声が多かったようです。また、知らず知らずのうちにペースが落ちてしまうから時間をかけている割に運動できていない、という不満の声が上がりました。そこで、新製品では、運動している人を励ます機能を入れてください。具体的には、ゆっくり漕いでいるときには、バイクからゆっくりとしたテンポの曲が流れてきて、漕ぐスピードを上げたら自動的に速いテンポの曲に切り替わる。そんな風にしてください。

このように企画担当者の思い描く製品イメージを聞き、ソフトウェアで実現するために、達成すべき要求項目を整理します。

要求定義書の例

〈エアロバイクの要求定義〉
利用者環境） スポーツジムにて、一般のユーザーが使用する
→運動することが目的なので、複雑な操作にすべきではない

機能要求） 運動中のペースを維持したい。運動に疲れてしまうとペースを維持できない
→解決策（要求仕様）：ペダルを漕ぐペースに合ったテンポの音楽を聴きながら運動できる

制約条件） 同じ時間内でより効率よく運動したい
→解決策（要求仕様）：ペダルを漕ぐペースよりも少しテンポの速い音楽に自動的に切り替わる

基本設計

要求定義が定まれば、続いて、ソフトウェアの**基本設計**を行います。基本設計では、要求項目を実現するために必要なソフトウェアの機能や構成といった、基本的な仕様をまとめていきます。要求定義は主に使い手（人間側）が行いたいことを決めますが、基本設計ではその要求をソフトウェアシステムとして実現する方法まで落とし込んでいきます。上記のエアロバイクの例の場合では「**画面をどのような構成にするのか（画面設計）**」や「**何種類の音楽を用意するのか**」などを決定します。

この段階でシステム全体の「**基本設計書**」と「**機能仕様書**」が作られます。機能仕様書には、このシステムで実現できることと、できないことを明記します。“できること”とは「音楽再生のPLAY ／ STOPを切り替えられる」「音量を10段階で調整できる」といったことであり、“できないこと”とは「音量レベルは0にはできない」「ボタンの長押し操作は受けつけない」といったことです。

この例は単純なシステムであるため、基本設計書と機能仕様書を兼ねています。

基本設計書兼機能仕様書の例

1）画面設計

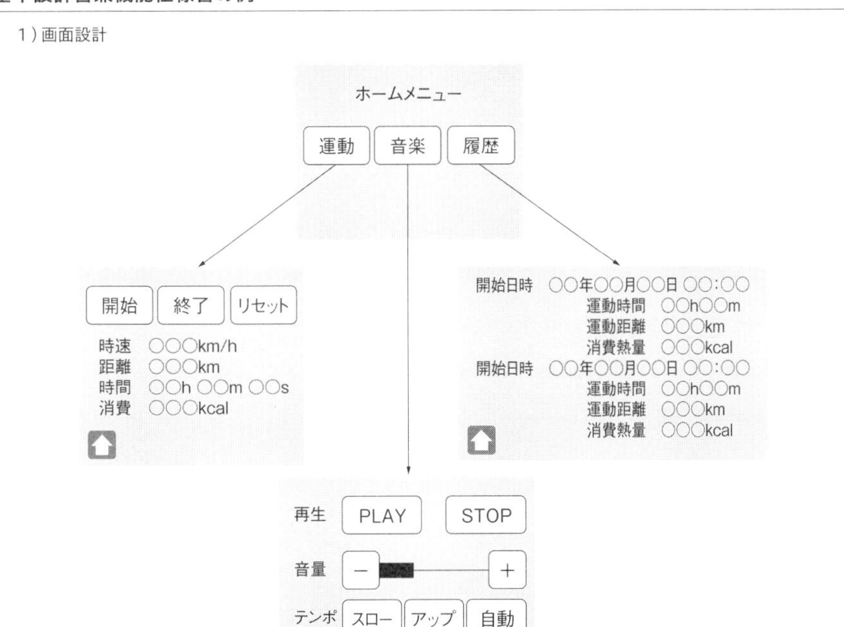

2）音楽メニューの基本設計

- 音楽再生の PLAY ／ STOP を切り替えられる
  - 同じボタンが繰り返し押された場合、2 回目以降は何も行わない
  - 再生する音楽は「テンポ」の状態によって切り替える
- 音量を 10 段階で調整できる
  - 音量レベルは 1 ～ 10 の 10 段階である
  - 音量レベル 0 はない。音楽を止めたい場合は音楽再生の「STOP」処理を行う
- 音楽のテンポはスロー／アップ／自動に切り替えられる
  - スロー：72BPM の曲（平常時の人の心拍の速さ）
  - アップ：128BPM の曲（人が少し速く感じる速さ）
  - 自　動：漕ぐ速さを検知し、スロー／アップを自動的に切り替える
    再生 STOP 状態でペダルを漕ぎ始めると「PLAY」ボタンを押さなくても
    自動的に再生を開始する。（自動の場合のみ）
- 音楽のテンポが「自動」の場合の動作
  - 常に「スローテンポの曲」から再生を開始する
  - 再生開始後、20 秒単位でエアロバイクの動作状況を検知する
    - 動作していなければ音楽再生を STOP する
    - 速度が 30㎞ /h 未満なら「スローテンポ曲」を PLAY する
    - 速度が 30㎞ /h 以上なら「アップテンポ曲」を PLAY する
- 音楽は内蔵されている曲のみで、曲が終了すると繰り返し再生する
- 各ボタンの長押し操作は受けつけない

詳細設計

詳細設計では、基本設計で定義した仕様をもとにコーディングに必要な各処理の詳細な仕様を決定します。詳細設計の範囲は機能ごとであったり、モジュールごとであったりとさまざまです。ここではモジュール単位で考えてみましょう。

モジュールとは、ソフトウェアの**最小単位**です。「ソフトウェアの各部品」と考えるとわかりやすいでしょう。エアロバイクの例であれば、音楽メニュー画面にある機能は以下のモジュールに分割できます。

- 音楽メニュー画面を表示するモジュール
- 音楽再生を切り替えるモジュール
- 音量を調節するモジュール
- テンポを調節するモジュール

詳細設計では、これらのモジュール一つひとつの中身について、どのような内部構造[*1]で機能を実現するのかを定義していきます。そうして作られたモジュール同士が連携して動作することで、ソフトウェアシステムとしての機能が実現されます。

また、**連携方法**（モジュール間のデータの受け渡し方法など）についても、詳細設計で決定します。決定された事項を仕様として記述すると、詳細設計書が作成されます。

*1 「内部構造」とは、ソフトウェア内部の処理の流れのことです。処理に含まれる命令文の順序が適切でなければ、正しい結果を得られない場合があることから「論理構造」と呼ばれることもあります。内部構造（論理構造）についての詳細は第3章で解説します。

詳細設計書の例

■音楽メニュー画面を表示するモジュール
- 音楽メニュー画面を表示する。表示内容は下記のとおり
  - 電源 ON 直後
    - 「PLAY」ボタン：有効
    - 「STOP」ボタン：無効
    - 「－」ボタン：（電源 OFF 時の状態を維持。工場出荷時は有効）
    - 「＋」ボタン：（電源 OFF 時の状態を維持。工場出荷時は有効）
    - 音量状態：（電源 OFF 時の状態を維持。工場出荷時はレベル 5）
    - 「スロー」ボタン：有効
    - 「アップ」ボタン：有効
    - 「自動」ボタン　：有効
  - その他の場合
    - 前回操作時の状態を維持する

■音楽再生を切り替えるモジュール
- 「PLAY」ボタンが押されたら、音楽再生を開始する
  - 「STOP」ボタンを有効にし、「PLAY」ボタンを無効にする
- 「STOP」ボタンが押されたら、音楽再生を停止する
  - 「PLAY」ボタンを有効にし、「STOP」ボタンを無効にする

■音量を調節するモジュール
- 「－」ボタンが押されたとき
  - 現在の音量レベルから音量を 1 レベル下げる
  - 音量レベル 10 で無効になっている「＋」ボタンを有効にする
  - 音量レベルが 1 の時、「－」ボタンを無効にする
- 「＋」ボタンが押されたとき
  - 現在の音量レベルから音量を 1 レベル上げる
  - 音量レベル 1 で無効になっている「－」ボタンを有効にする
  - 音量レベルが 10 の時、「＋」ボタンを無効にする

■テンポを調節するモジュール
- 「スロー」ボタンが押されたとき
  - 「アップテンポ曲」再生中なら、「スローテンポ曲」を再生する
  - 「STOP」ボタンを有効にし、「PLAY」ボタンを無効にする
- 「アップ」ボタンが押されたとき
  - 「スローテンポ曲」再生中なら、「アップテンポ曲」を再生する
  - 「STOP」ボタンを有効にし、「PLAY」ボタンを無効にする
- 「自動」ボタンが押されたとき
  - 「アップテンポ曲」再生中なら、「スローテンポ曲」を再生する
  - 20 秒間の距離を測定する
    - 測定した距離と時間（20 秒間）から速度を求める
    - 再生中の音楽が「スローテンポ曲」のとき
      - 30㎞ /h 以上なら「アップテンポ曲」を再生する
    - 再生中の音楽が「アップテンポ曲」のとき
      - 30㎞ /h 未満なら「スローテンポ曲」を再生する
  - 次の 20 秒間の距離測定に戻る
  - 「スロー」ボタン、「アップ」ボタン、「STOP」ボタンが押されたら、処理を終了する

コーディング

詳細設計が完了したら、実際にコンピュータが人間の意図したとおりに動作するようにソフトウェアを作成します。この工程を「**コーディング**」といいます。コーディングが終わるといよいよソフトウェアのテスト工程へと移っていきます。

テスト工程の流れ

先述したとおり、ウォーターフォール型開発モデルでは、テストは1つの工程にまとめられていますが、実際にはいくつかの工程に分かれています。以降では、先に示したV字モデル（p.16）に則って、各テスト工程の概要を簡単に説明します。

単体テスト

単体テストとは、ソフトウェアの最小単位である「モジュール」ごとに行うテストです。主に詳細設計書どおりにモジュールが動くかどうかをテストし、コーディングされたソフトウェアの論理構造が適切かどうかを確認します。多くの場合、単体テストは**コーディングを行ったプログラマ自身**が担当します。

結合テスト・機能テスト

単体テストが終わると、続いて**結合テスト**を行います。結合テストとは、複数のモジュールを組合せて動作をテストする工程です。具体的には、詳細設計で定義したモジュール間の連携方法が実現されているかを確認します。

ここでは1つの例として、モジュールA、BがデータXを介して連携する場合を考えてみましょう。

モジュールAで求めたデータX（計算結果）が、別のモジュールBの入力データとして取り込まれ、それを使ってモジュールBが適切に処理結果を出力しているかを確認します。このとき、単にデータXが正しく受け渡されているかを確認するだけでなく、「**モジュールAの処理が完了してからモジュールBの処理が開始されているか**」といった、モジュールの動作順序やタイミングも確認することになります。

一方、**機能テスト**では、組合せたモジュールを1つの機能としてテストします。この場合、内部構造を確かめるのではなく、「**機能として正しく役割を果たしているか**」を確認します。

なお、結合テストで確認するモジュール間の具体的な連携方法は、各モジュールの詳細設計書に書かれていますが、**テストの実施はV字モデル上の基本設計に対応する工程として行う点に注意してください**。

また、本書では結合テストと機能テストの両方を、V字モデル上の基本設計に対応するテスト工程として記していますが、製品によっては、単体テストの次に機能テストのみを置く場合もあります。この場合、結合テスト(モジュール間の連携確認)は機能テストの一部として行います。

図2-3 ● 結合テスト・機能テスト

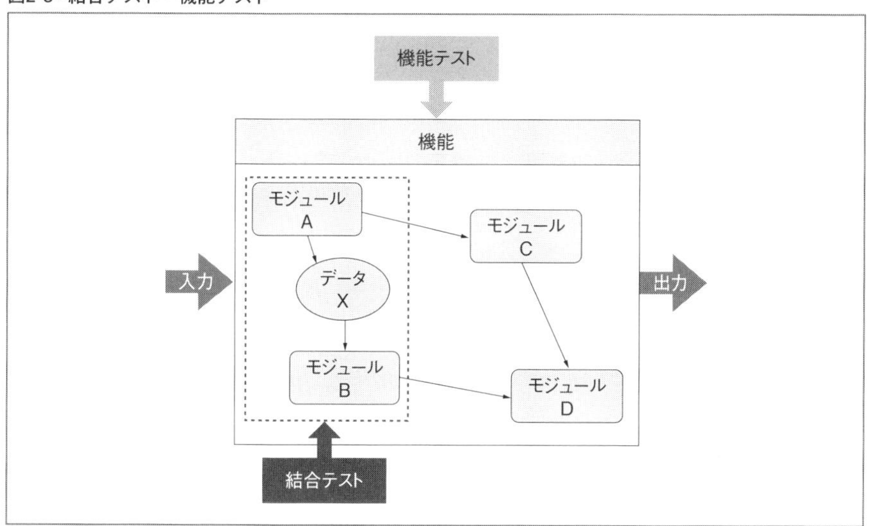

システムテスト

システムテストとは、個々のモジュールや機能を統合した状態で、要求定義の内容が実現されているかを確認するテストです。テストは、要求定義書に基づいて、最終的に**製品として出荷する状態**、もしくは**サービスとして提供する状態**に近い形で行います。ソフトウェアシステムの発注者である顧客、あるいはソフトウェア搭載製品の企画担当者や、製品やシステムを使用するユーザーの立場から、想定される限りのさまざまな使い方を試して欠陥を検出します。

図2-4●開発工程とテスト工程のイメージ図

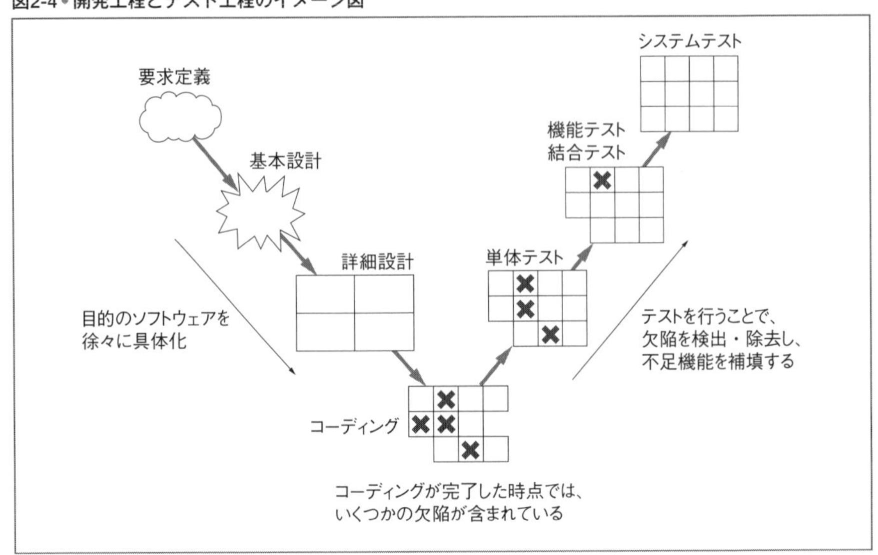

ここまでV字モデルを見てきました。ソフトウェア搭載製品の企画担当者が当初思い描いていたイメージを元に、製品を作り上げていくのが開発工程の役割であり、そして、作り込まれた欠陥を検出・除去することで当初思い描いていた品質にまで高めていくのが、テスト工程の役割だということが、このモデルからわかります。

column | W字モデル

V字モデルでは、左側を開発工程、右側をテスト工程として、それぞれを区別して考えます。これに対して、開発の初期段階から開発工程とテスト工程を並行して進める「**W字モデル**」という、V字モデルを発展させた考え方があります。

W字モデルでは、類似したソフトウェアのテスト経験を持つエンジニアが、過去のテスト経験を踏まえて、これから作ろうとしているソフトウェアの要求定義書や基本設計書、詳細設計書を確認します。そうすることで、仕様の漏れや抜けを未然に防ぐことができるため、開発工程から品質を高める効果が期待できます。また、開発工程で仕様が決まっていく過程を、開発者とテスト担当者が共有することで、複雑でわかりにくい仕様の誤解や、あいまいな仕様に対する認識の違いなどを解消する効果もあります。

さらに、W字モデルでは、要求定義が終了するとすぐにシステムテストの計画や設計作業をはじめます。同様に、基本設計が終了した時点で機能テストの計画や設計作業をはじめます。この時点ではコーディングが終わっていないので実際にソフトウェアを動作させることはできませんが、テストの計画・設計作業中に気づいた点を指摘できるため、指摘内容によっては、コーディング前に問題点を是正することが可能になります。

図2-5 ● W字モデル

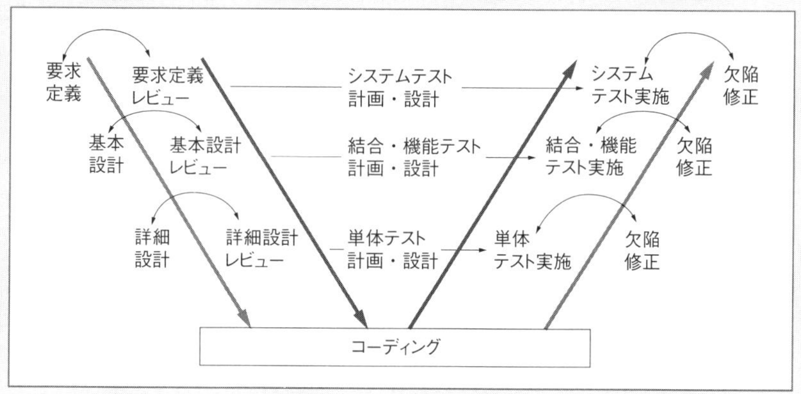

さまざまなテストと分類

ここまで、V字モデルを使って「**単体テスト**」「**結合テスト**」「**機能テスト**」「**システムテスト**」の4つのテスト工程について説明してきましたが、世の中には他にも「○○**テスト**」と呼ばれるものが無数にあるため、初心者にとっては各工程においてどのテストを行うべきかを判断するのが難しい状況です。また、同じ性質を持ったテストの総称として「○○テスト」と呼ぶ場合や、先述のようにテスト工程の名称として「○○テスト」と呼ぶ場合もあるため、慣れないうちは名称の多さと違いを理解するのに戸惑うことでしょう。

そこで、代表的なテストを以下の3つの軸で分類し、1つの図にまとめておきます。慣れるまでは下図を参考に「○○テスト」が何を示しているものなのか確認することをお勧めします。

- 「ソフトウェアの内部構造に注目する／しない」による分類
- 「ソフトウェアを動作させる／させない」による分類
- 「ソフトウェア開発の工程」による分類

図2-6 ● 代表的なテストの分類

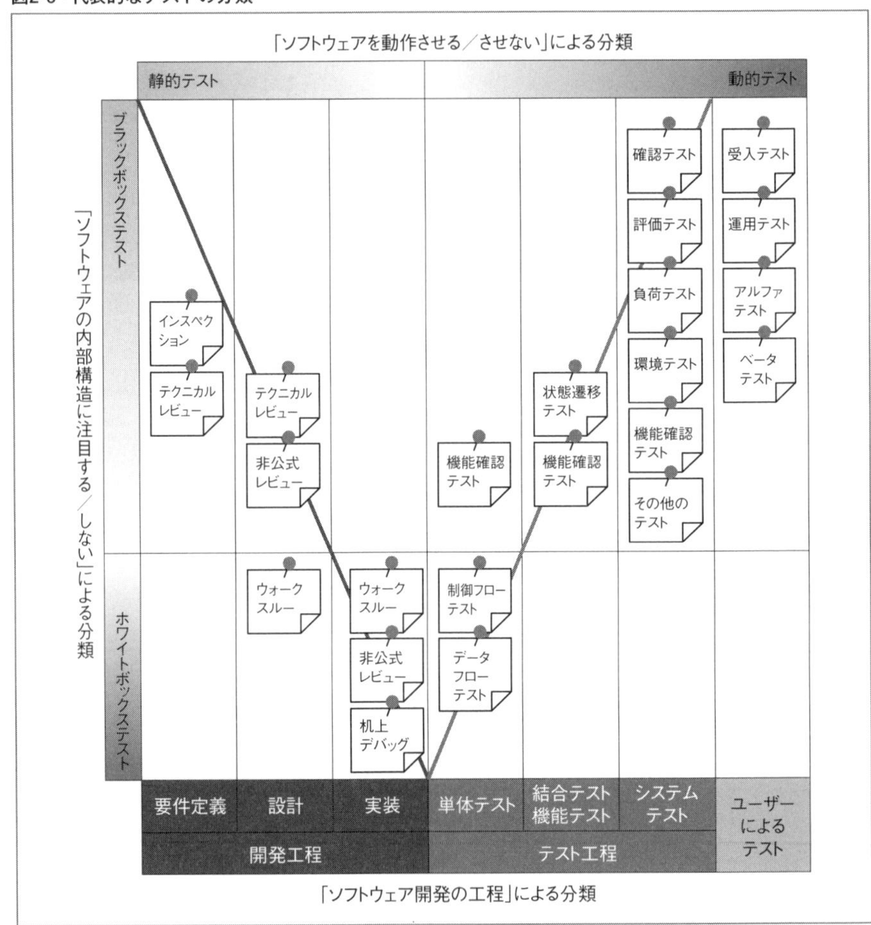

「ソフトウェアの内部構造に注目する／しない」による分類

各テストを「**ソフトウェアの内部構造に注目する／しない**」を基準にして分類すると、大きく「**ホワイトボックステスト**」と「**ブラックボックステスト**」のいずれかに分類できます。

表2-1 ● 「ソフトウェアの内部構造に注目する／しない」による分類

分類	説明
ホワイトボックステスト	ソフトウェア内部の**論理構造に注目**して、処理や分岐命令の動作、データ処理などが正しく行われるかを確認するテストの総称
ブラックボックステスト	ソフトウェア内部の論理構造は参照せず、**入力と出力のみに注目**して、ソフトウェアが正しく動作するかを確認するテストの総称。 入力と出力の間にあるソフトウェアの処理内容を見ないことから、黒い箱になぞらえてブラックスボックステストと呼ぶ

ホワイトボックステストとブラックボックステストについては、次章以降で詳しく解説します。ここではこれらのテストの違いが「ソフトウェア内部の論理構造に注目するか／しないか」であることを理解しておいてください。

「ソフトウェアを動作させる／させない」による分類

各テストを「**ソフトウェアを実際に動作させてテストする／しない**」を基準にして分類すると、大きく「**静的テスト**」と「**動的テスト**」のいずれかに分類できます。静的テストには、上流工程で行われるドキュメントのレビューも含まれます。

表2-2 ● 「ソフトウェアを動作させる／させない」による分類

分類	説明
静的テスト	ソフトウェアを動作させることなく行うテストの総称。開発仕様書やビルド前のソースコードの状態でテストを行う。通常、静的テストは**開発工程**で行われる
動的テスト	作成したソフトウェアを実際に動作させて確認するテストの総称。通常、動的テストは**テスト工程**で行われる

「ソフトウェア開発の工程」による分類

各テストを「**ソフトウェア開発の工程**」を基準にして分類すると、大きく「**開発工程**」と「**テスト工程**」のいずれかに分類できます。この分類は先述したV字モデルが元になっています。

表2-3 ● ソフトウェア開発の工程による分類

分類	説明
開発工程	開発工程では主に**レビュー**が行われる。レビューとは開発仕様書やソースコードなどの内容を確認したうえで、問題点を指摘し、作成者にフィードバックする活動。**開発工程におけるテストといえる**。**図2-6**（p.26）にある「インスペクション」などはレビューの種類
テスト工程	テスト工程ではさまざまなテストが行われる。通常、テスト工程で行われるテストのことを「**ソフトウェアテスト**」と呼ぶ

テストの概要

上記の「ソフトウェア開発の工程」による分類を軸に、各工程で行うテストの概要を簡単に説明します。

表2-4 ● 開発工程で行うテスト（レビュー）

種類	説明
インスペクション	公式性の高いレビュー。プロセスやルール、役割分担が明確であり、公式記録に残すべき重要度の高い文書に適したレビュー
テクニカルレビュー	専門知識を持つレビュー担当者（レビュアー）により、技術的な問題を確認するレビュー。あらかじめ決められたレビュープロセスに沿って進められる
非公式レビュー	非公式に行われるレビュー。特に決まった方法はない。レビュー担当者が1人のときは「ペアレビュー」ともいわれる
ウォークスルー	作成者がレビュー対象を説明し、レビュー担当者にコメントを求める形式で進行するレビュー
机上デバッグ	ソフトウェアのソースコードを目視確認し、検出した誤りを修正する作業。ソースコードの作成者自身が1人で確認・修正することが多い

表2-5 ● テスト工程で行うテスト（単体テスト）

種類	説明
機能確認テスト*2	1つひとつのモジュールが詳細設計書や機能仕様書どおりに動作することを確認するテスト
制御フローテスト*3	プログラムの論理構造に沿って、「命令」や「分岐」などがすべて実行されるかを確認するテスト
データフローテスト	データや変数が「定義」→「使用」→「消滅」の順に行われているかを確認するテスト。静的解析ツールなどを用いる

*2 本書ではテスト工程の「機能テスト」とテストの一種である「機能確認テスト」を異なる用語として表しています。機能テストは、機能ごとにテストするといった、テスト対象の規模単位を表しています。一方、機能確認テストは、仕様に記載された機能が正しく動作しているかを確認することといった、テストの目的を示しています。

*3 制御フローテストとデータフローテストについては、第3章で詳しく説明します。

表2-6◉テスト工程で行うテスト(結合テスト・機能テスト)

種類	説明
状態遷移テスト	状態遷移図・状態遷移表に基づいて動作を確認するテスト
機能確認テスト	モジュール同士の連携や複数のモジュールで実現される機能が、詳細設計書どおり動作することを確認するテスト

表2-7◉テスト工程で行うテスト(システムテスト)

種類	説明
確認テスト	一度テストされている事項を再度確認するテスト。次のようにさらに細かく分けてテストする場合もある。 **修正確認テスト**:ソフトウェアを修正・変更した後に、変更個所および関連する個所が正しく動作するかを確認するテスト **リグレッションテスト**:ソフトウェアを修正・変更した後に、新しい不具合が混入されていないことを、変更個所と直接関係しそうにない部分も含めて確認するテスト **スモークテスト**:テスト実施前に、テスト対象のソフトウェアがテストを行うに値する品質であることを確認するテスト。前工程のテストとこれから行うテストの代表的なテストを簡易的に行うなどして確認する **リリースチェックテスト**:出荷候補に対する動作確認テスト
評価テスト	単純に○×で判定しにくい品質に対して程度を判断するテスト。次のようにさらに細かく分けてテストする場合もある。 **セキュリティテスト**:悪意ある外部からの攻撃への対応や、脆弱性が存在しないことを確認するテスト **ユーザビリティテスト**:操作性、学習性、理解性、見やすさといったユーザーにとっての使いやすさを確認するテスト **障害許容性テスト**:障害が発生した場合に指定された機能が維持されていることを確認するテスト
負荷テスト	動作しているソフトウェアシステムに負荷をかけて行うテスト。次のようにさらに細かく分けてテストする場合もある。 **性能テスト**:処理能力が仕様を満たしていることを確認するテスト **ロングランテスト**:長時間の連続稼働によって処理能力や稼働率(障害発生頻度・復旧時間など)に問題が生じないかを確認するテスト **大容量テスト(ボリュームテスト)**:容量の大きいデータや大量のデータを処理できることを確認するテスト **記憶域テスト(ストレージテスト)**:リソースが不足している状況下(記憶装置の残量が少ない状態など)での動作を確認するテスト **高頻度テスト**:一定時間内に、繰り返し大量の処理を行った場合に問題が生じないことを確認するテスト **負荷テスト(ストレステスト)**:極端に高い負荷をかけた状況下(短時間に、容量の大きいデータを処理させるなど)での動作を確認するテスト
環境テスト	ソフトウェアを取り巻くプラットフォームや周辺機器に注目して行うテスト。次のようにさらに細かく分けてテストする場合もある **構成テスト**:ハードウェアとソフトウェアを組合せたさまざまな動作環境下で、ソフトウェアの動作に影響がないことを確認するテスト **互換性テスト**:外部のハードウェアやソフトウェアと正しく連携してデータをやり取りできるかを確認するテスト **両立性テスト**:同時に使用される外部環境に対して、障害を引き起こすような影響を与えないことを確認するテスト
機能確認テスト	ユーザーの要求を満たすために、ソフトウェアに備わった各機能の働きが詳細設計書どおりに動作することを確認するテスト。OSや環境、複数の機能、設定値、入力値などを組み合わせて行う

テスト工程では、上記の他にも以下のテストを行う場合もあります。

表2-8 ● テスト工程で行うその他のテスト

種類	説明
アドホックテスト（ランダムテスト）	テスト設計を行わず、場当たり（ad hoc）的に行うテスト
探索型テスト	テスト担当者が自らの経験をベースに行うテスト
リスクベースドテスト	テスト対象のリスクを想定し、リスクの大きい部分から優先的に確認するテスト
モデルベースドテスト	テスト設計モデルを用いてテストケースを設計する技術の総称
エラー推測テスト	開発者が起こしやすいエラーを調査し、造りこまれる可能性が高い欠陥を推測して、テストケースを作成する手法
ミューテーションテスト	誤りを含むプログラム（ミュータント）を機械的に生成し行うテスト
バックトゥバックテスト	同じ期待結果を持つソフトウェアを2つ別々に（back to back: 背中合わせに立て続けに）作り、同じ処理をさせた結果を比較するテスト
ローカライゼーションテスト	ある国・地域用に作られたソフトウェアを別の国・地域用に変更する際、適切に現地化（ローカライゼーション）できているかどうかを確認するテスト

表2-9 ● ユーザーによるテスト

種類	説明
受入れテスト	対象のソフトウェアがユーザーの要求を満たしているかを公式に確認し、受入れを判定・承認するテスト
運用テスト	実際の操作環境下でソフトウェアが正しく動くかを確認するテスト
アルファテスト	試作段階の製品を開発者以外の人間が操作して、不具合がないことを確認するテスト
ベータテスト	発売・リリース前の製品を開発者以外の一般のユーザーが操作して、使用性や不具合がないことを確認するテスト

テスト工程とテストフェーズ

次ページの図は、**テスト工程**の流れと、各テスト工程の**テストフェーズ**を表しています。

図2-7 ● テスト工程の中のテストフェーズ

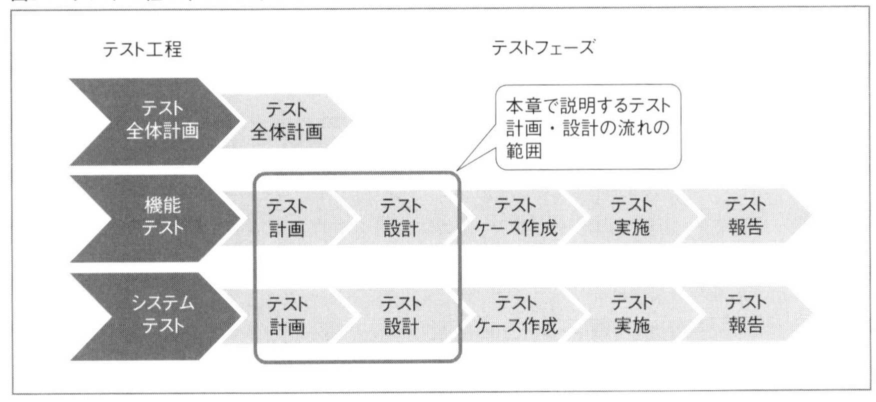

まず、テスト計画には「**テスト全体計画**」と「**個別テスト計画**」があります。

テスト全体計画は"機能テストの計画"や"システムテストの計画"といった個別のテスト計画ではなく、V字モデル右側に表される単体テスト、結合テスト、機能テスト、システムテストといったテスト工程全体の計画を指します。具体的には、全体としてのテスト対象(範囲)を確認します。そのうえで各テスト工程における方針や目的、対象範囲、開始・終了基準など記載します。またテスト工程の移行判定基準なども記載します。

個別テスト計画は、単体テスト、機能テストや、システムテストなど、個別のテストフェーズに対する計画です。

なお、単体テストと結合テストについては開発するシステムの種類や使用するプログラミング言語、開発環境、開発の進め方などによって、内容が大きく変わるため一概に書き表すことができません。そのため、本章では機能テストとシステムテストについてのみ説明します。

各テスト工程での作業内容

機能テストとシステムテストにはそれぞれ、次の5つのフェーズがあります。

表2-10 • テストフェーズ（個別）

テストフェーズ	説明
テスト計画	**各テスト工程の目的と範囲を明確**にし、どのようなアプローチでテストするのかを検討する。テストに必要な設備や環境、人員といったリソースの調達やスケジュールなども定める
テスト設計	そのテスト工程で実施すべき**テストの種類や目的、テスト対象機能、使用するテスト技法、テストの入力・出力に何を使用するかなど**を定める。また、テスト実施に必要な機材や合否判定基準などをより具体的に定める
テストケース作成	テスト開始前の状態や、期待結果（テスト実施時の条件や操作手順にしたがってテスト対象を動作させた結果どうなるか）や、判定欄（テスト対象の動作結果を記録する欄）などを記入する**ドキュメントを作成する**
テスト実施	テストケースを見ながら実際にソフトウェアを動作させてテストを行い、その結果をテストケースの判定欄に○×などで記載する。 期待結果と異なるテストケースがあった場合は判定欄に×印を記入したうえで、不具合報告書を作成する。不具合報告書には、期待結果と異なった現象の説明や、その現象がどのような場合（操作、入力値、条件など）に発生するのかを記載する
テスト報告	**テスト結果を要約して報告する**。テストの合否基準を満たしているかを、各種データ（実施項目数、テスト消化率、実施工数など）や、不具合データ（検出不具合件数、ランク別の不具合件数など）をもとに評価する。 また、リリース後に懸念されるリスクや次期プロジェクトでの推奨事項などを提案する

これらのうち、**テスト計画**と**テスト設計**は不具合の発見と品質確認のための要となるフェーズなので、その進め方についてこれから詳しく説明します。それ以外のフェーズについては第9章で説明します。

テスト計画・テスト設計の流れ

テスト計画・テスト設計の具体的な作業内容を見ていきます。テスト計画では**テスト工程単位**、テスト設計では**テスト観点単位**（テストの種類単位）で各内容を検討します。

図2-8●テスト計画・テスト設計の流れ

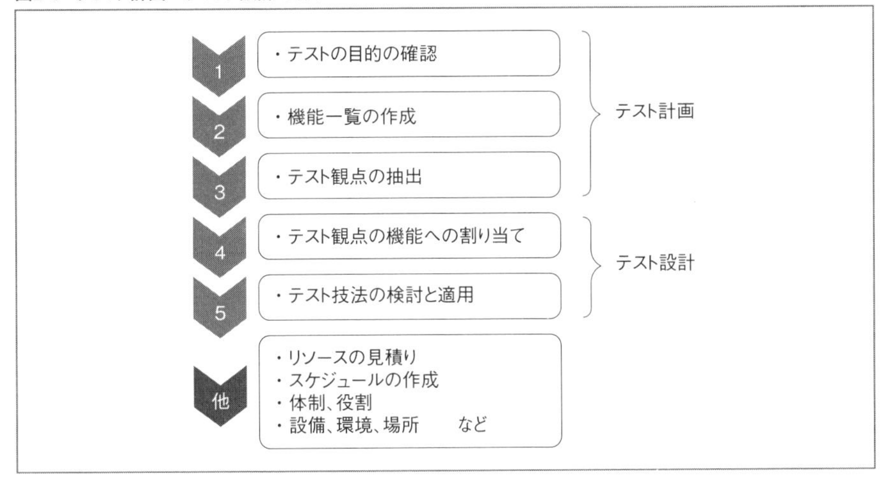

(1)テストの目的を確認する

最初に、テスト全体計画書を見て**テストの目的**(重点的に確認する品質特性など)を確認します。

また、テスト全体計画書に記載されている内容にしたがって、これから計画・設計を進めようとしているテスト工程における「**テストのアプローチ**」を決定します。テストのアプローチとは、**テストの範囲**(テスト対象とする機能)や、**テストの概要**、**テストの方法**(テスト技法)を定めることです。例えば、テスト全体計画書に「**テスト対象のソフトウェアは既存システムへの追加機能のみだが、時間効率性に関しては全機能を対象にテストを行うこと**」と記載されている場合はそれにしたがって各項目を決定します。

(2)機能一覧表を作成する

テスト全体計画書で定められている範囲にあるテスト対象が持つすべての機能を洗い出します。また同時に、各機能のおおまかな働きについて理解しておきます。**漏れなくすべての機能を洗い出す**ことを重視し、この時点ではテスト対象・非対象の判断は行いません。

表2-11 ● 機能一覧表の例

機能	
各種設定	録画品質
	映像・音声調整
	視聴準備
	初期化・更新
	暗証番号
	視聴制限
	表示言語

機能	
録画モード	DR
	n倍速
録画予約	日時指定
	番組表
	フリーワード検索
録画データ	消去保護
	消去
	編集

機能	
再生	チューナー
	BD
	HDD
	外部入力
録画	放送録画BD
	放送録画HDD
	外部録画HDD
	ダビング

(3)テスト観点を抽出する

テスト観点の抽出を行います。テスト観点とは「**テストの切り口**」です。例えば、

- 画面に表示される計算結果の正しさを確認する(表示確認の観点、計算結果の観点)
- 入力項目のチェック機能を確認する(入力確認の観点)
- 処理時間を確認する(レスポンスタイムの観点)

などがテスト観点となります。つまり、テスト対象に対して、表示の正しさ、計算結果の正しさ、入力の正しさ、レスポンスタイムの適正さを確認する視点・観点が「切り口」となります。**これらはいずれも、どれか1つの機能でだけ確認できるものではありません**。ソフトウェア全体に対して確認すべき事項です。そのような切り口をテスト観点として抽出します。

ただし、何でもよいというわけではありません。詳しくは次項で説明しますが、テストの目的に則したテスト観点かどうかを確認することが大切です。適切なテスト観点を抽出する方法の1つに「**テストの目的を品質特性に変換し、品質特性に対応したテスト観点を抽出する**」という方法があります。

例えば、テストの目的が「高齢者にとって使いやすいかどうかを確認すること」であれば、使用性のテスト観点として「画面の見やすさ」や「操作数の少なさ」などを抽出するとよいでしょう。一方で、「結果の正しさ」はテスト観点としては不適切といえます。なぜなら、結果が正しいか否かは、高齢者にとって使いやすいかどうかと直接関係がないためです。

また、ここでは先に作成した機能一覧表を参照しながら、１つの機能でのみ必要なテスト観点であっても抽出しておきます。

(4)テスト観点を機能へ割り当てる

洗い出した機能の一つひとつについて、どのテスト観点のテストを行うべきかを検討します。すべての機能において確認すべきテスト観点もあれば、ある機能でのみ確認するテスト観点もあります。

機能とテスト観点を配置した「**テストマップ**」(次ページを参照)を作成し、テストが必要な機能とテスト観点の組合せに印をつけていきます。もし印が１つもついていない機能がある場合は、その機能で確認すべき他のテスト観点がないかを確認します。そのうえで、本当にテストする必要がない機能であると判断した場合はテスト非対象とします。

テストマップを用いて**機能ごとに各テスト観点の適用有無**を検討することには次のようなメリットがあります。

【メリット1】各機能へのテスト観点の適用し忘れを防止できる

機能ごとにテスト内容を検討すると作業が煩雑になるため、重要なテスト観点を適用し忘れる恐れがありますが、テストマップを用いるとこれを防ぐことができます。

【メリット2】実施するテストを具体的にイメージできる

テストマップがあると、早い段階から関係者の間でテストの認識を合わせることができます。また、機能とテスト観点の組合せを検討することで、テストを具体的にイメージできます。

【メリット3】各テスト観点の重要度やテストの規模を把握できる

テストマップの升目につけられた印を数えることで、テスト観点の重要度を把握できます。印が多くついているテスト観点ほど、ソフトウェア全体に影響する重要なテスト観点であるといえます。

また、多くの印がついている機能は、それだけ多くのテスト項目が必要になるため、テストの規模も大きくなると想定されます。一方、印が少ない機能は、少ないテスト観点で必要な品質確認が行えます。

図2-9 ● テストマップ

機能		機能（正常系）							機能（組合せ）							非機能					ユーザー						テスト	
		基本機能	状態遷移	画面遷移	設定保持／変更／反映	表示	ユーザーインタフェース	セキュリティ	同時動作	割込動作	排他処理	互換性	構成	相互運用性	オプション／付属品	処理速度	負荷	高頻度	連続動作	リソース不足	出力品質	ユーザビリティ	魅力性	シナリオ	導入	保守	過去欠陥	修正テスト
再生	チューナー	○	○	○		○	○		○	○			○			○	○	○	○		○	○	○	○			○	○
	BD	○	○	○		○	○		○	○		○	○			○	○	○	○		○	○	○	○			○	○
	HDD	○	○	○		○	○		○	○			○		○	○	○	○	○	○	○	○	○	○		○	○	○
	外部入力	○	○	○		○	○		○	○			○	○		○	○	○	○		○	○	○	○			○	○
録画	放送録画BD	○	○						○	○	○	○				○	○		○					○			○	○
	放送録画HDD	○	○						○	○	○		○		○	○	○		○	○				○		○	○	○
	外部録画HDD	○	○						○	○			○	○	○	○	○		○	○				○		○	○	○
	ダビング	○	○						○	○						○								○				○
録画モード	DR	○																			○			○			○	○
	n倍速	○																			○			○			○	○
録画予約	日時指定			○	○		○			○						○						○	○	○			○	○
	番組表			○	○		○			○						○						○	○	○			○	○
	フリーワード検索			○	○		○			○						○						○	○	○				○
録画データ	消去保護			○	○		○	○														○		○			○	
	消去			○			○									○						○		○				
	編集			○			○									○						○		○				
各種設定	録画品質	○		○	○		○										○	○			○	○		○	○		○	○
	映像・音声調整	○		○	○	○	○										○	○			○	○		○	○		○	○
	視聴準備			○	○		○															○			○	○		
	初期化・更新			○	○		○															○			○	○	○	
	暗証番号			○	○		○	○														○			○	○		
	視聴制限	○		○	○		○	○																○	○	○		
	表示言語			○	○		○															○		○	○			

注）このテストマップは簡略化した一例です。実際には機能、テスト観点ともに、さらに詳細に記述します。

(5)テスト技法の検討と適用

機能とテスト観点の組合せが決まったら、一つひとつの組合せに対して、**テスト設計**を進めます。その際、数あるテスト技法の中からもっとも効果的・効率的に欠陥や不具合を検出できるテスト技法を選定します。

例えば、画面の表示項目確認などに技法は使いませんが、テキストボックスの入力に関するテストは**同値分割法**や**境界値分析**を適用して考えます。また、状態の遷移や画面遷移などがある場合には**状態遷移テスト**なども考えます。

なお、検討すべきテスト技法については、第４章以降で詳しく解説します。

その他の検討事項

上記の（1）～（5）のテスト計画・テスト設計の各作業を行うことで**“理想的なテストのアプローチ”**は定まります。しかし、実際にはリソース（人員・予算）やスケジュールといった、以下の検討事項を勘案したうえで、**“実現可能なテストのアプローチ”**を定める必要があります。この点も覚えておいてください。

- 必要なリソース
- スケジュール
- テスト実施時の体制・役割
- テスト実施に必要な設備、環境、作業場所など

この後、本章では、テストのアプローチを定める際の要となる「**テスト観点**」について解説します。これらは先述した「**(3)テスト観点を抽出する**」(p.34) と「**(4)テスト観点を機能に割り当てる**」(p.35) に関連する部分です。

テスト観点の必要性

テスト計画やテスト設計について解説した流れの中で「**テスト観点とは、テストの切り口である**」と説明しました (p.34)。ではテスト観点がないと、どのような困ったことになるのでしょうか。

目の前に完成間近の携帯電話を置かれて「これをテストしてください」といわれたとします。この場合、どのようなテストを思いつくでしょうか。これでは確認すべきことが漠然としすぎていて途方に暮れてしまうでしょう。ある人は思いつきに任せてテストをはじめるかもしれません。別の人はメール機能ばかりテストするかもしれません。また別の人は取扱説明書に書いてある操作を順に試すかもしれません。ソフトウェアテストの本を買ってきて、書かれているテスト技法を試す人もいるかもしれません。

このように、**「テストしてください」という指示だけでは、適切なテストを行うことはできません**。テストの方向性が明らかになるような具体的な指示、つまりテスト観点が必要になるのです。

テスト観点一覧表とは

先述したとおり、テスト観点の抽出は各テスト工程で行いますが、「**テスト観点一覧表**」を使用すれば、より効率的に作業を進めることができます。

テスト観点一覧表とは、**テスト観点を再利用可能な形式にまとめた一覧表**です。テストノウハウの集積といえます。テスト観点の抽出時は、前回のテスト観点一覧表を参照し、今回のテストで活用できそうなテスト観点を選定します。

また、一覧表にない、新しいテスト観点がある場合は、それを追加していきます。そうすることで、テストを重ねるごとにより充実したテスト観点一覧表を使えるようになります。

また、テスト観点一覧表を用意しておくと次のようなメリットもあります。

- 個人の勘と経験に頼ったテストではなく、体系的なテストを実施できる
- 個人のスキルの差(ベテランと新人の差など)を軽減できる
- テストすべき観点の漏れや抜け、重複を回避できる
- テスト全体の中での個々のテスト観点の位置づけや重要度を検討できるため、適切な判断が容易になる

これらのことから、本書では特定のテスト工程におけるテスト観点の抽出方法ではなく、**テストノウハウとして活用できるテスト観点一覧表の作り方**を解説します。

テスト観点一覧表の作り方

はじめてテスト観点一覧表を作成する場合は、最初にテスト観点をいくつかの段階に分類し、大きな観点から小さな観点へと分類を進めていく方法がお勧めです。この際、分類の基準となるものがあると作業が進めやすくなります。

例えば、以下の指標を分類の基準としてもよいでしょう。

表2-12●分類の基準として利用できる指標の一例

指標	説明	
ISO/IEC 25010の 8つの品質特性	・機能適合性 ・信頼性 ・使用性 ・セキュリティ	・性能効率性 ・互換性 ・保守性 ・移植性
Ostrandの4つのビュー	・ユーザービュー ・仕様ビュー	・設計・実装ビュー ・バグビュー
Myersの14の システムテスト・カテゴリ	・ボリューム ・ストレス ・効率 ・ストレージ ・信頼性 ・構成 ・互換性	・設置 ・回復 ・操作性 ・セキュリティ ・サービス性 ・文書 ・手続き

本章では、次の4つの大分類を、また、機能に関してはさらに3つの中分類を一例として使用し、解説を進めます。

図2-10●テスト観点の分類例

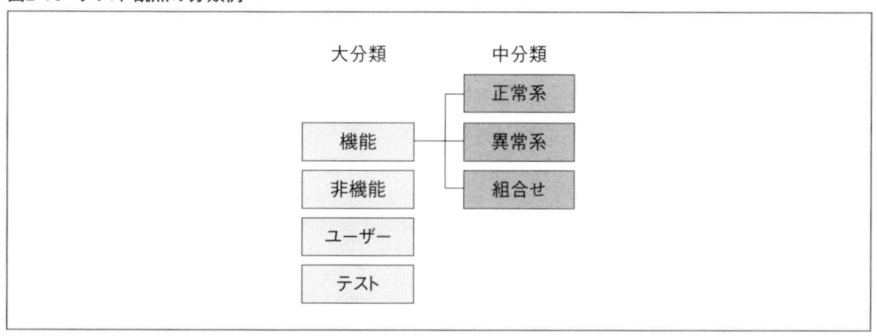

上記のように大分類と中分類を決めたら、さらに細かく分類を進めます。

表2-13●テスト観点一覧表の例

大分類	中分類	テスト観点	
機能	正常系	・基本機能 ・遷移(状態、画面) ・設定(保持、変更、反映) ・アップロード/ダウンロード ・インストール	・表示 ・データ登録、変更、削除、反映 ・ユーザーインタフェース(GUI) ・セキュリティ ・外部接続
	異常系	・異常値入力 ・エラー検知 ・エラーメッセージ確認 ・エラー復旧 ・異常データ	・記憶装置異常 ・異常状態 ・異常環境 ・異常操作(ボタン連打など) ・エラーログ確認
	組合せ	・同時動作 ・割込動作 ・排他処理(同時アクセス) ・互換性	・構成 ・設定 ・相互運用性 ・オプション／付属品
非機能	―	・処理速度 ・負荷 ・大容量	・連続動作 ・通信帯域不足 ・リソース不足
ユーザー	―	・出力品質(印刷など) ・ユーザビリティ、操作性 ・魅力性	・業務シナリオ ・導入、保守
テスト	―	・修正テスト ・過去欠陥	・リグレッションテスト ・テスタビリティ

上記のテスト観点はあくまでも一例ですが、これまで開発やテストを経験した人であれば、こうしてでき上がったテスト観点一覧表を見ることで、他にも数多くのテスト観点を思いつくことでしょう。それらを共通の認識として洗い出し、整理していくことに、テスト観点一覧表を作成する意味があります。

みなさんの開発現場にはテスト観点一覧表はあるでしょうか。もしないようであれば、これから作成し、更新していくことをお勧めします。また、すでに存在しているのであれば、参照するだけでなく、より充実したものへと更新していきましょう。新機能が追加されたり、新たな欠陥が発見されたりするたびに更新することで、将来のテストが現在よりもレベルの高いものへと進化します。

以上で、機能一覧で表される**テスト対象機能の範囲**と、テスト観点で表される**テストの内容**が定まりました。機能一覧とテスト観点一覧を合わせてテストマップを作成し、テストの対象範囲がより明確になりました。

次章からはテストの内容をテストケースに落とし込むために必要となる**テスト技法**について解説します。

練習問題 1

次の仕様を読み、解答欄にある3つのテスト観点について空欄を埋めなさい。

仕様

・パスワードに使用できる有効な文字の種類は、半角英数字（0 ～ 9、a ～ z、A ～ Z）のみで、それ以外は無効とする
・パスワードの文字数は4文字（それより少なくても、多くても不可）

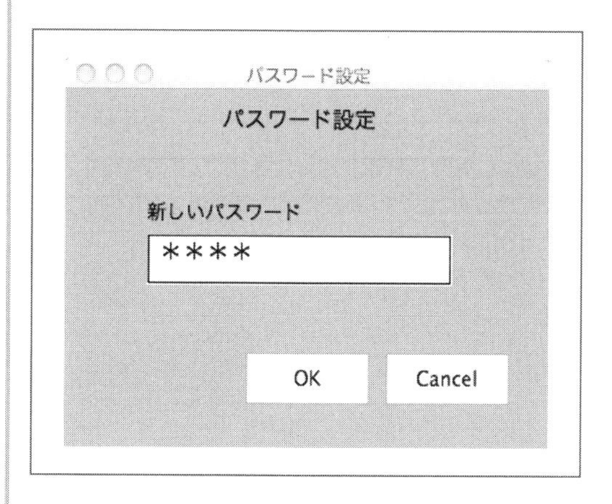

解答欄

■テスト観点：機能（正常系）

・入力文字数：（　　　　）文字
　※ヒント：有効な文字数
・各文字位置に入力する文字の種類
　・1文字目：（　　　　）（　　　　）（　　　　）
　・2文字目：1文字目のテスト観点と同じ
　・3文字目：1文字目のテスト観点と同じ
　・4文字目：1文字目のテスト観点と同じ
　　※ヒント：有効な文字の種類

■テスト観点：機能（異常系）

・入力文字数：(　　　　)文字、(　　　　)文字、(　　　　)文字
　※ヒント：無効な文字数
・各文字位置に入力する文字の種類
　・1文字目：(　　　　)(　　　　)(　　　　)
　　　　　　(　　　　)(　　　　)(　　　　)
　　　　　　(　　　　)
　・2文字目：1文字目のテスト観点と同じ
　・3文字目：2文字目のテスト観点と同じ
　・4文字目：3文字目のテスト観点と同じ
　　※ヒント：無効な文字の種類
・文字の配列：
　・文字位置のいずれか1文字が(　　　　)な文字の種類
　　　　　　　　それ以外は(　　　　)文字の種類
　・文字位置のすべてが(　　　　)な文字の種類

●テスト観点：機能(組合せ)

・(　　　　　　　　　　　　　　　　　　)
　※ヒント：文字キーを使わずに入力する方法
・(　　　　　　　　　　　　　　　　　　)
　※ヒント：文字入力のハードウェア
・(　　　　　　　　　　　　　　　　　　)
　※ヒント：日本特有の入力方法

解答 p.43

練習問題 1 解答

■テスト観点：機能（正常系）

- ・入力文字数：（　４　）文字
- ・各文字位置に入力する文字の種類
  - ・１文字目：（半角英小文字）（半角英大文字）（半角数字）
  - ・２文字目：１文字目のテスト観点と同じ
  - ・３文字目：１文字目のテスト観点と同じ
  - ・４文字目：１文字目のテスト観点と同じ

■テスト観点：機能（異常系）

- ・入力文字数：（　０　）文字、（　３　）文字、（　５　）文字
  ※ヒント：無効な文字数
- ・各文字位置に入力する文字の種類
  - ・１文字目：（半角記号）（全角英小文字）（全角英大文字）
    （全角数字）（全角かな）（全角カナ）
    （全角記号）
  - ・２文字目：１文字目のテスト観点と同じ
  - ・３文字目：２文字目のテスト観点と同じ
  - ・４文字目：３文字目のテスト観点と同じ
- ・文字の配列：
  - ・文字位置のいずれか１文字が（　無効　）な文字の種類
    それ以外は（　有効　）文字の種類
  - ・文字位置のすべてが（　無効　）な文字の種類

●テスト観点：機能（組合せ）

・（　コピー＆ペーストで入力　）
・（　キーボードを変更して入力　）
・（　かな漢字変換システムを使って入力　）

Chapter

03 ホワイトボックステストとブラックボックステスト

2種類のテスト

実体のある機械装置において、原理や機構を知らなくてもその機械装置の働きを理解でき、利用できることを「**ブラックボックス**」といいます。一方、機械装置があたかも透明の箱に収められていて内部構造が外側から見えているような状態(原理や機構を認識できる状態)のことを「**ホワイトボックス**」といいます。

このことから、ソフトウェアの中身を意識せずに行うテストのことを「**ブラックボックステスト**」と呼び、ソフトウェアの中身を理解したうえでそれを意識しながら行うテストのことを「**ホワイトボックステスト**」と呼びます。

図3-1 ● ホワイトボックステストとブラックボックステストのイメージ

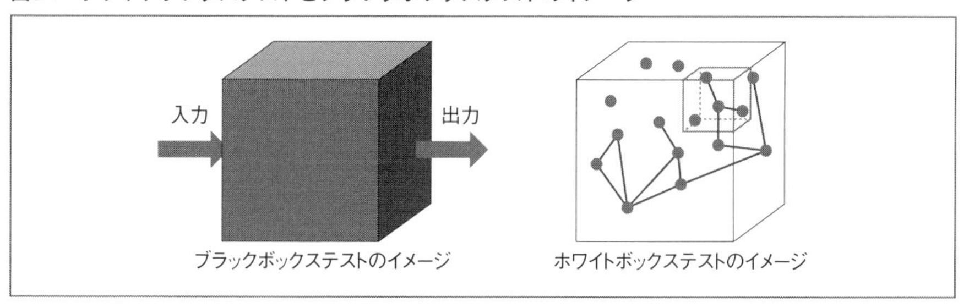

ホワイトボックステストとは

ホワイトボックステストは、**ソフトウェアの最小単位であるモジュールの一つひとつを対象とした単体テストで用いられます**[*1]。

ホワイトボックステストには、命令文の処理順序を確認する「**制御フローテスト**」と、データの流れを確認する「**データフローテスト**」の２種類があります（第2章の『**図2-6** 代表的なテストの分類』を参照：p.26）。

ホワイトボックステストを行うメリットは、**モジュール内部の処理（命令文）単位で動作確認を行える点**です。また、単体テストのホワイトボックステストによって検出された欠陥は、その原因個所がモジュール内部に限定されるため、**そのモジュールを調査・変更するだけで修正を完了することができます**。この点も、ホワイトボックステストを行うメリットの1つです。

モジュールと論理構造

ホワイトボックステストは、ソフトウェアの論理構造を確認するために実施するため、テスト担当者は事前に「**論理構造とは何か**」について正しく理解しておく必要があります。そのため、先に論理構造について少し詳しく説明しておきます。

各モジュールには、必要とされる計算結果を得るための複数の処理が含まれていますが、この処理の流れや実行順序のことを「**論理構造**」と呼びます。論理構造に誤りがあると、モジュールが正常に動作しないばかりか、そのモジュールを他のモジュールと組み合わせた際に数多くの問題を引き起こすことになります。

食事の代金を割り勘で払う際に使用する簡単な計算ソフトウェアの例を用いて、モジュールの論理構造を見てみましょう。

このモジュールは合計金額と人数をもとに１人当たりの割勘額を算出します。モジュールの中では、次のＡ ～ Ｆの各処理が順番に実行されます（ここでは、入力可能な最大値や負の値、整数以外の数値、数字以外の文字が入力された場合については考えなくてもよいものとします）。

---

*1　本書では、単体テストにおけるホワイトボックステストについて説明しますが、ホワイトボックステストを「論理構造を確認する」という広い意味で捉えた場合には、ホワイトボックステストの考え方は単体テストだけでなく、結合テストでモジュール間の処理やデータの流れを確認する際にも活用できます。

A：合計金額を入力する
B：入力された金額が0ならば処理Aに戻る
C：人数を入力する
D：入力された人数が0ならば処理Cに戻る
E：割勘額（合計金額÷人数）を計算する
F：計算結果を表示する

このモジュールでは、各処理の実行順序が変わると適切な結果が得られなくなる場合があります。試しに次のように処理の実行順序を変えてみます。

A：合計金額を入力する
C：人数を入力する
E：割勘額（合計金額÷人数）を計算する
B：入力された合計金額が0ならば処理Aに戻る
D：入力された人数が0ならば処理Cに戻る
F：計算結果を表示する

ここでは、**処理E**の計算処理を合計金額と人数入力の直後に移動しました。そして0（ゼロ）が入力された場合の**処理B**と**処理D**を、**処理E**の後に移動しました。

このモジュールは、正しい合計金額と人数が入力された場合は問題なく処理を進めることができますが、**処理C**で0が入力された場合、ゼロ除算が起きてしまうため処理を進めることができなくなります。

このように各行の処理自体に誤りがなくても、その順番を誤るとモジュール全体での正しい処理は実行できなくなります。このような場合に「モジュールの論理構造に誤りがある」といいます。

なお、正しい結果を導き出すモジュールの論理構造が常に1つだけになるとは限りません。何通りもの異なる論理構造を用いて同じ結果を出すこともできます。

同じ結果になる2つの論理構造

ここでは、**フローチャート**（論理構造を図にしたもの）を用いて、同じ結果が得られる2つの論理構造を見ていきます。次のモジュールは、以下の料金表に基づいてあるサービスの料金割引計算を行います。

サービス料金表

・通常料金	2,000 円
・会員料金	1,800 円
・60 歳以上	1,500 円
・毎週水曜日	1,000 円

『**図3-2 フローチャート【A】**』を確認すると、このモジュールは、割引が適用される条件を順番に確認し、条件に合致した際に相当する割引金額を適用していることが読み取れます。いずれの割引条件にも該当しなければ、最初に設定した通常料金(2,000円)が最終的な金額となります。この論理構造で常に正しい結果を得ることができます。

図3-2 ● フローチャート【A】(料金割引計算モジュール)

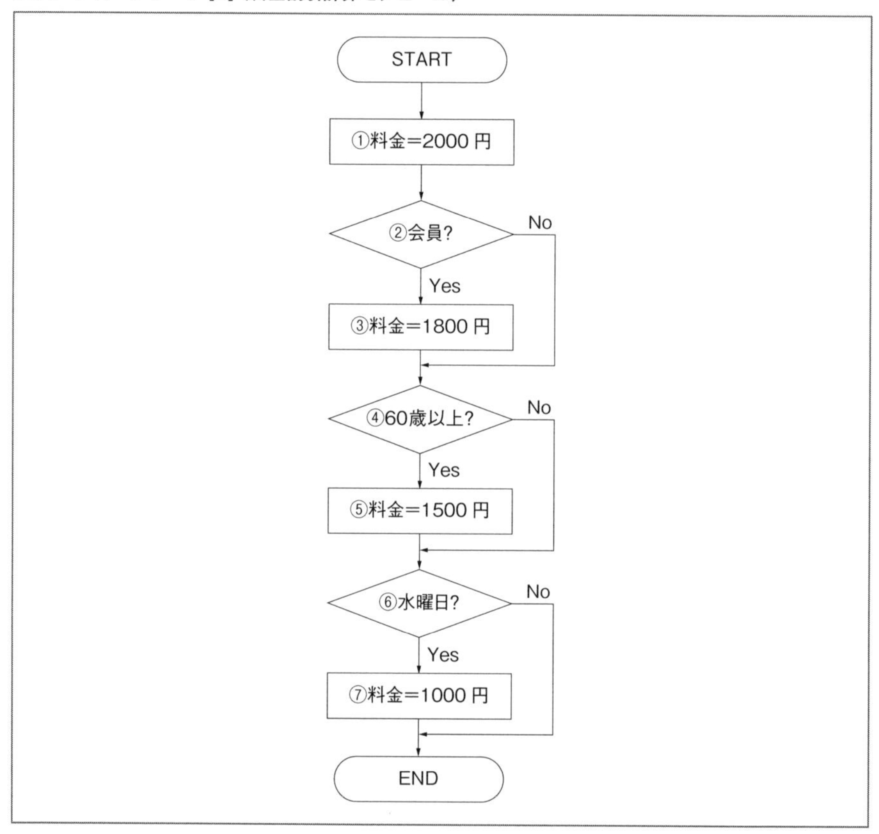

しかし、会員または60歳以上で一律1,000円が適用される水曜日に①〜⑤の処理を行うことは無駄に感じられます。水曜日は誰でも1,000円なので、②と④の条件を判定するために会員カードの提示を求めたり、年齢を聞いたりする必要はありません。つまり、水曜日かどうかを最初に判定するのがもっとも早い方法といえます。

そこで『**図3-3 フローチャート【B】**』のようなフローチャートを考えます。これは、金額が低くなる順に割引条件を確認していく方法です。フローチャート【A】と同じ結果になります。

図3-3 ● フローチャート【B】(料金割引計算モジュール)

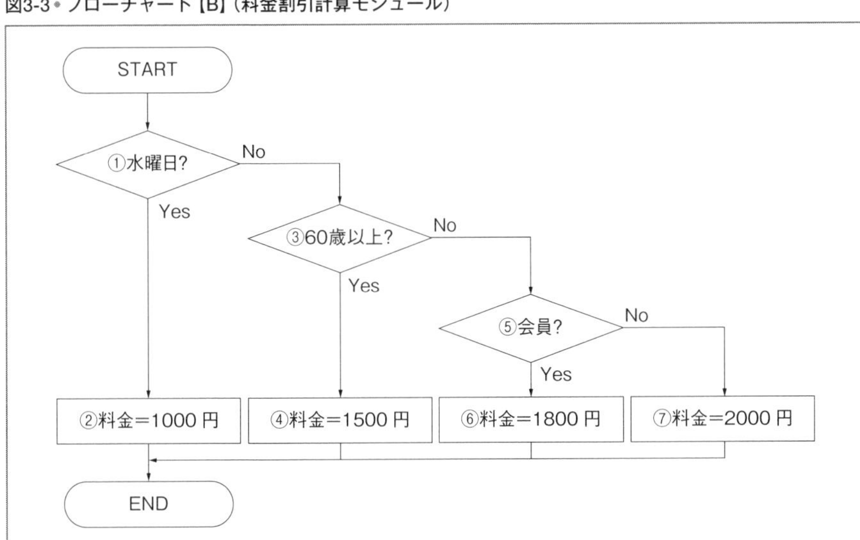

一見するとフローチャート【B】のほうが複雑に思えますが、**処理効率**(結果を得るまでに必要な処理ステップ数)はフローチャート【A】より優れていることが、次の比較によってわかります。

・フローチャート【A】で結果を得るまでに必要な処理ステップ

最多ステップ数=7：①②③④⑤⑥⑦

最少ステップ数=4：①②④⑥

・フローチャート【B】で結果を得るまでに必要な処理ステップ

最多ステップ数=4：①③⑤⑥、①③⑤⑦

最少ステップ数=2：①②

フローチャート【A】では最少でも4ステップ、最多では7ステップの処理が必要ですが、フローチャート【B】では、いかなる割引でも4ステップ以下で結果を得ることができます。

論理構造の優劣は一概に判定できるものではないため、どちらが正しいとはいえませんが、数万以上のモジュールで構成されているソフトウェアシステム全体で考えると、このような差の累積が性能などに影響を及ぼします。ここでは、**同じ結果が得られるソフトウェアを異なる論理構造で作ることができる、または、異なる論理構造で作られている場合がある**ということを理解しておいてください。

論理構造の視覚化

ホワイトボックステストを効率的に行うには、テストする際に「**モジュールの論理構造**」を明示する必要があるのですが、その方法の１つに、上記のフローチャートが挙げられます。

フローチャートを使用すると、文字の連なりで記述された処理の流れを視覚化することができ、フローチャートの矢印を辿ることでホワイトボックステストに必要な論理構造を理解できます。特に、ソースコードのままでは把握しにくい「**条件分岐命令などで処理が複数行後に進む場合**」や「**繰り返し命令などで処理が複数行前に戻る場合**」に、フローチャートによる処理の視覚化は効果的です。数百行のソースコードをフローチャート化するにはそれなりの労力を要しますし、一度描いたフローチャートを修正するのも面倒です。しかし、ホワイトボックステストを確実に行いたいのであれば、フローチャートを描くようにしましょう。論理構造がわかりやすくなっていると、ホワイトボックステストがしやすくなるだけでなく、後日、仕様変更による修正や、後のテスト工程で発見された欠陥を修正する際に、適切に修正作業が行えます。

制御フローテストの実施方法

ホワイトボックステストに分類される代表的なテストである「**制御フローテスト**」を紹介します*2。

制御フローテストでは、モジュールを構成する要素である「**命令文**」「**分岐した経路**」「**条件**」のいずれかに着目し、これらがすべて実行されるかを確認します。具体的な手順は次のとおりです。

(1)ソースコードをもとにして、フローチャートを描く

紙面や図形描画ソフトウェアなどを使ってフローチャート(制御フロー図)を描き、モジュールの論理構造を図示します。この時点では、テスト対象のモジュールは動かしません。

(2)カバレッジ基準(網羅したい要素)を決める

制御フローテストで着目する要素を「**命令文**」「**分岐した経路**」「**条件**」から選択します。これら要素のことを「**カバレッジ基準**」と呼びます。“カバレッジ”とは「網羅率」という意味です。カバレッジ基準をどれだけ網羅したかを割合で示します。基本的にはカバレッジ100%を目指します。

(3)カバレッジ基準を網羅する経路を抽出する

手順1で描いたフローチャートを見ながら、手順2で定めたカバレッジ基準をすべて通るフローチャート上の経路を決定します。この際、1本の経路ですべての経路を網羅する必要はありませんが、テストを効率的に行うためにも、できるだけ少ない経路を抽出します。

*2 制御フローテストは「制御パステスト」と呼ばれることもあります。

(4)抽出した経路を通るようにテストを行う

手順3で抽出した経路を通る入力値を指定してモジュールを動作させ、テストを行います。

(5)結果を確かめる

手順4を行った結果として、手順3で抽出したすべての経路を通ったかを確認します。

カバレッジ基準①：ステートメントカバレッジ

制御フローテストで着目する要素に「**命令文**」を選択した場合、それを「**ステートメントカバレッジ**」と呼びます。この場合は、すべての命令文を最低1度は通るようにテストします。

次のような店頭レジ端末の割引・ポイント計算を行うモジュールの仕様を例に、ステートメントカバレッジについて見ていきましょう。

割引・ポイント計算の仕様

- ●レディースデー
  - ・火曜日は女性に限り 3割引
- ●ポイント 2倍
  - ・月曜日は購入額に関わらずポイント 2倍
  - ・曜日に関わらず5,000円以上購入するとポイント 2倍

次ページのフローチャートを見てください。図中の2つの「分岐」と2つの「処理」が命令文にあたります。ステートメントカバレッジでは、これら4つの命令文をすべて通るよう動作させることを目指します。この例では1本の経路で済むことがわかります。したがって、1回のテストでステートメントカバレッジ100%を達成することができます。

図3-4 • ステートメントカバレッジを満たす経路

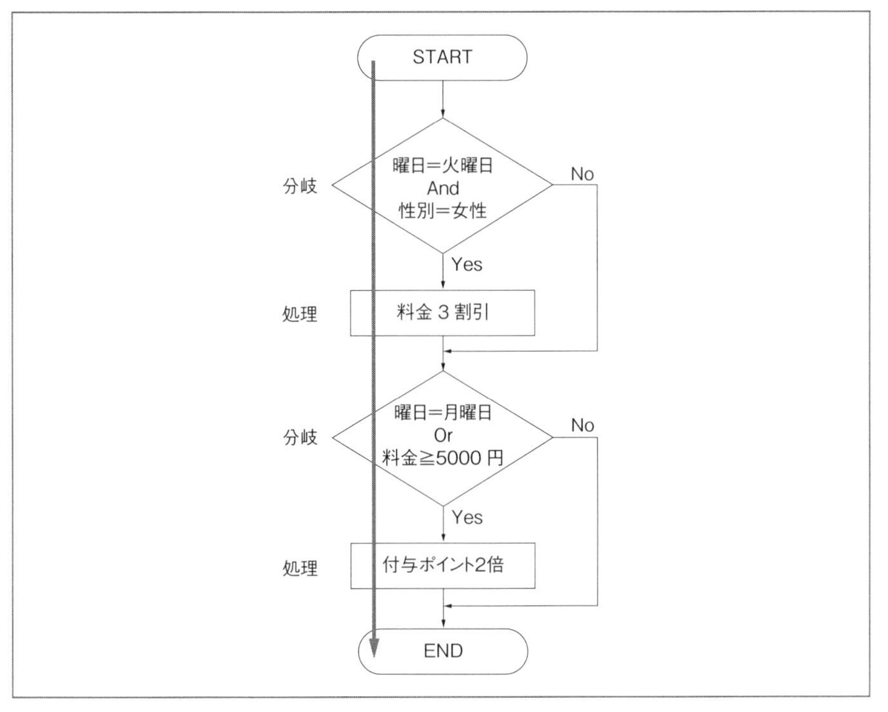

カバレッジ基準②：デシジョンカバレッジ

制御フローテストで着目する要素に「**分岐した経路**」を選択した場合、それを「**デシジョンカバレッジ**」と呼びます*3。この場合は、分岐の起点となるステートメント後のすべての経路を最低一度は通るようにテストします。デシジョンとは「判定」という意味です。

店頭レジ端末の割引・ポイント計算を行うモジュールでは2つの条件分岐が直列に並んでいます。この場合、2つの条件分岐とも分岐後の経路は2本であるため、次ページの図のように、2回のテストでデシジョンカバレッジ100%を達成できます。

*3 デシジョンカバレッジは「ブランチカバレッジ」と呼ばれることもあります。

図3-5 ● デシジョンカバレッジを満たす経路

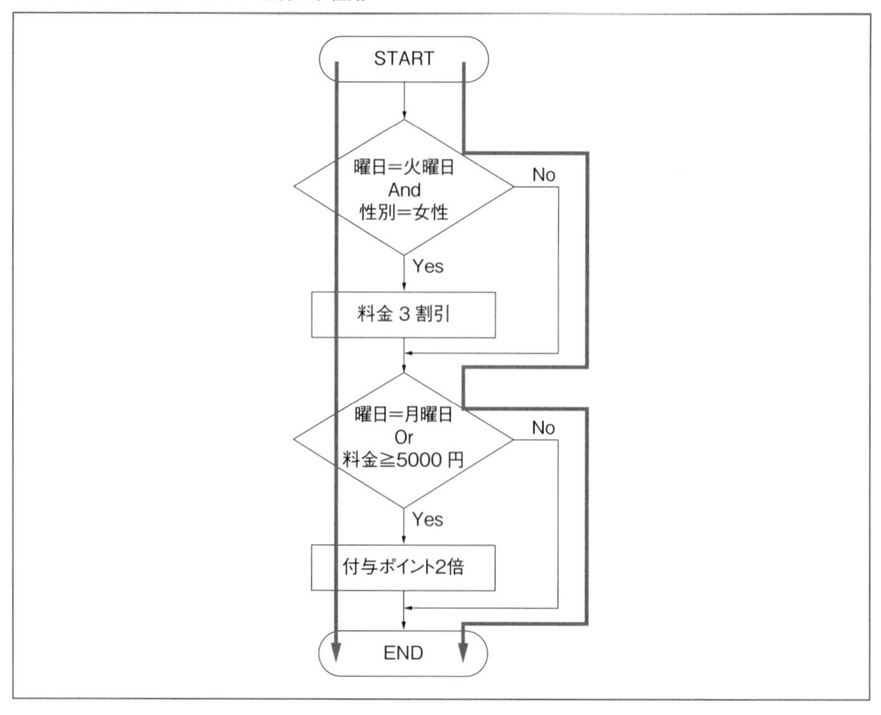

カバレッジ基準③：複合条件カバレッジ

制御フローテストで着目する要素に「**条件**」を選択した場合、それを「**複合条件カバレッジ**」と呼びます。この場合は、条件に含まれるすべての条件パターンを満たすようにテストします。このカバレッジ基準は、対象のモジュール内に**論理積**（かつ：And）や**論理和**（または：Or）で結ばれた複合条件が設定されている際に利用できます。

ここでの例では「**火曜日は女性に限り３割引**」というレディースデーの条件が複合条件になります（「曜日が火曜日」という単一の条件と、「性別が女性」という単一の条件が論理積（かつ：And）で結ばれています）。

図3-6 ● 複合条件の判定結果の組合せ

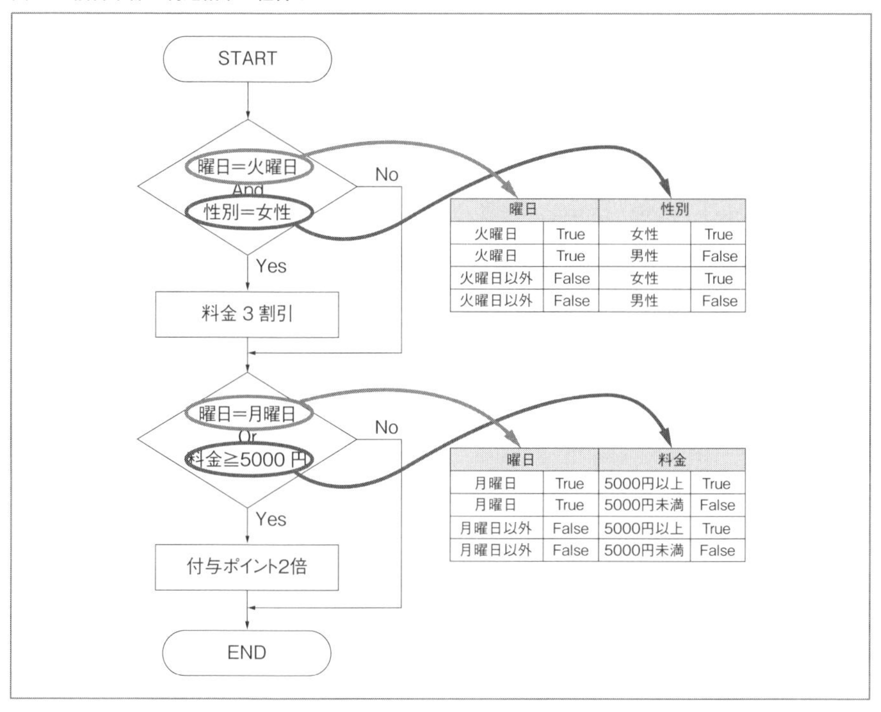

上図の場合、２つの複合条件には、それぞれ４通りの判定結果があるため、その組合せは８通りになります。そのまま８通りのテストを行っても構いませんが、どちらの複合条件にも存在する曜日を考慮して上手く組み合わせると下表のようにまとめることができます。以下の４つの組合せをテストすることで、複合条件カバレッジ100%を達成できます。

表3-1 ● 複合条件カバレッジ100%を達成するテスト条件の組み合わせ

曜日	性別	料金	レディースデー		ポイント２倍	
			①曜日 ＝火曜日	②性別 ＝女性	③曜日 ＝月曜日	④料金 ≧5000円
火曜日	女性	5000円	True	True	False	True
火曜日	男性	1000円	True	False	False	False
月曜日	女性	5000円	False	True	True	True
月曜日	男性	1000円	False	False	True	False

MEMO

デシジョンカバレッジは**「分岐した経路」**の網羅なので、分岐条件である複合条件全体でYes か No かを考えます。
一方、複合条件カバレッジでは、1つの分岐条件を構成しているより小さな条件の判定結果(満たす：True、満たさない：False)の組合せをすべて確認します。

カバレッジレベルの違い

上記で3種類のカバレッジ基準を解説しましたが、実際にテストをする際にはどの基準を採用すればよいのでしょうか。

上記の例でも明らかなように、カバレッジ基準ごとに「カバレッジ100%」を達成するために必要となるテストの回数が異なります。テスト回数が多いということは、一般的に、より詳細に確認していることを意味します。そのため、どの基準を採用するかは、テストに投入できる工数やテスト対象モジュールの重要度を考慮して決定します。

図3-7 ● カバレッジ基準の種類と、カバレッジ100%の達成に必要なテスト回数

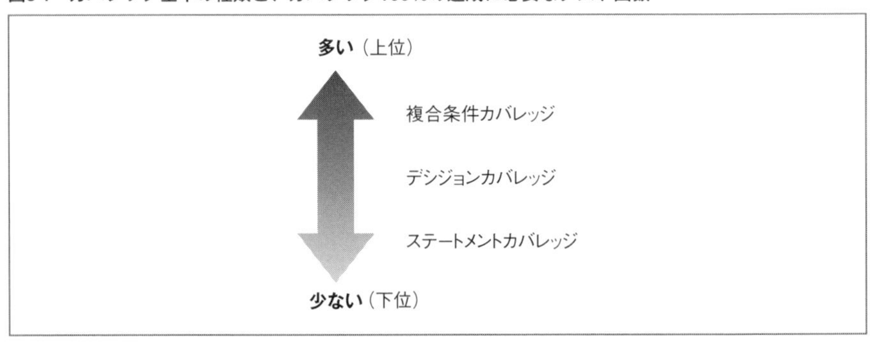

また、各カバレッジ基準はそれぞれ異なる点に着目していることから一見無関係に思えますが、これら3種類のカバレッジ基準は、**上位のカバレッジ基準が下位のカバレッジ基準を包含する関係**にあります。そのため、上位レベルのカバレッジ基準が100%であれば、その下位レベルのカバレッジ基準も100%になります。つまり、複合条件カバレッジが100%であれば、デシジョンカバレッジとステートメントカバレッジはともに100%が確保されます。

制御フローテストの実践

前述の料金割引計算モジュールの例を用いて制御フローテストを実践する方法を解説します。前述の制御フローテストの手順にしたがって作業を進めてみましょう。

サービス料金表

・通常料金	2,000円
・会員料金	1,800円
・60歳以上	1,500円
・毎週水曜日	1,000円

(1)ソースコードをもとにフローチャートを描く

最初にソースコードを見ながらフローチャートを描きます。

List3-1 ● 料金割引計算モジュールのソースコード

```
if 曜日=水曜日 then ─────①
    料金=1000円 ─────②
else
    if 年齢≧60歳 then ─────③
        料金=1500円 ─────④
    else
        if 会員カード=有 then ──⑤
            料金=1800円 ─────⑥
        else
            料金=2000円 ─────⑦
        end if
    end if
end if
```

※本書に記載されているソースコードは、すべて疑似コードです。

(2)カバレッジ基準(網羅したい要素)を決める

ここでは例として「分岐した経路」に着目するデシジョンカバレッジを採用することにします。つまり、フローチャートにある①③⑤の条件分岐の後のすべての経路を網羅することを目指します。

図3-8 ● 料金割引計算モジュールのフローチャート

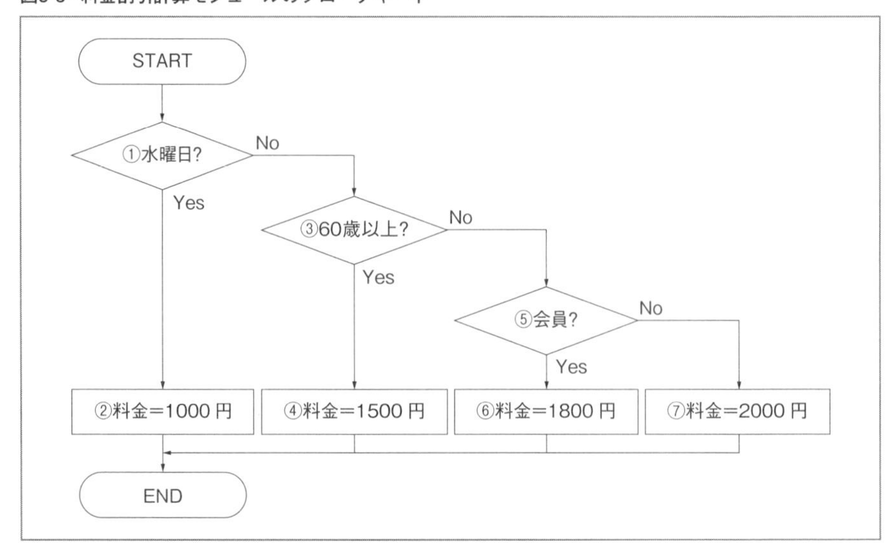

(3)カバレッジ基準を網羅する経路を抽出する

①③⑤の条件分岐の後のすべての経路を通るには、下図のように合計４本の経路が必要です。

図3-9 ● カバレッジ基準を網羅する経路

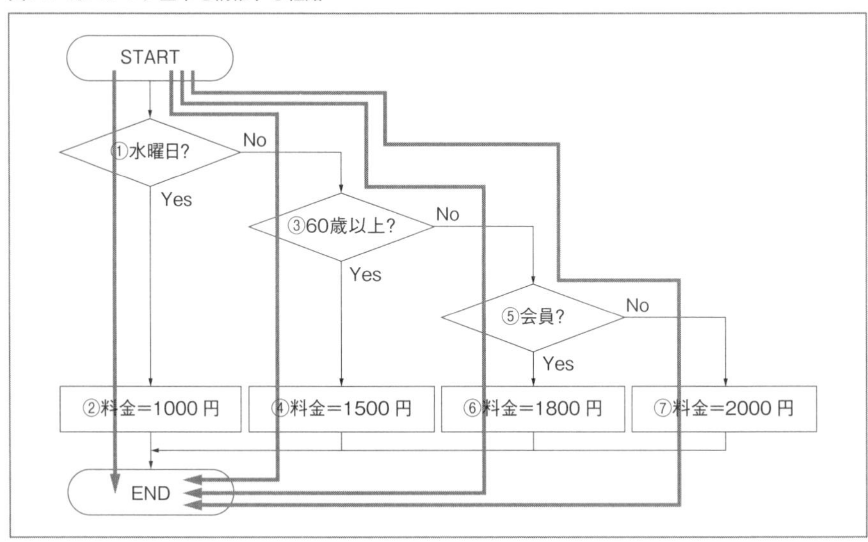

(4)抽出した経路を通るようにテストを行う

これら４本の経路を通るテストケースを作成し、実行します。

表3-2 ● テストケース

No.	曜日	年齢	会員	期待結果	判定欄
1	水曜日	ー	ー	1000円	
2	水曜日以外	60歳以上	ー	1500円	
3	水曜日以外	60歳未満	会員	1800円	
4	水曜日以外	60歳未満	非会員	2000円	

※「ー」は任意の値

(5)結果を確かめる

動作させた結果がテストケースの期待どおりかを確認します。

データフローテストの実施方法

ホワイトボックステストに分類されるもう１つの代表的なテストである「**データフローテスト**」を紹介します。

データフローテストは、ソフトウェアの中で使われているデータや変数が**[定義]**→**[使用]**→**[消滅]**の順に正しく処理されているかを確認するテストです。データの流れを図に表したデータフロー図を用いることで、未定義のまま使用されているデータや、使用されていないデータの定義などを見つけ出します。最近では、データフローテストを支援するソフトウェアの開発ツールもあります。

次ページの図を見てください。円は処理を、矢印は処理の順番を表しています。A、B、C、Dなどの記号は、処理の中で使われているデータ項目や変数です。

データは**[定義]**→**[使用]**→**[消滅]**の順に処理されなければなりません。データAを確認してみると、１段目で定義された後、３段目で使用されており、「定義」→「使用」に則しているので、データAのデータフローは問題がないことが確認できます。一方、データDは未定義のまま４段目で使用されています。これは欠陥の可能性があるものとして検出されます。

なお、プログラミング言語によっては、明確に定義しなくてもデータを使用できる場合があります。しかし、これはプログラミング言語側で自動的にデータ型を識別し、定義処理を追加してくれているだけであって、定義が必要であることに変わりはありません。そのため、データフローテストでは、このような場合でも不具合として扱います。

図3-10●データフロー

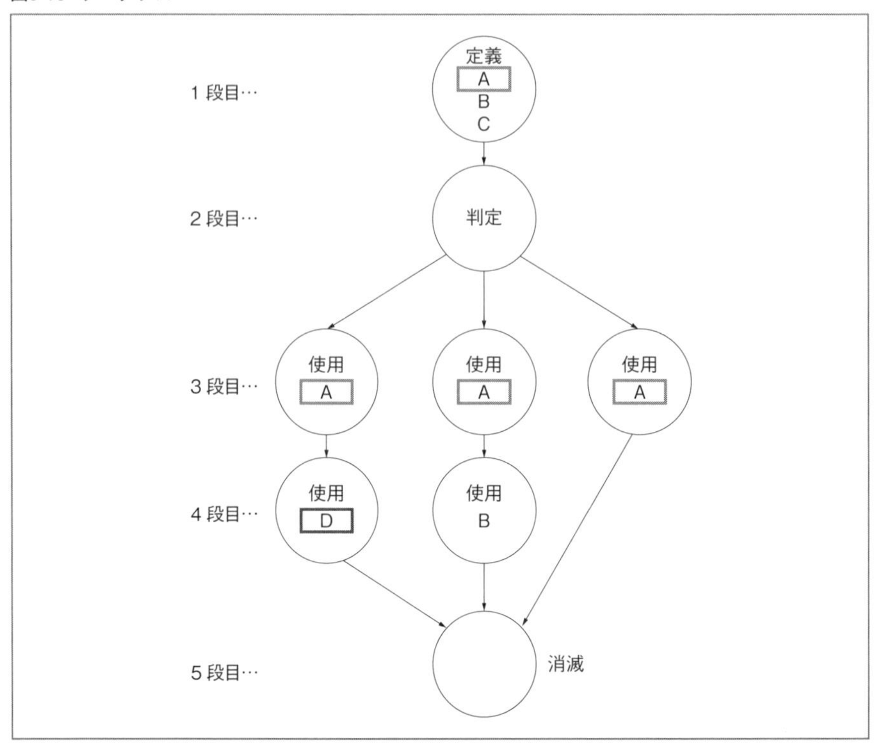

データフローテストの実践

前項の「モジュールと論理構造」(p.46)で解説した「食事代金の割勘額計算」モジュールを使用して、もう少し具体的にデータフローテストを見ていきます。

「食事代金の割勘額計算」モジュール

A：合計金額を入力する
B：入力された金額が0ならば処理Aに戻る
C：人数を入力する
D：入力された人数が0ならば処理Cに戻る
E：割勘額(合計金額÷人数)を計算する
F：計算結果を表示する

下図は、上記のモジュールを元にして作成されたプログラムのデータフローです。よく見ると、定義と使用に関する2つの問題と、消滅に関する1つの懸念事項が見つかります。

図3-11 ● 食事代金の割勘額計算モジュールのデータフロー

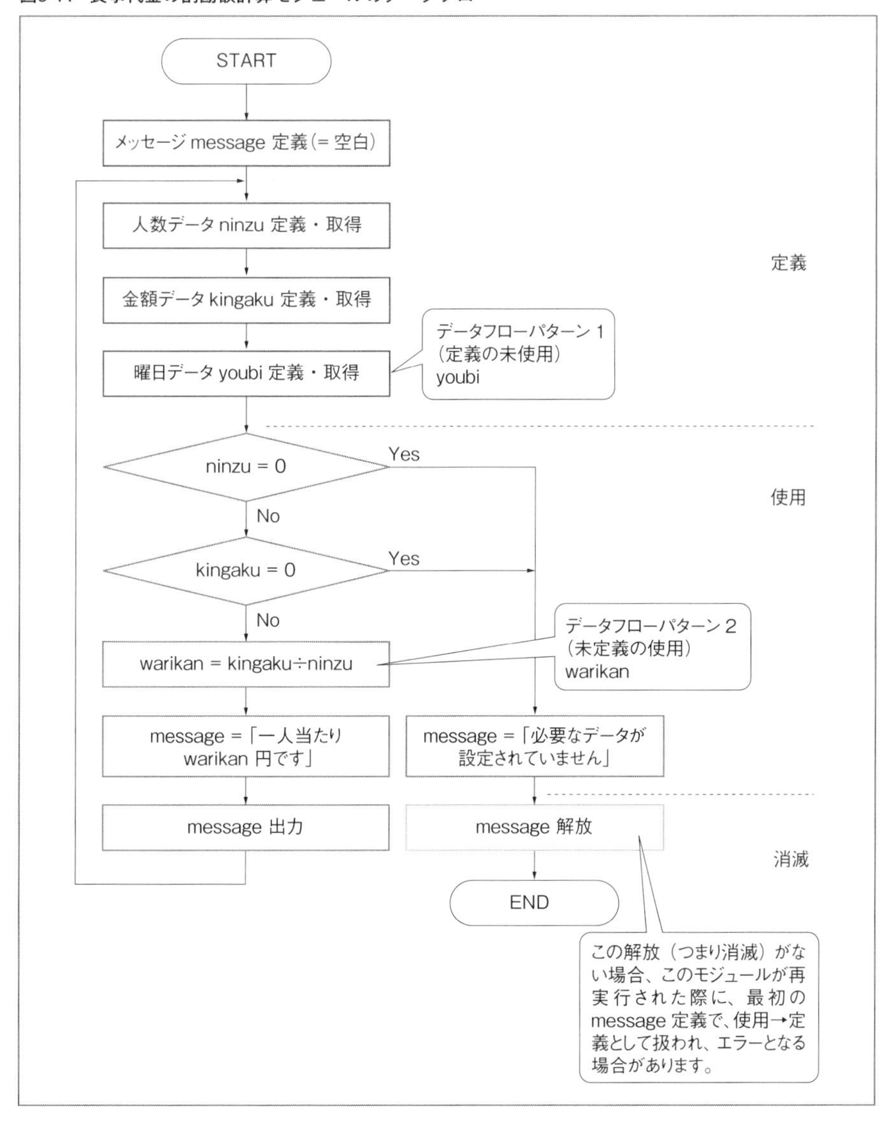

まず、曜日データ**youbi**は最初に定義されていますが、その後使用されていま

せん。また、計算結果を代入するデータwarikanは使用前に定義されていません。これらの問題はデータフローテストで検出されることになります。

さらに、最後のメッセージデータの消滅（解放）がなければ、再度このモジュールが実行された場合に問題となる可能性があります。他のデータも同様ですが、メッセージデータのように、他のモジュールと共用しているようなデータについては、特に注意が必要です。

ブラックボックステストとは

主にホワイトボックステストを用いた単体テストが終わると、続いて、ソフトウェアの内部構造を意識しない「ブラックボックステスト」を行います。ブラックボックステストは主に機能テストとシステムテストにおいて実施します。

ブラックボックステストは、本章の冒頭でも触れた通り、内部構造には着目せず、入力と出力に着目したテストです。

図3-12●ブラックボックステストのイメージ

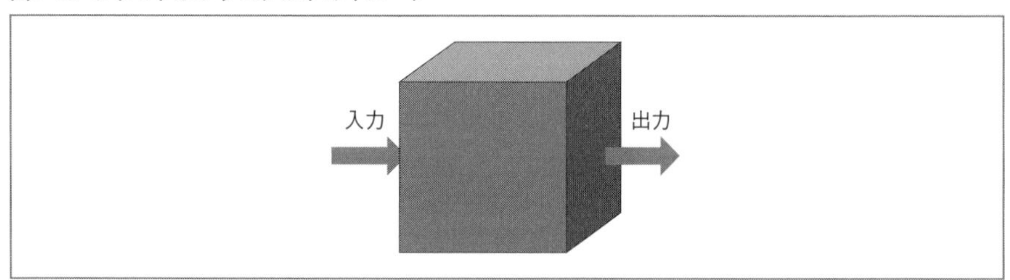

ブラックボックステストの種類とテスト技法

テスト工程で行う各テストにおいて、それぞれのテストで確認すべき条件や入出力値を洗い出したり、膨大な数におよぶテスト項目を効率的に絞り込んだりするための方法として、さまざまな「**テスト技法**」が用意されています。本書では、ブラックボックステストに分類される各テストを行う際に活用できるものとして、次ページの表にあるテスト技法を詳しく解説します。ここでは、これらの技法がどのテストで活用できるのかを確認しておいてください。

表3-3 • ブラックボックステストで活用できるテスト技法

テスト工程	ブラックボックステストの種類	テスト技法			
		境界値テスト 同値分割テスト	デシジョンテーブルテスト	状態遷移テスト	組合せテスト
単体テスト	機能確認テスト	○	×	×	×
結合テスト 機能テスト	状態遷移テスト	×	×	○	×
	機能確認テスト	○	○	○	○
システムテスト	確認テスト	特になし			
	評価テスト	特になし			
	負荷テスト	○	×	×	×
	環境テスト	×	△	×	○
	機能確認テスト	○	○	○	○
	その他のテスト	特になし			

○：活用が期待できる　△：条件次第　×：活用が期待できない

上記の表の「ブラックボックステストの種類」については2章をご確認ください。各テスト技法については、4章以降で詳しく説明します。

練習問題 1

次のロボットの歩行速度変更モジュールの仕様とソースコードを読み、①〜③の問題に答えなさい。

仕様

ロボットが交通信号のある横断歩道に到着したとき、交通信号の状態によって、ロボットの歩行速度を決定する

- 交通信号が青色ならば、速度を変更せず歩行を続ける
- 交通信号が黄色ならば、速度を20%アップして歩行を続ける
- 交通信号が赤色ならば、速度を0km/hにする（歩行を停止する）

ソースコード

```
if 交通信号 = 青 then else
    if 交通信号 = 黄 then
        速度 = 速度×1.2
    else
        速 度 = 0
    end if
end if
```

※本書に記載されているソースコードは、すべて疑似コードです。

問題① 上記のソースコードをもとにフローチャートを作成しなさい。また、作成したフローチャートをもとに、「ステートメントカバレッジ」を100%満たす経路と、「デシジョンカバレッジ」を100%満たす経路を探しなさい。

問題② それぞれカバレッジ100%を満たすにはテストケースがいくつ必要か。

問題③ 「ステートメントカバレッジ」「デシジョンカバレッジ」ともに100%を満たすテストケースを作成しなさい。

解答 p.66

練習問題 2

次のタイマーのカウントアップ処理の仕様とソースコードを読み、①~③の問いに答えなさい。

タイマーのカウントアップ処理モジュール

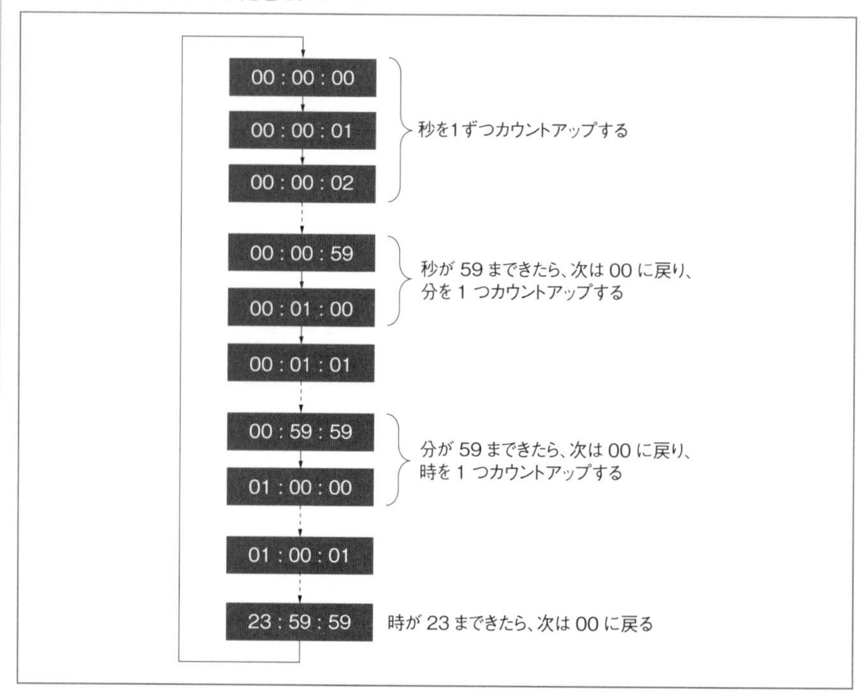

ソースコード

```
秒 = 秒 + 1
if 秒 > 59 then
    秒 = 0
    分 = 分 + 1
    if 分 > 59 then
        分 = 0
        時 = 時 + 1
        if 時 > 23 then
            時 = 0
        end if
    end if
end if
```

※本書に記載されているソースコードは、すべて疑似コードです。

問題① 上記のソースコードをもとにフローチャートを作成しなさい。また、作成したフローチャートをもとに、「ステートメントカバレッジ」を100%満たす経路と、「デシジョンカバレッジ」を100%満たす経路を探しなさい。

問題② それぞれカバレッジ100%を満たすにはテストケースがいくつ必要か。

問題③ 「ステートメントカバレッジ」「デシジョンカバレッジ」ともに100%を満たすテストケースを作成しなさい

解答 p.67

練習問題 1 解答

解答①

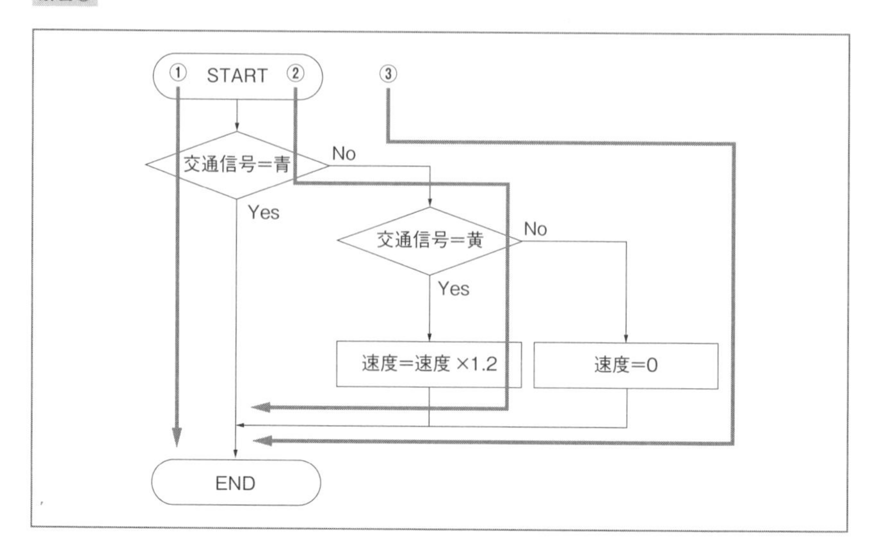

解答②

表・テストケース数

カバレッジ基準	テストケース数	経路
ステートメントカバレッジ	2	②、③
デシジョンカバレッジ	3	①、②、③

解答③

表・ステートメントカバレッジのテストケース

No.	事前の歩行速度	交通信号の状態	期待結果（歩行速度）	判定欄	選択経路
1	3.0km/h	黄	3.6km/h		②
2	3.0km/h	赤	0km/h		③

表・デシジョンカバレッジのテストケース

No.	事前の歩行速度	交通信号の状態	期待結果（歩行速度）	判定欄	選択経路
1	3.0km/h	青	3.0km/h		①
2	3.0km/h	黄	3.6km/h		②
3	3.0km/h	赤	0km/h		③

練習問題 2 解答

解答①

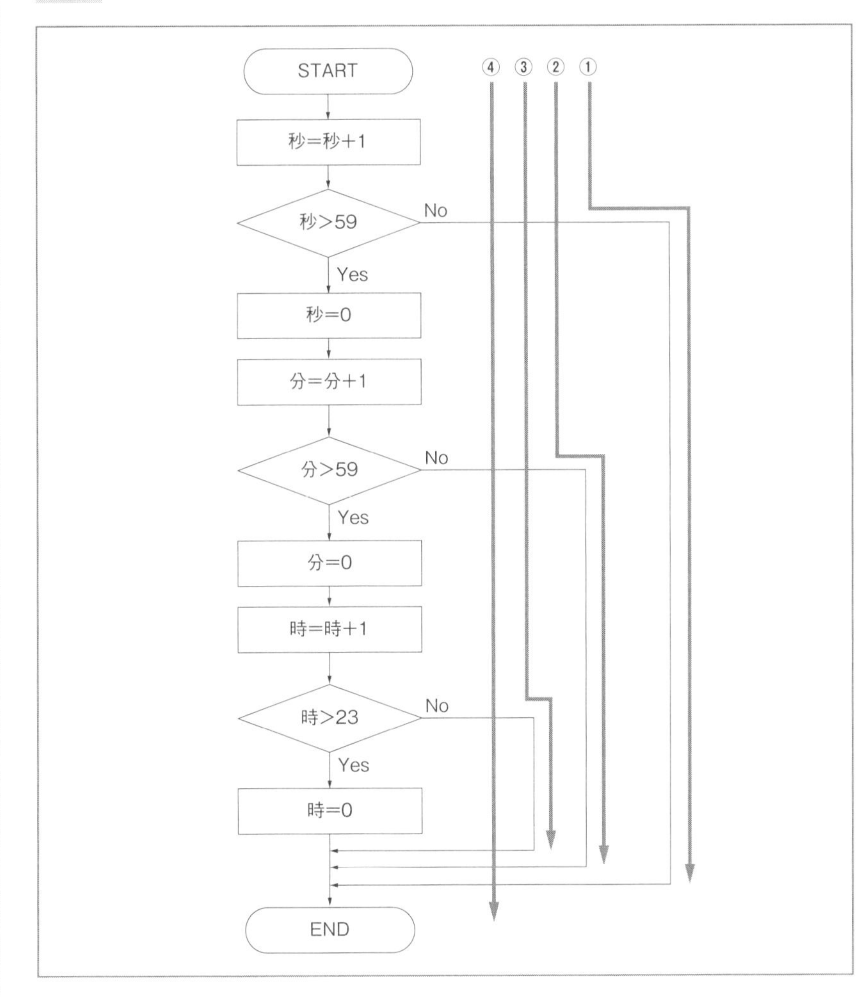

START
秒=秒+1
秒>59
No
Yes
秒=0
分=分+1
分>59
No
Yes
分=0
時=時+1
時>23
No
Yes
時=0
END
④
③
②
①

解答②

表●テストケース数

カバレッジ基準	テストケース数	経路
ステートメントカバレッジ	1	④
デシジョンカバレッジ	4	①、②、③、④

解答③

表●ステートメントカバレッジのテストケース

No.	カウントアップ前の値			期待結果 （カウントアップ後の値）	判定欄	選択経路
	時	分	秒			
1	23	59	59	00：00：00		④

表●デシジョンカバレッジのテストケース

No.	カウントアップ前の値			期待結果 （カウントアップ後の値）	判定欄	選択経路
	時	分	秒			
1	00	00	58	00：00：59		①
2	00	00	59	00：01：00		②
3	00	59	59	01：00：00		③
4	23	59	59	00：00：00		④

Part 2

さまざまなテスト技法

ここからは、具体的なテスト技法について詳しく解説していきます。本書で解説するテスト技法は下図の4種類です。

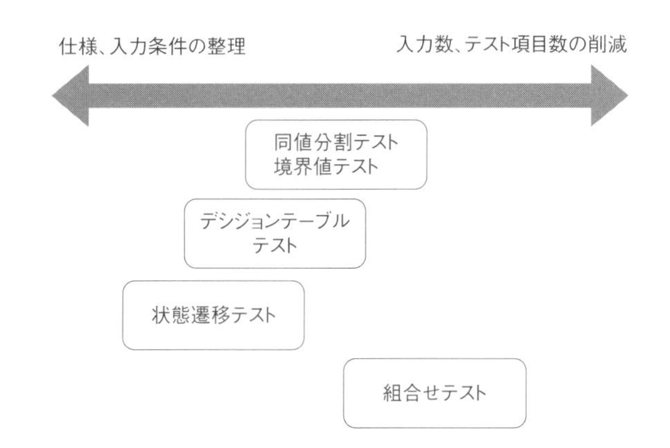

Chapter 04 同値分割テスト・境界値テスト

本章では、**同値分割テスト**と**境界値テスト**について解説します。これらのテスト技法は主に、単体テストや結合テスト、機能テストの「機能確認テスト」、およびシステムテストの「負荷テスト」や「機能確認テスト」などで使用できます（p.28, p.29）。

同値分割テストと境界値テストは、どちらも「**ソフトウェアの動作が変わる条件の境目**」に注目するテスト技法です。一般的に、欠陥は条件の境目付近に潜んでいる可能性が高いため、これらのテストを行うことによって効率的に欠陥を検出できます。

すべての値をテストすることはできない

ソフトウェアでは、入力値や条件によって処理方法が決まりますが、多くの場合、その数や組合せは膨大になるため、通常は、**すべての入力値、すべての条件を一つひとつテストすることはできません**。次のパスワードの文字数に関する仕様と画面イメージを見てください。

図4-1 ● パスワード設定画面のイメージ

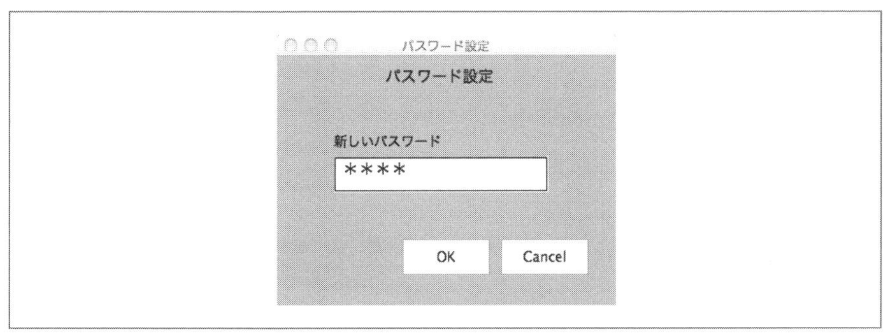

仕様例

パスワードの文字数：4 文字以上、15 文字以下であること

ユーザーはパスワード設定画面で好きなパスワードを入力し、[OK] ボタンをクリックします。するとソフトウェアは入力された文字数をカウントし、仕様で定められたパスワードの文字数の範囲内かどうかを判定します。

また、上の仕様例には明記されていませんが、範囲内の文字数であればユーザーに対し設定が完了したメッセージを表示し、設定を終えます。一方、範囲外の文字数であれば、エラーメッセージを表示し、再度入力を促します。

この「**文字数の判定**」が正常に機能しているかをテストするにはどうすればよいでしょうか。入力する文字数を変えてテストすればよさそうです。そこで次のようなテストを行ってみます。

パスワードの文字数判定のテスト項目

パスワードを入力せず (0 文字) OK ボタンをクリック	→エラーメッセージを表示
1 文字のパスワードを入力し、OK ボタンをクリック	→エラーメッセージを表示
2 文字のパスワードを入力し、OK ボタンをクリック	→エラーメッセージを表示
3 文字のパスワードを入力し、OK ボタンをクリック	→エラーメッセージを表示
4 文字のパスワードを入力し、OK ボタンをクリック	→設定完了メッセージを表示
5 文字のパスワードを入力し、OK ボタンをクリック	→設定完了メッセージを表示
6 文字のパスワードを入力し、OK ボタンをクリック	→設定完了メッセージを表示
7 文字のパスワードを入力し、OK ボタンをクリック	→設定完了メッセージを表示
8 文字のパスワードを入力し、OK ボタンをクリック	→設定完了メッセージを表示
9 文字のパスワードを入力し、OK ボタンをクリック	→設定完了メッセージを表示
10 文字のパスワードを入力し、OK ボタンをクリック	→設定完了メッセージを表示
11 文字のパスワードを入力し、OK ボタンをクリック	→設定完了メッセージを表示
12 文字のパスワードを入力し、OK ボタンをクリック	→設定完了メッセージを表示
13 文字のパスワードを入力し、OK ボタンをクリック	→設定完了メッセージを表示
14 文字のパスワードを入力し、OK ボタンをクリック	→設定完了メッセージを表示
15 文字のパスワードを入力し、OK ボタンをクリック	→設定完了メッセージを表示
16 文字のパスワードを入力し、OK ボタンをクリック	→エラーメッセージを表示
17 文字のパスワードを入力し、OK ボタンをクリック	→エラーメッセージを表示
18 文字のパスワードを入力し、OK ボタンをクリック	→エラーメッセージを表示
19 文字のパスワードを入力し、OK ボタンをクリック	→エラーメッセージを表示
20 文字のパスワードを入力し、OK ボタンをクリック	→エラーメッセージを表示
：	
：	

一見すると、この方法でテストを実施しても問題ないように思えます。しかしこのやり方では、最大文字数が1,000文字だった場合には、1文字ずつ1,000文字ま

で文字数を変えて、延々とテストしなければなりません。また、上記の例の場合、15文字を超える文字数をどこまでテストすればよいのかわかりません。

このような場合に、**同値分割テスト**や**境界値テスト**が有効です。これらの技法を用いるとテストすべき条件や値を大幅に減らすことができます。

同値分割テストとは

同値分割テストとは、**同値パーティション（同じ動作をする条件の集まり）ごとにテストを行うテスト技法**です。同値パーティションには、

- 同じ処理結果となる「入力値」の集まり
- 同じ処理結果となる「時間」の集まり
- 同じ入力値から処理される「出力結果」の集まり

などがあります。同値パーティションは条件の境目によって区切られ、集まりを形成しています。

同値パーティションの考え方を、先ほどのパスワードの文字数の仕様で考えてみましょう。この画面の仕様ではパスワードの文字数は4文字以上、15文字以下になっており、この範囲の文字数が入力された場合は「設定完了メッセージ」が表示されます。入力された文字数が4文字であっても、5文字であっても、15文字であっても結果は同じです。一方で、3文字以下または16文字以上の場合は「エラーメッセージ」が表示されます。このことから、上記仕様の場合は次の2つに分割できることがわかります。

- 4～15文字の同値パーティション
- 3文字以下または16文字以上の同値パーティション

このうち、4～15文字の同値パーティションはパスワードとして設定可能な文字数であることから「**有効同値パーティション**」と呼ばれます。また、3文字以下または16文字以上の同値パーティションは、パスワードとして設定できない文字数なので「**無効同値パーティション**」と呼ばれます。以上のことを数直線で表すと

下の図のようになります。図にすると一目瞭然です。ひと続きの数値の範囲が同値パーティションになる場合は、数直線で表すとよいでしょう。

図4-2●パスワードの文字数の同値パーティション

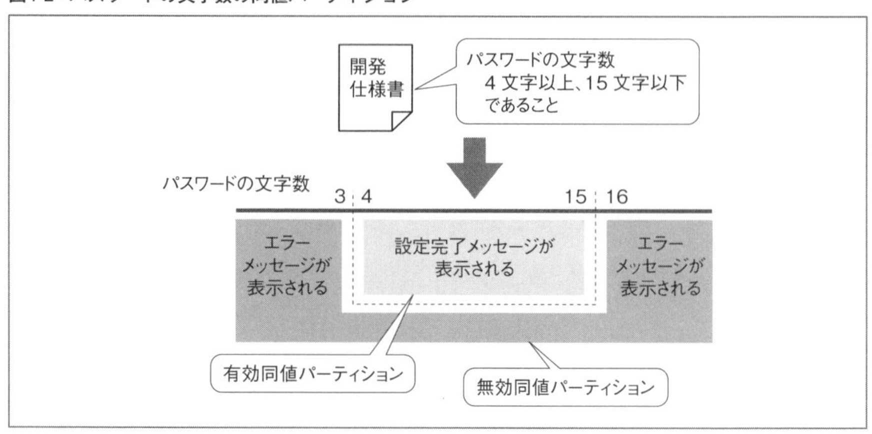

連続した値の分割だけではない同値分割テスト

同値パーティションは、先述したとおり「**同じ動作をする条件の集まり**」のことなので、上図のように同値パーティションの範囲がひと続き（連続した値）になる場合もあれば、そうならない場合もあります。

例えば、パスワードに使用できない文字として、判読性の低い「I」（英大文字のアイ）、「l」（英小文字のエル）、「1」（数字のイチ）が指定されている場合、同値パーティションの分類は下図のようになります。

図4-3●パスワードに使える文字の種類の同値パーティション

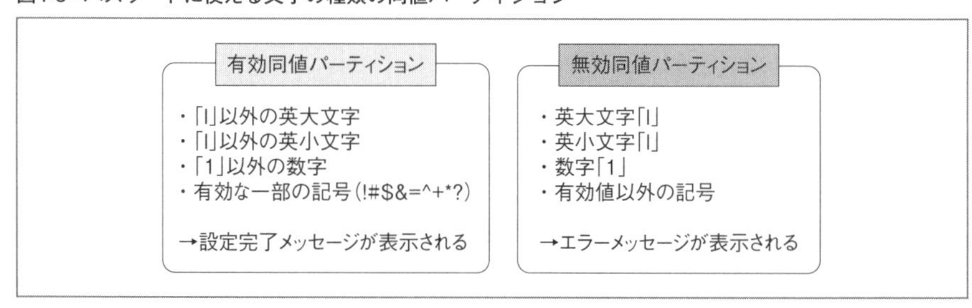

このような分類も正しい同値パーティションの分割となります。**この点が、同値分割テストの大きな特徴の１つであり、後述する境界値テストと異なる点でもあります。**

同値分割テストの実施方法

同値分割テストでは、各同値パーティションから最低１つの**代表値**を選んでテストを行います。上記のパスワードの文字数の例であれば次の２つの代表値をテストします。

- 有効同値パーティション（4～15文字）の中から代表値を1つ選出する
  →9文字（設定完了メッセージが表示される）
- 無効同値パーティション（3文字以下または16文字以上）の中から代表値を１つ選出する
  →2文字（エラーメッセージが表示される）

代表値には、**範囲の中間値**を選択することが多いです。この例の場合は有効同値パーティションの代表値として、4～15の中間値である「9」を選択しています。その他の代表値の選定方法としては「**デフォルトの設定値**」や「**入力される頻度の高い値**」などを選出することもあります。また、この例の場合は無効同値パーティションの代表値として「2文字」を選出していますが、これは、パスワードが受け付けられない場合の原因として文字数が多すぎる場合よりも、少なすぎる場合のほうがケースとしては多いと考えたからです。

これらのことから、同値分割テストの考え方は以下のように表現できます。

代表値でテストをした結果、欠陥が見つかれば、同値パーティション内の他の値でも同じ欠陥が見つかるだろう。
欠陥が見つからなければ、同値パーティション内の他の値でも同じ欠陥は見つからないだろう。

つまり、9文字のパスワードを入力してテストした結果、

- 欠陥が見つかれば、文字数が4、5、6…14、15でも欠陥が見つかる
- 欠陥が見つからなければ、文字数が4、5、6…14、15でも欠陥は見つからない

みなさんの中には「**本当にそれだけで十分なのだろうか**」と疑問や不安を感じる人もいると思います。確かに、代表値をテストするだけでは、欠陥の可能性をすべて払拭することはできません。しかし、このテスト技法があくまでもテスト効率化の１つの方法であることを思い出してください。そのような疑問や不安を突き詰めるとすべての値を確認しなければならなくなります。

同値分割テストは、テストの工数を減らす方法であり、１つの基準を示す考え方です。同値パーティションテストだけでは不十分だと考えられる部分がある場合は、すべての値を確認したり、後述する「**境界値テスト**」を行ったりするなど、ケースに応じてテスト方法を使い分けることが必要です。

内部構造と同値パーティションの関係

前項では、開発仕様書をもとにして、同じ動作となる条件を同値パーティションに分割する方法を解説しました。しかし、同値パーティションとソフトウェアの内部構造は必ずしも一致するわけではありません。なぜなら、プログラマが常に仕様書どおりにソースコードを記述するとは限らないからです。以下のソースコードを見てください。

List4-1 ● ソースコード例Ａ

```
if 文字数>=4 and 文字数<=15 then
    message="設定完了しました"
else
    message="文字数が正しくありません"
end if
```

このようにコーディングされていれば「**内部構造と同値パーティションは一致している**」といえます。内部構造に着目して条件（if文）の異なる２通りの動作をテ

ストすることと、先ほど考えた有効同値パーティション、無効同値パーティションから代表値を選んでテストを行うことは同じになります。

一方、以下のようにコーディングされているとどうでしょうか。

List4-2 ● ソースコード例B

```
if 文字数<4 then
    message="文字数が正しくありません"
end if

if 文字数>15 then
    message="文字数が正しくありません" •————①
end if

if 文字数>=4 and 文字数<=15 then
    message="設定完了しました"
end if
```

この場合、内部構造と同値パーティションを一致させるには、無効同値パーティションを3文字以下（4文字未満）のパーティションと、16文字以上（15文字より大きい）のパーティションに分割する必要があることがわかります。先の例では無効同値パーティションの代表値として「2」を選出しましたが、これでは①に欠陥が潜んでいる場合を検出することができません。

もう1つ、極端な例を見てみましょう。

List4-3 ● ソースコード例C

```
if 文字数=0 then
    message="文字数が正しくありません"
end if
if 文字数=1 then
    message="文字数が正しくありません"
end if
if 文字数=2 then
    message="文字数が正しくありません"
end if
if 文字数=3 then
    message="文字数が正しくありません"
end if
```

```
if 文字数=4 then
    message="設定完了しました"
end if
if 文字数=5 then
    message="設定完了しました"
end if
                :
```

この例では別々の命令文で同じ動作が記述されているため、結果は同じですが、値ごとに動作内容が変わる可能性があります。つまり、この内部構造と同値パーティションを一致させるには、個々の値一つひとつを独立した同値パーティションとして扱う必要が生じます。

ソースコード例Cは極端な例ですが、**開発仕様書から読み取れる同値パーティションと内部構造が常に一致しているわけではない**ということは理解しておいてください。同値分割テストでは、内部構造を見ずに同値パーティションを決定し、代表値を用いてテストすることでテストを効率化しているに過ぎません。場合によっては上記のようにまったく異なる同値パーティションが内部構造に形成されていることもあります。こうした内部構造に気が付かずにテストすることを避けるためにも、開発者に同値パーティションの実装内容を確認してもらうなどの努力が必要です。

境界値テストとは

境界値テストとは、**仕様条件の境界となる値とその隣の値に対してテストを行うテスト技法**です。

パスワードの文字数の仕様例を使用して境界を探してみましょう。「**異なる同値パーティションが隣り合っている部分**」が境界になります。つまり、入力文字数が3文字と4文字の間、および15文字と16文字の間が境界となります。

図4-4 ● 境界と境界値

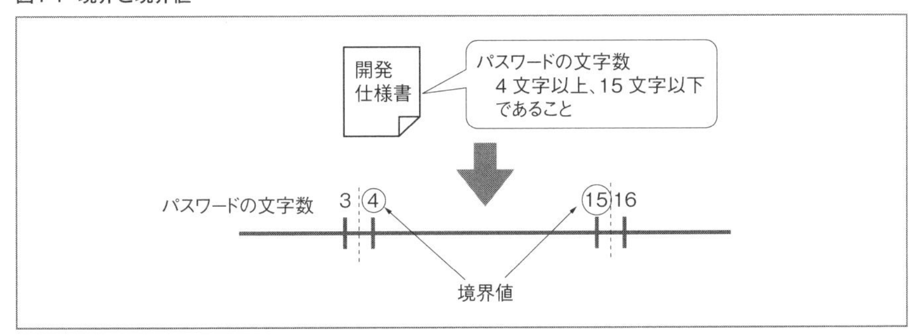

境界値テストの具体的な実施方法については後で詳しく解説しますが、その前に、境界値テストを行う理由を考えてみます。境界値に着目する理由は、**欠陥は境界に潜んでいる可能性が高い**からです。境界に欠陥が潜みやすい理由は次の2つです。

- 境界を表す条件の誤解
- コーディング時の条件の記述誤り

境界を表す条件の誤解

境界を表す仕様の記述方法には「以上」「以下」「未満」「より小さい」「より大きい」「〜を超える」「〜を下回る」「〜まで」「〜と同じになった場合」など、さまざまなものがあります。これらが誤解の要因となり、仕様にはない動作をするソフトウェアが作られてしまうことがあります。

例えば、「**受付時刻は9:00以降、17:00までとする**」と表記されていた場合、17:00は含むのでしょうか、含まず16:59までとすべきなのでしょうか。他にも「**7歳まで無料。7歳以上、20歳未満は子供料金。21歳以上、65歳未満は大人料金**」と表記されていた場合、7歳は無料でしょうか、それとも子供料金でしょうか。また、この記述から、20歳の料金が未定義であることに気づけるでしょうか。

こういった仕様を読んだ場合、多くの開発エンジニアはそのあいまいさに気づき、正確な仕様条件を確認するでしょう。しかし、そのことに気づかなかったり、思い込みでコーディングを進めたりした場合、欠陥が作り込まれてしまいます。

そのため、仕様の記述にこのような表現が使われている場合は、**境界値を念入りに確認することが必要**です。ソフトウェアの仕様には実に多くの条件が存在するため、境界に着目することで欠陥を見つけることができるのです。

コーディング時の条件の記述誤り

コーディングの際、境界は「=、≠、＜、＞、≦、≧」といった等号・不等号を用いて記述されます(使用するプログラミング言語によって表記方法は異なります)。このとき、仕様自体は正確に理解していても、タイプミスやコピー&ペーストのミスによって、開発仕様書に記述されている条件とは異なる条件をコーディングしてしまうことがあります。

例えば、パスワードの文字数の仕様である「**4文字以上、15文字以下**」を、次のようにコーディングしてしまう可能性があります。

- if 文字数>=4 and 文字数<=16 then
  ⇒上限の文字数が「16」
- if 文字数>=4 and 文字数<15 then
  ⇒「15以下」にもかかわらず、＝が無い
- if 文字数>=4 and 文字数=15 then
  ⇒「15以下」にもかかわらず、＜が無い

このように、境界では誤りが起こりやすく、それが原因となって欠陥が作り込まれるため、境界に着目したテストを行うのです。

境界値テストの実施方法

境界値テストは、以下の手順で実施します。

(1)テスト対象の項目を確認する

テスト対象を確認し、その他の技法も含めてテスト設計を考えます。そのうえで、境界値分析が適用できるかどうかを確認します。

(2)境界を見つける

同値分割法などを用いて、動作の変わり目となる仕様条件の境界を見つけます。このとき、数直線などの図を作成するとよいでしょう。

(3)境界値を決める

境界と隣り合う条件や値を境界値とします。境界値は、有効同値パーティションの最小値と最大値になります。

(4)テストする値を決める

テストする値の候補となるのは次の3つです。

①境界値
②境界値の1つ下(境界値と同じ同値パーティションなら省略可能)
③境界値の1つ上(境界値と同じ同値パーティションなら省略可能)

②、③については、省略せずにテストしたほうが、より欠陥を検出する可能性は高まりますが、効率的なテストを優先する場合には省略します。

図4-5 ● テストする値

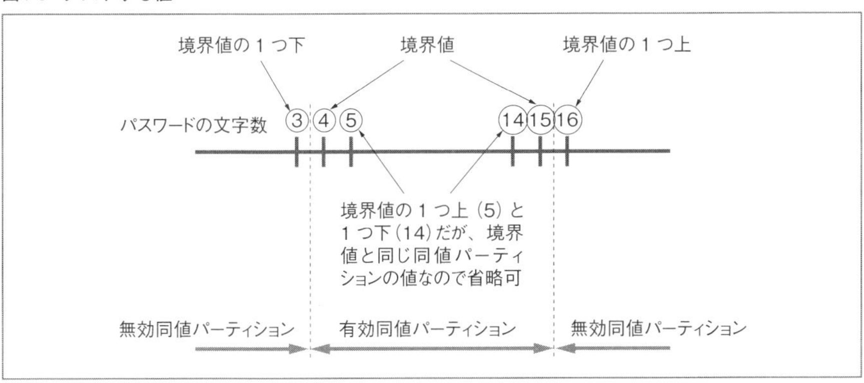

上図で「**境界値は有効同値パーティションの最小値と最大値である**」と説明しました。しかし、仕様によっては、有効同値パーティションが連続して数直線上に並ぶ場合もあります。そのことを確認してみます。次の料金設定の仕様を見てください。

料金設定の仕様

・6 歳以下	：無料
・7 歳～ 19 歳	：子供料金
・20 歳～ 64 歳	：大人料金
・65 歳以上	：シルバー料金

この仕様では、下図のように4つの同値パーティションはすべて有効同値パーティションであり、無効同値パーティションはありません。あえて設定するならば、あまりに大きな数値は年齢としてふさわしくないため、150歳など年齢の上限値を定めれば、その値より上が無効同値パーティションとなります。

図4-6 ● 連続する有効同値パーティション

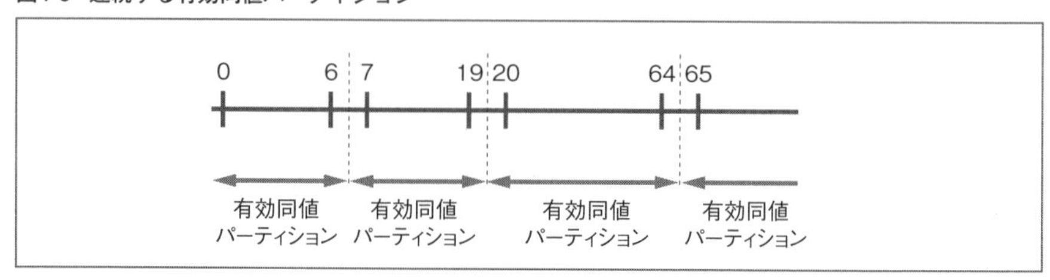

この場合は、0、6、7、19、20、64、65のすべてが境界値となります。また、それぞれが境界値の１つ上の値であり、境界値の１つ下の値であるため、すべてがテストする値となります。

境界値の1つ上、1つ下とは

先ほど、テストする値を決める説明の中で「**境界値の１つ上**」「**境界値の１つ下**」という表現を使用しましたが、ここでいう“１つ”とは**最小単位**のことです。境界値テストにおいてテストする値を決める際は、数値の最小単位での１つ上と１つ下を考える必要があります。

例えば、年齢の最小単位は整数です。一方、金額の場合は仕様によっては「千円」単位だったり、外貨であれば「3.99ドル」のように小数点以下２桁までが単位だったりします。また、時刻の場合は時、分、秒などの単位が考えられます。1.5時間や0.1秒のように小数点以下１桁の精度の条件が決められているかもしれません。

境界値テストを行う場合は、正しい条件を理解するだけでなく、テストする値を決めるのに必要な「**単位**」とその単位の「**精度**」も確認しておく必要があります。

境界値テストの効果

境界値テストがどの程度の欠陥を検出できるのかを、先述したパスワードの例を用いて確かめてみましょう。

List4-4 ● パスワードの文字数判定のソースコード例

```
if 文字数>=4 and 文字数<=15 then
    (有効同値パーティションの処理)
else
    (無効同値パーティションの処理)
end if
```

上記のソースコードは正しい例ですが、このうち「文字数<=15」のコーディングを下表に記載の「間違いの内容」のように誤って記述したときに、先述したテストすべき4つの値(3、4、15、16)で、その誤りを見つけることができるかを確かめてみます。なお、以下の欠陥例は境界値「15」に関する誤りなので、テストする値は15(有効値)と16(無効値)とします。

表4-1 ● 間違いのパターンと欠陥検出の有無

No.	間違いの内容	テスト時の入力値	判定結果	欠陥検出の有無
1	<=14	15	無効	欠陥検出
		16	無効	
2	<=16	15	有効	
		16	有効	欠陥検出
3	>=15	15	有効	
		16	有効	欠陥検出
4	<15	15	無効	欠陥検出
		16	無効	
5	>15	15	無効	欠陥検出
		16	有効	欠陥検出
6	=15	15	有効	欠陥として検出されない
		16	無効	欠陥として検出されない

（1）～（5）では欠陥を検出できましたが、（6）の場合は欠陥を検出できませんでした。（6）の欠陥は、境界値「15」の１つ下の値である「14」をテストすると検出できます。境界値と同じ同値パーティションの値は省略可能であるという考え方が災いした格好です。このように、境界値テストは効果的であるものの、万能ではありません。その仕組みを理解したうえで使いこなしましょう。

練習問題 1

あるインターネット上のショッピングサイトが、商品を期間限定販売できる機能を追加した。次の仕様のときに境界値テストでテストする値を４つ求めなさい。

仕様

販売期間
・販売開始：4 月 1 日　0 時 00 分 00 秒
・販売終了：4 月 5 日　23 時 59 分 59 秒

解答 p.88

隠れた境界値

ソフトウェアには「**隠れた境界値**」が存在する場合があります。隠れた境界値とは、**開発仕様書からは読み取ることができないソフトウェアの内部にある境界値**です。この境界値は仕様書から読み取れない、つまりテストされないため、後になって欠陥を引き起こす可能性のある、とても危険な存在となります。

隠れた境界値は、開発エンジニアのいたずらによって作り込まれるものではありません。**開発期間中の仕様変更**によって生じます。ソフトウェアの開発仕様書は、多くの場合、開発期間中も頻繁に更新・変更されますが、この変更内容をソースコードに反映する際に隠れた境界値が作り込まれてしまうのです。

BMI（肥満度）判定ソフトウェアを例に隠れた境界値が作り込まれる経緯を解説します。このソフトウェアは、入力された身長と体重をもとにBMI（肥満度）を計算し、コメントを表示します。企画段階では、以下の要領で算出されたBMIに対するコメントを表示する予定でした。

表4-2 ● 当初の仕様

BMI	コメント
BMI < 18.5	少しやせ気味です
18.5 ≦ BMI < 22.0	正常です
22.0 ≦ BMI < 23.0	理想的です
23.0 ≦ BMI < 25.0	正常です
25.0 ≦ BMI < 30.0	少し太り気味です
30.0 ≦ BMI	肥満に注意してください

この仕様に基づいて、プログラマは以下のようにコーディングしました。

List4-5 ● ソースコードA

```
select case BMI
    case is < 18.5
        message "少しやせ気味です"
    case is < 22
        message "正常です"
    case is < 23
        message "理想的です"
    case is < 25
        message "正常です"
    case is < 30
        message "少し太り気味です"
    case else
        message "肥満に注意してください"
end select
```

上記のコーディングが完了した後で、以下のように仕様が変更になりました。

表4-3 ● 変更後の仕様書

BMI	コメント
BMI < 18.5	少しやせ気味です
18.5 ≦ BMI <25	正常です
25 ≦ BMI < 30	少し太り気味です
30 ≦ BMI	肥満に注意してください

このとき、以下のようなソースコードになっていれば、変更後の仕様と内部構造が一致しているため、隠れた境界値を意識する必要はありません。

List4-6 ● ソースコードB（わかりやすいよう、削除したソースコードを抹消線で表しています）

```
select case BMI
    case is < 18.5
        message "少しやせ気味です"
    case is < 22
        message "正常です"
    case is < 23
        message "理想的です"
    case is < 25
        message "正常です"
    case is < 30
        message "少し太り気味です"
    case else
        message "肥満に注意してください"
end select
```

しかし、プログラマは「**また元の仕様に戻されるかもしれない**」と考え、元の条件は残したまま、次のようにソースコードを変更したとします。

List4-7 ● ソースコードC

```
select case BMI
    case is < 18.5
        message "少しやせ気味です"
    case is < 22
        message "正常です"
    case is < 23
        message "正常です"
    case is < 25
        message "正常です"
    case is < 30
        message "少し太り気味です"
    case else
        message "肥満に注意してください"
End Select
```

このように変更されると「**隠れた境界値**」が生じてしまいます。変更後の開発仕様書にはない「22」と「23」が隠れた境界値となります。これらの値は、最新の開発仕様書に基づく境界値分析では知る術のない値となります。

仮に境界値テストの段階で開発仕様書から読み取れない境界値を見つけた場合

は、開発仕様書に反映してもらい、今後は変更履歴で確認できるように、開発エンジニアにその旨の記載を追加してもらいましょう。そうすることで、正しい境界値を使用してテストを進めることができます。

同値分割テストと境界値テストのまとめ

本章では**同値分割テスト**と**境界値テスト**について説明しました。数値で入力する項目については同値パーティションに分割したうえで、テストの設計にしたがって、境界値分析を適用するかしないかを判断します。

また同値分割テストについては、境界値分析が適用できないテスト対象にも適用する場合があることも説明しました。テキストの入力文字種などがあります。なお、これらのテスト技法は**上流工程**や**静的テスト**にも適用できます。仕様書で境界値があいまいな場合は、明確になるように確認していきましょう。

練習問題 2

ある気体の計測機能のテスト設計を行うにあたり、開発仕様書に以下の記述を見つけた。なお、今回の開発では、環境基準の度重なる法改正に伴い、気体成分の正常値に何度も変更が加えられ、そのたびにソフトウェアが書き換えられているとする。

仕様

・入力値(g)は4.35から8.2までを正常値とする
・その範囲以外の入力値は異常と判定する

問題① 上記の仕様を読んだうえで、開発仕様書を記述したエンジニアに対して送付する質問案をいくつか作成しなさい。このとき不明確な点を明確にすること。

問題② 以下の2つの方法で上記の仕様をテストする際に使用する「テストする値」を7つ求めなさい。

方法1 同値パーティションの分割と境界値分析を数直線上で行い、テストする値を4つ求めなさい。

方法2 正常値の仕様が何度も変更されていることから隠れた境界値が存在することを考慮して、テストする値を3つ求めなさい。この際、変更履歴は開発仕様書に記載されておらず、開発エンジニアにも問い合わせできないものとする。

解答 p.89

練習問題 3

ワイワイ水族館の入館料金は以下のとおり。この入館料金を判定する際の年齢を同値パーティションに分割し、境界値を求めなさい。

ワイワイ水族館入館料

おとな（16歳以上）	小・中学生（7歳以上）	幼児（4歳以上）	乳児（4歳未満）
2000円	900円	400円	0円

解答 p.90

練習問題 1 解答

この問題では、仕様をもとに以下のような数直線を用いてテストする値を考えます。

販売期間の境界値分析

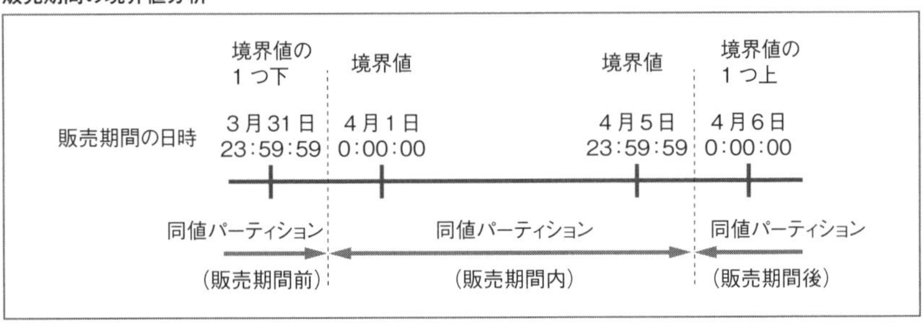

仕様に「販売開始：4月1日0時00分00秒」「販売終了：4月5日23時59分59秒」とあるので、販売期間内の有効最小値は「4月1日0時00分00秒」であり、これが境界値になります。その１つ下の値は「3月31日23時59分59秒」です。その１つ上の値は、境界値と同じ同値パーティションなので省略します。

また、販売期間内の有効最大値は「4月5日23時59分59秒」であり、これも境界値になります。その１つ上の値は「4月6日0時00分00秒」です。その１つ下の値は、境界値と同じ同値パーティションなので省略します。

これらのことから、以下の４つの値がテストする値となります。

- 3月31日　23:59:59
- 4月1日　0:00:00
- 4月5日　23:59:59
- 4月6日　0:00:00

練習問題 2 解答

解答①

質問①

端点である「4.35」と「8.2」は正常値に含まれますか。

入力値をgとすると正常値は下記ア～エのいずれに該当しますか。

ア．4.35 ≦ g ≦ 8.2
イ．4.35 < g ≦ 8.2
ウ．4.35 ≦ g < 8.2
エ．4.35 < g <8.2

質問②

入力値gの精度は小数点以下何桁ですか。仕様書によれば「4.35」と記載されており、小数点以下２桁と推測されますが、この理解で正しいでしょうか。

解答②

方法1 でテストする値は「4.34」「4.35」「8.20」「8.21」の４つ
方法2 でテストする値は「5.00」「6.00」「7.00」の３つ

各方法でテストする値

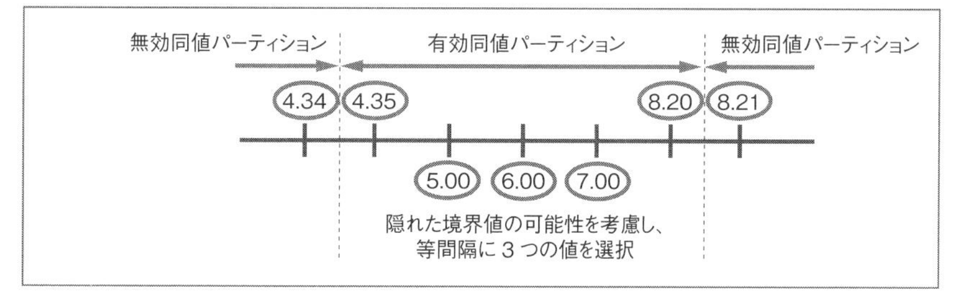

練習問題 3 解答

ワイワイ水族館の入館料金における境界値は7つです。

ワイワイ水族館の入館料金における境界値

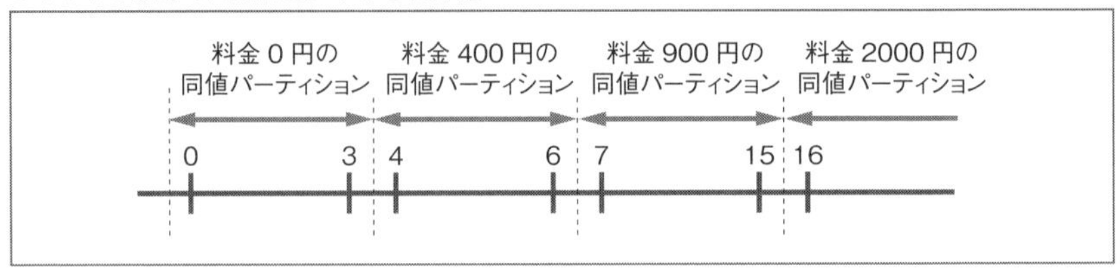

なお、設問の料金設定に大人料金の上限値が明記されていないことに気づいたでしょうか。「16歳以上であれば何歳でも問題ない」という考え方もありますが、ソフトウェアの仕様として「999歳」という値は適切ではありません。現在の平均寿命や今後の寿命の延びなどを考慮しても、これほど大きな値は必要ありません。また今後、年齢データが来場者の年齢の統計を取るために使用されるかもしれません。そういったことを考慮して、開発エンジニアに対して適切な上限値を定めるよう求めることもテスト担当者の役割の1つです。

仮に、年齢の上限値が150歳となった場合は「150」と「151」が境界値として追加され、151以上の同値パーティションは「**無効同値パーティション**」となります。また、負の数(-1)以下の値も無効同値パーティションとなります。これについてもテストが必要でしょう。

これらのことを考慮すると、同値パーティション分割、境界値分析の数直線は以下のようになります。

ワイワイ水族館の入館料金における境界値(境界値の追加後)

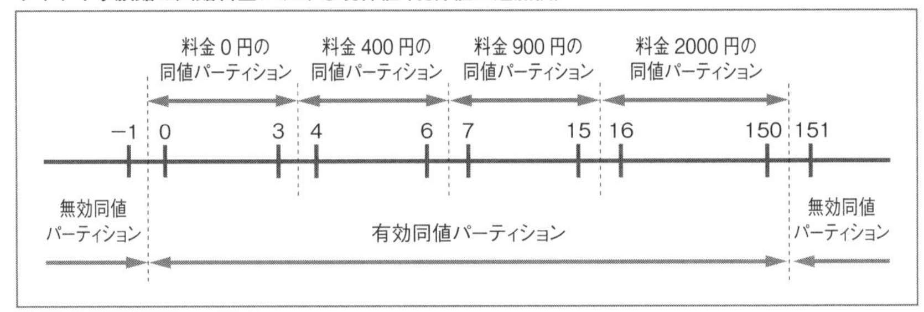

Chapter 05 デシジョンテーブルテスト

本章では、デシジョンテーブルを使用したテスト技法である「**デシジョンテーブルテスト**」について解説します。デシジョンテーブルテストは、主にシステムテストの「**機能確認テスト**」で使用できます。

デシジョンテーブルテストの概要

ソフトウェアテストにおける「デシジョンテーブル」(意思決定表)とは、**複数の条件によって決定されるソフトウェアの動作を一覧するための表**です。そして、この一覧表を使用してテストすることを「**デシジョンテーブルテスト**」といいます。

動作が変わる条件に着目してテストを行うという点では、前章で解説した**同値分割テスト**や**境界値テスト**と似ていますが、これらのテスト技法が単一条件に着目するのとは異なり、デシジョンテーブルテストでは**複数の条件**に着目して一覧表を作成し、テストを行います。

デシジョンテーブルテストにおける“複数の条件”とは「**ソフトウェアの動作を決める条件が複数ある**」という意味です。ソフトウェアの動作は、単一条件によって決まる場合もあれば、複数の条件の組み合わせによって決まる場合もあります。多くの場合は後者です。ソフトウェアの動作を決定する条件がシンプルである場合は、その動作を確認するテストも比較的容易に実施できますが、複数の条件が複雑に関係しあっているような場合は、条件の組合せに漏れがないかを確認することが必要です。このような場合に有効なのがデシジョンテーブルです。

デシジョンテーブルの特徴

もともと、デシジョンテーブルは企業内の複雑な業務ルールを整理するために利用されてきたものであり、ソフトウェアテストのために開発されたものではありません。しかし、デシジョンテーブルを作成すると、複数条件の組合せを漏れなく洗い出すことができるため、今では、給与計算システムや生命保険システム、減価償却システムなどの複雑な仕様を整理する際にも広く利用されています。

また、デジタル複合機（コピー、スキャナ、FAX機能を併せ持つ機器）のように、複数機能間の同時動作のルールを整理する場合にも利用されています。

次のレンタルDVDの料金割引設定の例を見てください。

レンタルDVDの料金割引設定

・18 歳以下は 10%オフ
・65 歳以上は 20%オフ
・旧作（レンタル開始日から 6 カ月以上経過）は半額
※ただし、2 つ以上の割引の適用条件が重なった場合は、割引率の高いほうを優先する

このような割引サービスを判定するソフトウェアのテストを依頼された場合、最初に同値分割テストや境界値テストが思い浮かびますが、残念ながらこれらのテスト技法では、年齢に応じた割引サービスの部分はテストできても、「旧作は半額」の部分との関連をテストすることはできません。

この例のように、動作内容が「**年齢**」と「**レンタル開始日からの経過期間**」といった複数の条件によって決定されるソフトウェアをテストする場合は、デシジョンテーブルを利用します。参考までに、上記の割引サービスをデシジョンテーブルに表すと、以下のようになります。

表5-1 ● レンタルDVDの料金割引のデシジョンテーブル

条件／アクション ＼ ルール		ルール（Y：Yes/N：No）							
		ルール1	ルール2	ルール3	ルール4	ルール5	ルール6	ルール7	ルール8
条件	旧作	Y	Y	Y	Y	N	N	N	N
	年齢65歳以上	Y	Y	N	N	Y	Y	N	N
	年齢18歳以下	Y	N	Y	N	Y	N	Y	N
アクション	半額	Y	Y	Y	Y				
	20%オフ					Y	Y		
	10%オフ							Y	
	通常料金								Y

注）ルール1の「年齢65歳以上」と「年齢18歳以下」の両方が「Y」のような、矛盾したルールについては後述する「矛盾している条件を削除する」（p.102）で解説します。

表の上半分にはソフトウェアの動作を決める「**条件**」が網羅的に記述されています。また、下半分には上部の条件によって生じる結果・処理・動作が「**アクション**」として記述されています。デシジョンテーブルの作成方法や活用方法は後述します。ここではまず、デシジョンテーブルがこのような外観をしているということを覚えておいてください。

デシジョンテーブルの作り方

デシジョンテーブルは、さまざまなソフトウェアのテストにおいて役立つ便利な一覧表ですが、表の作成には少し練習が必要です。ここでは先に単純化したデシジョンテーブルの作成方法から解説をはじめます。

一般的に使われるデシジョンテーブルは以下のような枠組みを持っています。

表5-2 ● デシジョンテーブルのフォーマット

条件／アクション ＼ ルール		ルール（Y：Yes/N：No）							
		ルール1	ルール2	ルール3	ルール4	ルール5	ルール6	ルール7	ルール8
条件									
アクション									

最初にごく単純な例として、遊園地のジェットコースターの乗車制限をデシジョンテーブルに整理してみましょう。

ジェットコースターの乗車制限

- 身長 130 センチ以上
- 年齢 8 歳以上
- 持病に心臓疾患がないこと

まず、上記の乗車制限を読んで「**条件**」と「**アクション**」を抜き出します。

デシジョンテーブルの「条件」とは、**各アクションを発生させる前提の条件**です。設定パラメータや金額設定条件などがあります。また「アクション」とは、**条件の組合せによって発生する動作結果**です。この例では身長、年齢、心臓疾患に該当するかどうかが「条件」、乗車できるか、できないかが「アクション」になります。

表5-3●条件とアクション

項目	内容
条件	・身長130センチ以上 ・年齢8歳以上 ・心臓疾患の持病がないこと
アクション	・乗車できる

次に、デシジョンテーブルの条件欄とアクション欄に上記の3つの条件と1つのアクションを記入します。

表5-4●条件とアクションが記入されたデシジョンテーブル

条件／アクション ＼ ルール		ルール(Y：Yes/N：No)							
		ルール1	ルール2	ルール3	ルール4	ルール5	ルール6	ルール7	ルール8
条件	身長130センチ以上								
	年齢8歳以上								
	心臓疾患なし								
アクション	ジェットコースター乗車								

これで下準備ができました。ここから表の中身を記入していきます。

ルールの升目を埋める

最初に条件欄とルールの升目を埋めていきます。升目には、Yes ／ Noを表す「**Y**」「**N**」か、True ／ Falseを表す「**T**」「**F**」を記入するのが一般的です。

ルールには、3つの条件について考えられるすべての組合せを記入します。例えば、「身長130センチ以上で、年齢8歳以上、心臓疾患のない人」を表す場合は、ルール列の条件の升目に「Y」「Y」「Y」を記入します。その他にはどのような組合せがあるでしょうか。この例の場合は８通り（2の3乗）の組合せがあります。

条件の組合せパターンの記入法則

小学校で習った**樹形図**を使うと、条件の組合せパターンを短時間で記入できるようになります。

図5-1 ● 条件パターンの樹形図

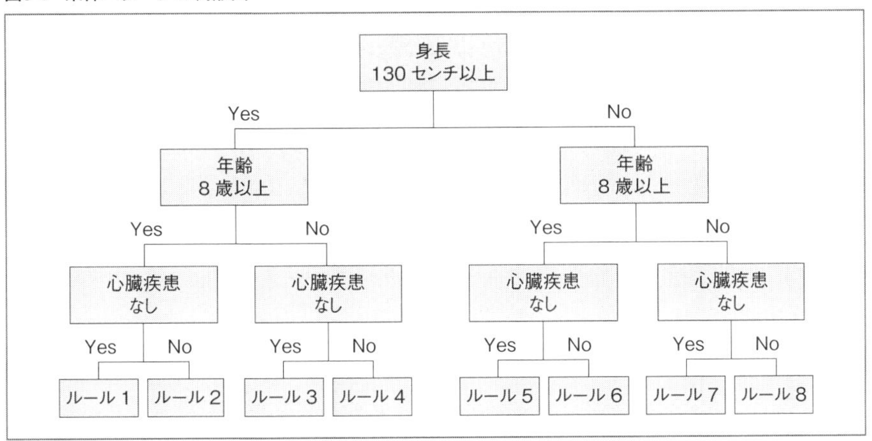

表5-5 ● 条件の組合せパターンが記入済のデシジョンテーブル

条件／アクション＼ルール		ルール（Y：Yes/N：No）							
		ルール1	ルール2	ルール3	ルール4	ルール5	ルール6	ルール7	ルール8
条件	身長130センチ以上	Y	Y	Y	Y	N	N	N	N
	年齢8歳以上	Y	Y	N	N	Y	Y	N	N
	心臓疾患なし	Y	N	Y	N	Y	N	Y	N
アクション	ジェットコースター乗車								

図5-1のルール1～4を見てください。最初の質問「**身長が130センチ以上か**」に

対する答えはすべて「Yes」です。一方、ルール5～8はすべて「No」になります。したがって、デシジョンテーブルの条件「身長130センチ以上」の行の左半分に「Y」、右半分に「N」が入ることがわかります。

次にルール1、2を見ると、2番目の質問「**年齢が8歳以上か**」はともに「Y」であり、ルール3、4はともに「N」となっていることがわかります。同じことがルール5～8にも当てはまります。したがって、デシジョンテーブルの条件「年齢8歳以上」の行は「Y」と「N」が2つずつ交互に並ぶことがわかります。

最後に、ルール1～8の3番目の質問を見ると、「Y」と「N」が1つずつ交互に並ぶことがわかります。

この法則を覚えておけば、一覧表が大きくなっても機械的にY／Nを記入することができます。具体的には、

- 条件の1行目は、左半分に「Y」、右半分に「N」を記入する
- 条件の2行目は、表の長さの4分の1に「Y」を記入し、同じ長さで交互に「N」と「Y」を記入する
- 条件の3行目は、表の長さの8分の1に「Y」を記入し、同じ長さで交互に「N」と「Y」を記入する

という具合です。このように表の枠組みさえ決まれば、後は簡単に升目を埋めることができる点もデシジョンテーブルの長所の1つだといえます。

アクションを記入する

続いて「**アクション**」を記入します。ここは、ソフトウェアの仕様や条件、優先順位などを元に検討し、記入する必要があるため、条件欄のルールの升目のように機械的に記入することはできません。ルール列を縦に見ながら「**期待される結果**」をしっかりと考えてY／Nを記入します*1。

この例題は条件がわかりやすく、またアクションが1つしかないので、それほど難しくはありません。アクション欄「**ジェットコースター乗車**」の升目に「Y」が記入されるのは、3つの条件をすべて満たしているルール1のみです（**表5-6**）。それ以外の升目には「N」が入ります。

*1 「N」ではなく「－」（ハイフン）を記入したり、空欄にしておく場合もあります。

表5-6●完成したデシジョンテーブル

ルール / 条件／アクション		ルール(Y：Yes/N：No)							
		ルール1	ルール2	ルール3	ルール4	ルール5	ルール6	ルール7	ルール8
条件	身長130センチ以上	Y	Y	Y	Y	N	N	N	N
	年齢8歳以上	Y	Y	N	N	Y	Y	N	N
	心臓疾患なし	Y	N	Y	N	Y	N	Y	N
アクション	ジェットコースター乗車	Y	N	N	N	N	N	N	N

改めて、最初に箇条書きで掲載した乗車制限(p.93)と、完成したデシジョンテーブルを見比べてみましょう。デシジョンテーブルは、条件のすべての組合せを網羅しており、ルールの一つひとつがそのままテストの項目になっています。**どちらがテストに役立つかは一目瞭然**です。

アクション欄を記載するうえで、重要な点があります。デシジョンテーブルを作成するなかで、アクションの発生条件に矛盾があったり、そもそも実現不可能な条件であったりすることがあります。設計上、実現が不可能なものを「**N/A**」(Not Applicable：適用不可)として、アクション欄に表します。

一方、デシジョンテーブルを作成する中で、条件の組合せは存在するが、アクションが定義されていない場合があります。その逆で、アクションが定義されていても、発生条件がわからない場合もあります。こうして、アクションの洗い出しを行うことで、さらに仕様の内容を詰めていくことが可能となります。

記入時に疑問を感じたら

実際にテストで使用するデシジョンテーブルを作成する際は、アクション欄に**Y／N**を記入していく段階で「**この条件が重なったときには、どのような結果になるのが適切なのだろうか**」と、さまざまな疑問が浮かび上がってきます。アクション欄を考える段階で、別の条件が関係していることに気づくこともあります。

それらの疑問や気づきはそのままにせず、**調べたり、尋ねたりして、正しいデシジョンテーブルを完成させてください**。そうしなければ、不完全なデシジョンテーブルに基づいてテストが進められることになり、結果的に、欠陥を見逃してしまったり、正しい動作を欠陥として報告してしまったりすることになります。

以上、デシジョンテーブルを作成するための基礎知識を解説しました。ここまでの理解を定着させるために以下の［練習問題１］と［練習問題２］に挑戦してみましょう。その後、実際のテスト現場で用いられている「デシジョンテーブルを作成する方法」を解説します。

練習問題 1

次の映画館の料金設定を読み、以下の設問に答えなさい。

映画館の料金設定

・基本料金は、1800円
・20時以降に上映開始される作品（レイトショー）は、1200円
・高校生以下は、1500円（子供料金）
・毎月１日は、一律1000円（映画の日）
※２つ以上の割引サービスの適用が重なった場合は金額が低いほうを優先する。
※高校生以下のレイトショーの入場制限は考慮しなくてよい。

問題① 上記仕様から条件とアクションを抜き出しなさい。

問題② 以下のデシジョンテーブルを完成させなさい。

デシジョンテーブル

条件／アクション ＼ ルール		ルール（Y：Yes/N：No）							
		ルール 1	ルール 2	ルール 3	ルール 4	ルール 5	ルール 6	ルール 7	ルール 8
条件									
アクション									

解答 p.117

練習問題 2

次のメタボリックシンドローム判定ソフトウェアの仕様を読み、以下の設問に答えなさい。

メタボリックシンドローム判定ソフトウェアの仕様

本ソフトウェアは、国際糖尿病連合（IDF）基準（2005 年）に準拠したメタボリックシンドローム判定を行う。

国際糖尿病連合（IDF）基準（2005年）

国際糖尿病連合（IDF）　基準（2005 年）

腹囲男性 90 ㎝、女性 80 ㎝以上が必須。かつ
- 血圧 130/85mmHg 以上。
- 中性脂肪 150mg/dL 以上。
- HDLc 男性 40mg/dL、女性 50mg/dL 未満。
- 血糖 100mg/dL 以上。

の 4 項目中 2 項目以上。

利用者に「性別」と「腹囲」を最初に入力してもらい、IDF 基準の「腹囲男性 90cm、女性 80cm 以上」の判定条件を満たしているか否かを確認する。判定条件を満たさない場合は、以下のメッセージを表示し、診断を終了する。

表示メッセージ

メッセージID	メッセージ内容
メッセージX	あなたはメタボリックではありません ☺

判定条件を満たしている場合は、血圧、中性脂肪、HDLc、血糖の値を入力してもらい、入力された値をIDF 基準に照らして判定し、以下のメッセージを表示する。

- 4 項目中 2 項目以上該当している場合は、メッセージ A を表示する
- 4 項目中 1 項目該当している場合は、メッセージ B を表示する

表示メッセージ

メッセージID	メッセージ内容
メッセージA	あなたはメタボリックです！！
メッセージB	あなたはメタボリック予備軍です！ ☹

問題① 腹囲90cm以上の成人男性に対する、メタボリックシンドローム判定のデシジョンテーブルを完成させなさい。なお、テーブルをすべて使うとは限らない。

問題② デシジョンテーブルを作成するなかで、このソフトウェアの仕様に関して気づいた問題点があれば、指摘しなさい。

成人男性用デシジョンテーブル

条件／アクション ＼ ルール			ルール（Y：Yes/N：No）																						
			1																						
条件	血圧（上）	130mmHg以上	Y																						
	血圧（下）	85mmHg以上																							
	中性脂肪	150mg/dL以上	Y																						
	HDLc	40mg/dL未満	Y																						
	血糖	100mg/dL以上	Y																						
アクション	メタボリック判定		Y																						
	出力されるメッセージID		A																						

※血圧は、血圧（上）130mmHg以上、かつ血圧（下）85mmHg以上の場合に「Y」となります。どちらかが該当しない場合は「N」となります。

解答 p.118

デシジョンテーブルを見やすくする

前項までの解説で、デシジョンテーブルを作るための基礎知識は習得できたと思います。しかし、実際のソフトウェアは先述したようなシンプルな仕様ではなく、もっと複雑なものがほとんどであり、中にはルール数が1000を超えるものまであります。

Yes／Noの２値で定義される条件が１つ加わると、デシジョンテーブルのルール総数は２倍になります。ルール数が２倍になると表は横に２倍に広がるため、全体を見渡しにくくなります。

表5-7 ● 条件3個でルール8個のデシジョンテーブル

条件／アクション ＼ ルール		ルール(Y：Yes/N：No)							
		1	2	3	4	5	6	7	8
条件	条件1	Y	Y	Y	Y	N	N	N	N
	条件2	Y	Y	N	N	Y	Y	N	N
	条件3	Y	N	Y	N	Y	N	Y	N
アクション	動作A								
	動作B								

表5-8 ● 条件10個でルール1024個のデシジョンテーブルの一部

条件／アクション ＼ ルール		ルール(Y：Yes/N：No)																	
		1	2	3	4	5	6	7	8	9	10	11	12	13	14	15	16	…	…
条件	条件1	Y	Y	Y	Y	Y	Y	Y	Y	Y	Y	Y	Y	Y	Y	Y	Y	…	…
	条件2	Y	Y	Y	Y	Y	Y	Y	Y	Y	Y	Y	Y	Y	Y	Y	Y	…	…
	条件3	Y	Y	Y	Y	Y	Y	Y	Y	Y	Y	Y	Y	Y	Y	Y	Y	…	…
	条件4	Y	Y	Y	Y	Y	Y	Y	Y	Y	Y	Y	Y	Y	Y	Y	Y	…	…
	条件5	Y	Y	Y	Y	Y	Y	Y	Y	Y	Y	Y	Y	Y	Y	Y	Y	…	…
	条件6	Y	Y	Y	Y	Y	Y	Y	Y	Y	Y	Y	Y	Y	Y	Y	Y	…	…
	条件7	Y	Y	Y	Y	Y	Y	Y	Y	N	N	N	N	N	N	N	N	…	…
	条件8	Y	Y	Y	Y	N	N	N	N	Y	Y	Y	Y	N	N	N	N	…	…
	条件9	Y	Y	N	N	Y	Y	N	N	Y	Y	N	N	Y	Y	N	N	…	…
	条件10	Y	N	Y	N	Y	N	Y	N	Y	N	Y	N	Y	N	Y	N	…	…
アクション	動作A																	…	…
	動作B																	…	…

デシジョンテーブルを作成する本来の目的の１つに「**複雑な仕様を整理すること**」というものがあります。そのため、デシジョンテーブルが大きくなった場合にはそれを見やすくする工夫が必要になります。

デシジョンテーブルを見やすくする方法は次の３種類に大別できます。

- 矛盾している条件を削除する
- 表を簡略化する
- 表を分割する

矛盾している条件を削除する

先述した「デシジョンテーブルの作り方」(p.93)では、最初に条件欄とアクション欄に入れる内容を決定し、その後、条件欄の升目にY／Nを記入していきました。しかし、機械的に記入する方法では、条件によっては、記入した条件の組合せに矛盾が生じることがあります。**実際には起こりえない条件**を記入してしまうのです。

矛盾している条件は、表の作成後に削除します。すると、ルールの数が減り、デシジョンテーブルが見やすくなります。矛盾している条件を削除する方法を以下のDVDレンタルの料金割引の仕様を用いて解説します。

レンタルDVDの料金割引設定

- 年齢が18歳以下は10%オフ
- 年齢が65歳以上は20%オフ
- 旧作（レンタル開始日から6カ月以上経過）は半額

※ただし、2つ以上の割引の適用条件が重なった場合は、割引率の高い方を優先する。

最初に、上記の仕様から条件とアクションを抜き出します。

表5-9●条件とアクション

項目	内容
条件	・18歳以下 ・65歳以上 ・旧作
アクション	・10%オフ ・20%オフ ・50%オフ ・割引なし

続いて、デシジョンテーブルに条件とアクションを記入し、条件欄にY／Nを記入します。

表5-10 ● DVDレンタルの料金割引のデシジョンテーブル

条件／アクション＼ルール		ルール（Y：Yes/N：No）							
		ルール1	ルール2	ルール3	ルール4	ルール5	ルール6	ルール7	ルール8
条件	18歳以下	Y	Y	Y	Y	N	N	N	N
	65歳以上	Y	Y	N	N	Y	Y	N	N
	旧作	Y	N	Y	N	Y	N	Y	N
アクション	10%オフ								
	20%オフ								
	50%オフ								
	割引なし								

条件欄に記入されたY／Nを見ていくと矛盾があることがわかります。網掛け部分（ルール1と2）を見ると、18歳以下と65歳以上の両方が「Y」になっています。常識的に考えてこのような条件を満たす人は存在しません。

このことから、これらのケースをテストする必要がないことがわかります。そこで、アクション欄に「N/A」（Not Applicable）と記入します。

すると、以下のようなデシジョンテーブルが完成します。

表5-11 ● DVDレンタルの料金割引のデシジョンテーブル（完成）

条件／アクション＼ルール		ルール（Y：Yes/N：No）							
		ルール1	ルール2	ルール3	ルール4	ルール5	ルール6	ルール7	ルール8
条件	18歳以下	Y	Y	Y	Y	N	N	N	N
	65歳以上	Y	Y	N	N	Y	Y	N	N
	旧作	Y	N	Y	N	Y	N	Y	N
アクション	10%オフ	N/A	N/A		Y				
	20%オフ	N/A	N/A				Y		
	50%オフ	N/A	N/A	Y		Y		Y	
	割引なし	N/A	N/A						Y

この例では8つあったルールを6つに削減できただけですが、実際のデシジョンテーブルには、この数倍～数十倍のルールがあるため、矛盾を削除するだけで

もかなりのルールを削減できます。

ルールを削減するということは、すなわち仕様をより少ないルールで整理していることになります。デシジョンテーブルテストで確認するテスト項目の数は**ルールの数に比例**するため、ルールを削減できればそれだけテストに必要な時間を削減することができるのです。

MEMO

矛盾する条件をわざと与えて、ソフトウェアの仕様や動作に問題がないことを確認する場合もあります。
例えば、ソフトウェアの動作としては、「18歳以下」が選択されている場合は「65歳以上」は指定できないようになっていることが望ましいといえるでしょう。このような動作を明示的に確認する場合は、アクション欄に「指定できないこと」という項目を追加して、テストを行います。矛盾している条件を削除する方法は、このような仕様が適切に処理されることが明確になっている場合に効果を発揮します。

表を簡略化する

機械的に記入した複数のルールを1つにまとめて、簡略化することでも、デシジョンテーブルを見やすくすることができます。

以下のデシジョンテーブルを見てください。

表5-12◦ジェットコースターの乗車制限に関するデシジョンテーブル

	ルール／条件／アクション	ルール(Y：Yes/N：No)							
		ルール1	ルール2	ルール3	ルール4	ルール5	ルール6	ルール7	ルール8
条件	身長130センチ以上	Y	Y	Y	Y	N	N	N	N
	年齢8歳以上	Y	Y	N	N	Y	Y	N	N
	心臓疾患なし	Y	N	Y	N	Y	N	Y	N
アクション	ジェットコースター乗車	Y	N	N	N	N	N	N	N

条件欄の**ルール5～8**に注目してください。最初の条件である「身長130センチ

以上」が「N」になった時点で、それ以降の条件に関係なくアクションは必ず「N」になることがわかります。

したがって、ルール5～8は以下のように1つのルールにまとめることができます。ここで使われている「—」は「どちらでもよい」という意味です。

表5-13 ● ジェットコースターの乗車制限に関するデシジョンテーブル（簡略後）

ルール 条件／アクション		ルール（Y：Yes/N：No）							
		ルール 1	ルール 2	ルール 3	ルール 4	ルール 5			
条件	身長130センチ以上	Y	Y	Y	Y	N			
	年齢8歳以上	Y	Y	N	N	—			
	心臓疾患なし	Y	N	Y	N	—			
アクション	ジェットコースター乗車	Y	N	N	N	N			

同様に「年齢8歳以上」が「N」になった時点、「心臓疾患なし」が「N」になった時点で、他の条件に関係なくアクションは「N」になることから、デシジョンテーブルは以下のように簡略化できます。

表5-14 ● ジェットコースターの乗車制限に関するデシジョンテーブル（完成）

ルール 条件／アクション		ルール（Y：Yes/N：No）			
		ルール 1	ルール 2	ルール 3	ルール 4
条件	身長130センチ以上	Y	N	—	—
	年齢8歳以上	Y	—	N	—
	心臓疾患なし	Y	—	—	N
アクション	ジェットコースター乗車	Y	N	N	N

このように、**表の簡略化**をすることによって、当初は8つあったルールを最終的に4つにまで減らすことができました。

ここまでの解説からもわかるように、デシジョンテーブルを簡略化するということは、すなわち「**ルールの項目をまとめて、削減する**」ということです。このため、表中の「—」(ハイフン)のテストを、全組合せを行っているわけではありません。よって必ず他のテストも合わせて行うようにしてください。

表を分割する

複数ある条件の中から**他との関連性が弱いもの**(独立性が高いもの)を選び出し、別表へと分割することで、デシジョンテーブルを見やすくします。

先述したレンタルDVDの割引設定(p.102)に、新たに「毎月1日は、65歳以上は30%オフ、それ以外の人は20%オフ」という条件が追加された場合を考えてみましょう。この仕様を条件とアクションに分けると次のようになります。

- 条件:貸出日が各月の1日
- アクション:30%オフ(「20%オフ」はもともと存在しています)

レンタルDVDの料金割引設定

・年齢が18歳以下は、10%オフ
・年齢が65歳以上は、20%オフ
・旧作(レンタル開始日から6カ月以上経過)は、半額
・毎月1日は、65歳以上は30%オフ、それ以外の人は20%オフ
※ただし、2つ以上の割引の適用条件が重なった場合は、割引率の高い方を優先する

この仕様をもとにデシジョンテーブルを作成すると以下のようになります。

表5-15 ● レンタルDVDの料金割引のデシジョンテーブル

条件/アクション	ルール	ルール(Y:Yes/N:No)															
		1	2	3	4	5	6	7	8	9	10	11	12	13	14	15	16
条件	18歳以下	Y	Y	Y	Y	Y	Y	Y	Y	N	N	N	N	N	N	N	N
	65歳以上	Y	Y	Y	Y	N	N	N	N	Y	Y	Y	Y	N	N	N	N
	旧作	Y	Y	N	N	Y	Y	N	N	Y	Y	N	N	Y	Y	N	N
	貸出日が各月の1日	Y	N	Y	N	Y	N	Y	N	Y	N	Y	N	Y	N	Y	N
アクション	10%オフ	N/A	N/A	N/A	N/A				Y								
	20%オフ	N/A	N/A	N/A	N/A			Y					Y			Y	
	30%オフ	N/A	N/A	N/A	N/A							Y					
	50%オフ	N/A	N/A	N/A	N/A	Y	Y			Y	Y			Y	Y		
	割引なし	N/A	N/A	N/A	N/A												Y

ここで新たに加わった条件「**貸出日が各月の１日**」を改めて考えると、この条件が他の条件と比べて単発的に発生する、独立性の高い条件だということがわかります（毎月１日を除いた約30日間はまったく使用しない条件であるため）。

このような独立性の高い条件は以下のように別表に分割することができます。ここでは「**各月の１日を除く営業日用**」と「**各月の１日用**」の２つのデシジョンテーブルに分割しています。

表5-16 ● レンタルDVDの料金割引のデシジョンテーブル（分割後）

各月の1日を除く営業日用のデジジョンテーブル

条件／アクション ＼ ルール		ルール（Y：Yes/N：No）								
		1	2	3	4	5	6	7	8	9
条件	18歳以下	Y	Y	Y	Y	N	N	N	N	**N**
	65歳以上	Y	Y	N	N	Y	Y	N	N	**N**
	旧作	Y	N	Y	N	Y	N	Y	N	**N**
	貸出日が各月の1日	N	N	N	N	N	N	N	N	**Y**
アクション	10%オフ	N/A	N/A		Y					
	20%オフ	N/A	N/A				Y			
	50%オフ	N/A	N/A	Y		Y		Y		
	割引なし	N/A	N/A						Y	
	各月の1日用のデシジョンテーブルを使用	N/A	N/A							**Y**

各月の1日用のデジジョンテーブル

条件／アクション ＼ ルール		ルール（Y：Yes/N：No）							
		1	2	3	4	5	6	7	8
条件	18歳以下	Y	Y	Y	Y	N	N	N	N
	65歳以上	Y	Y	N	N	Y	Y	N	N
	旧作	Y	N	Y	N	Y	N	Y	N
アクション	20%オフ	N/A	N/A		Y				Y
	30%オフ	N/A	N/A				Y		
	50%オフ	N/A	N/A	Y		Y		Y	

具体的には**“各月の１日を除く営業日用のデシジョンテーブル”**には、**表5-15**の16個のルールのうち条件欄「貸出日が各月の１日」に「N」が記入されているルールだけを集めます。そして、できあがった表の最後にルールを１つ加えて、“各月

の１日用のデシジョンテーブル”が存在することを明記します。

次に、**“各月の１日用のデシジョンテーブル”**には、条件欄「貸出日が各月の１日」に「Y」が入っているルールだけを集めます。

これで、１つの大きなデシジョンテーブルを、１つの条件に関して明確な意図を持つ２つの表に分割することができました。

 3値以上の答えを持つ条件の採用

ここまで解説したデシジョンテーブルでは、条件欄に記入する値はYes ／ No もしくはTrue ／ Falseの２値でしたが、同値パーティションの考え方を用いて３値以上の答えを持つ条件を採用することによって、デシジョンテーブルを見やすくできる場合もあります。以下の紳士服店の会員サービスの仕様を見てみましょう。

紳士服店の会員サービスの仕様

◎ゴールド会員
- 購入金額 10,000 円以上で、10％割引
- 購入金額 5,000 円以上、10,000 円未満で、7％割引
- 購入金額 5,000 円未満で、3％割引
- 配送サービス対象商品を含み、購入金額 5,000 円以上購入で、配送料無料

◎シルバー会員
- 購入金額 10,000 円以上で、5％割引
- 購入金額 5,000 円以上、10,000 円未満で、3％割引
- 購入金額 5,000 円未満は割引なし
- 配送サービス対象商品を含み購入金額 10,000 円以上購入で、配送料無料

◎非会員
- 購入金額 10,000 円以上で、3％割引
- 購入金額 10,000 円未満は割引なし

まず、上記の仕様をもとに条件とアクションを抜き出します。ここでは、条件をわかりやすくするために、配送サービスを希望した人に限定して解説を進めます。

表5-17 ● 条件とアクション

項目	内容
条件	・ゴールド会員 ・シルバー会員 ・購入金額10000円以上 ・購入金額5000円未満 ・配送サービス対象商品
アクション	・10%割引 ・7%割引 ・5%割引 ・3%割引 ・割引なし ・配送料無料

抜き出した**条件**と**アクション**をもとにしてデシジョンテーブルを作成すると、次ページの**表5-20**のようになります。ルールの数は32個です。

このデシジョンテーブルの条件欄とルールを見直すと以下の２つの点に気がつきます。

- ルール25以降では「ゴールド会員」「シルバー会員」ともに「N」になっている（非会員を意味する）
- ルール7、8の購入金額欄を見ると「10,000円以上」「5,000円未満」ともに「N」になっている（5,000円以上かつ10,000円未満を意味する）

これらの点を考慮して条件欄を書き換えると以下のようになります。

表5-18 ● 条件欄の内容

条件欄	ルール欄に書く値
会員種別	ゴールド会員、シルバー会員、非会員
購入金額(p)	0<p<5000、5000≦p<10000、10000≦p

同様に、アクション欄も以下のようにまとめることができます。

表5-19 ● アクション欄の内容

アクション欄	ルール欄に書く値
割引率	割引なし、3%割引、5%割引、7%割引、10%割引

表5-20 ● 紳士服店の会員サービスに関するデシジョンテーブル

条件／アクション		ルール(Y：Yes/N：No)														
		ルール1	ルール2	ルール3	ルール4	ルール5	ルール6	ルール7	ルール8	ルール9	ルール10	ルール11	ルール12	ルール13	ルール14	ルー1
条件	ゴールド会員	Y	Y	Y	Y	Y	Y	Y	Y	Y	Y	Y	Y	Y	Y	Y
	シルバー会員	Y	Y	Y	Y	Y	Y	Y	Y	N	N	N	N	N	N	N
	購入金額10000円以上	Y	Y	Y	Y	N	N	N	N	Y	Y	Y	Y	N	N	N
	購入金額5000円未満	Y	Y	N	N	Y	Y	N	N	Y	Y	N	N	Y	Y	N
	配送サービス対象商品	Y	N	Y	N	Y	N	Y	N	Y	N	Y	N	Y	N	Y
アクション	10%割引	N/A	N/A	N/A	N/A	N/A	N/A	N/A	N/A	N/A	N/A	Y	Y			
	7%割引	N/A	N/A	N/A	N/A	N/A	N/A	N/A	N/A	N/A	N/A					Y
	5%割引	N/A	N/A	N/A	N/A	N/A	N/A	N/A	N/A	N/A	N/A					
	3%割引	N/A	N/A	N/A	N/A	N/A	N/A	N/A	N/A	N/A	N/A			Y	Y	
	割引なし	N/A	N/A	N/A	N/A	N/A	N/A	N/A	N/A	N/A	N/A					
	配送料無料	N/A	N/A	N/A	N/A	N/A	N/A	N/A	N/A	N/A	N/A	Y				Y

表5-21 ● 紳士服店の会員サービスに関するデシジョンテーブル(簡略化)

条件／アクション		ルール(Y：Yes/N：No)								
		ルール1	ルール2	ルール3	ルール4	ルール5	ルール6	ルール7	ルール8	ルール9
条件	会員種別	ゴールド	ゴールド	ゴールド	ゴールド	ゴールド	ゴールド	シルバー	シルバー	シルバー
	購入金額(p)	0 < p < 5000	0 < p < 5000	5000 ≦ p < 10000	5000 ≦ p < 10000	10000 ≦ p	10000 ≦ p	0 < p < 5000	0 < p < 5000	5000 ≦ p < 1000
	配送サービス対象商品	Y	N	Y	N	Y	N	Y	N	Y
アクション	割引率	3%割引	3%割引	7%割引	7%割引	10%割引	10%割引	割引なし	割引なし	3%割引
	配送料無料			Y		Y				

以上の工夫によって、**表5-20**のデシジョンテーブルが、**表5-21**のように簡略化されました。また、「N/A」のあるルールを削除することによって、当初32個あったルールが18個に減りました。

さらに**表5-21**の条件欄を見てみると、配送サービス対象商品の条件に関係なく、会員種別、購入金額だけでアクションが決まっているルールが見つかります。**表5-21**のルール1、2を取り出して確認してみましょう。

ルール(Y：Yes/N：No)																
ルール16	ルール17	ルール18	ルール19	ルール20	ルール21	ルール22	ルール23	ルール24	ルール25	ルール26	ルール27	ルール28	ルール29	ルール30	ルール31	ルール32
Y	N	N	N	N	N	N	N	N	N	N	N	N	N	N	N	N
N	Y	Y	Y	Y	Y	Y	Y	Y	N	N	N	N	N	N	N	N
N	Y	Y	Y	Y	N	N	N	N	Y	Y	Y	Y	N	N	N	N
N	Y	Y	N	N	Y	Y	N	N	Y	Y	N	N	Y	Y	N	N
N	Y	N	Y	N	Y	N	Y	N	Y	N	Y	N	Y	N	Y	N
	N/A	N/A							N/A	N/A						
Y	N/A	N/A							N/A	N/A						
	N/A	N/A	Y	Y					N/A	N/A						
	N/A	N/A					Y	Y	N/A	N/A	Y	Y				
	N/A	N/A			Y	Y			N/A	N/A			Y	Y	Y	Y
	N/A	N/A	Y						N/A	N/A						

ルール(Y：Yes/N：No)								
ルール10	ルール11	ルール12	ルール13	ルール14	ルール15	ルール16	ルール17	ルール18
シルバー	シルバー	シルバー	非会員	非会員	非会員	非会員	非会員	非会員
5000 ≦ p < 10000	10000 ≦ p	10000 ≦ p	0 < p < 5000	0 < p < 5000	5000 ≦ p < 10000	5000 ≦ p < 10000	10000 ≦ p	10000 ≦ p
N	Y	N	Y	N	Y	N	Y	N
3%割引	5%割引	5%割引	割引なし	割引なし	割引なし	割引なし	3%割引	3%割引
	Y							

表5-22 ● 表5-21のルール1、2

条件／アクション ＼ ルール		ルール	
		ルール1	ルール2
条件	会員種別	ゴールド	ゴールド
	購入金額(p)	0<p<5000	0<p<5000
	配送サービス対象商品	Y	N
アクション	割引率	3%割引	3%割引
	配送料無料		

これら2つのルールは、配送サービス対象商品の有無が異なるだけで、アク

ションはまったく同じです。そこで、配送サービス対象商品を1つにまとめます。

表5-23●ルール1、2を1つのルールにまとめた

条件／アクション	ルール	ルール
		ルール1
条件	会員種別	ゴールド
	購入金額(p)	0<p<5000
	配送サービス対象商品	—
アクション	割引率	3%割引
	配送料無料	

他にも同様にルールをまとめていくと、**表5-24**のようになります。当初の**32個**のルールが最終的に**12個**に減りました。ルールが減ったことで、デシジョンテーブルもずいぶん見やすくなりました。

表5-24●紳士服店の会員サービスに関するデシジョンテーブル(完成)

条件／アクション	ルール	ルール(Y：Yes/N：No)											
		ルール1	ルール2	ルール3	ルール4	ルール5	ルール6	ルール7	ルール8	ルール9	ルール10	ルール11	ルール12
条件	会員種別	ゴールド	ゴールド	ゴールド	ゴールド	ゴールド	シルバー	シルバー	シルバー	シルバー	非会員	非会員	非会員
	購入金額(p)	0<p<5000	5000≦p<10000	5000≦p<10000	10000≦p	10000≦p	0<p<5000	5000≦p<10000	10000≦p	10000≦p	0<p<5000	5000≦p<10000	10000≦p
	配送サービス対象商品	—	Y	N	Y	N	—	—	Y	N	—	—	—
アクション	割引率	3%割引	7%割引	7%割引	10%割引	10%割引	割引なし	3%割引	5%割引	5%割引	割引なし	割引なし	3%割引
	配送料無料		Y		Y				Y				

デシジョンテーブルテストの実施方法

デシジョンテーブルが完成したら、次はそれを用いて実際にソフトウェアを動かして、期待する動作結果になるかを確認します。すでにお気づきかもしれませんが、デシジョンテーブル上の各ルールを1件のテストケースとして用いることができます。言い換えると、**デシジョンテーブルが完成した時点でテスト設計はほ**

ぼ終了していることになります。

本章の冒頭で使用したジェットコースターの乗車制限を判定するソフトウェアを例にデシジョンテーブルテストを実施してみます。

表5-25 ● ジェットコースターの乗車制限のデシジョンテーブル

条件/アクション \ ルール		ルール			
		1	2	3	4
条件	身長130センチ以上	Y	N	—	—
	年齢8歳以上	Y	—	N	—
	心臓疾患なし	Y	—	—	N
アクション	ジェットコースター乗車	Y	N	N	N

まずはルール1にしたがって「**身長130センチ以上**」「**年齢8歳以上**」「**心臓疾患なし**」を満たす値を入力し、動作結果が「**Y**」(乗車可)になることを確認します。

続いて、ルール2～4にしたがって各条件を入力し、動作結果が「N」(乗車不可)になることを確認します。すべてのルールを確認し、動作結果が期待値どおりになればテストは終了です。

デシジョンテーブルのルール数とテストケース数の関係

上記で「**デシジョンテーブル上の各ルールを1件のテストケースとして用いることができます**」と説明しましたが、必ずしも「ルール数＝テストケース数」になるわけではありません。

なぜなら、**デシジョンテーブル上の各ルールは、テストケースとして十分に詳細化されているわけではない**からです。例えば、アクションの内容が特定の条件によって決まる場合は、他の条件の升目に「—」(どちらでもよい)を記入することでルールをまとめることができました(p.105)。

しかし、これはあくまでも“デシジョンテーブルの表し方”としてまとめただけであり、「**デシジョンテーブルのルール数以上にテストしなくてもよい**」ということではありません。実際にテストを行う際は、条件の組合せを確認しながら、その組合せで十分かを考慮してテストすることが重要です。場合によっては、すべての組合せをテストする必要があるかもしれません。

また、1つの条件に対して複数の値を用いてテストする場合もあります。先述のレンタルDVDの料金割引設定には「**旧作（レンタル開始日から６カ月以上経過）は半額**」という仕様がありましたが（p.106）、この仕様を実際にテストする場合は「**何時を日付の変わり目とするか**」に注意する必要があります。

なぜなら、日付の変わり目によってテストの内容が変わるからです。例えば、店舗の営業時間が午前10：00 ～深夜1：00で、その日の閉店時間までを１日として扱う場合は、レンタル開始日から半年後の午前0：00 ～ 1：00に対象のDVDが新作扱いになっていることを確認する必要があります。

つまり、デシジョンテーブル上は１つの条件になっていても、実際には10：00 ～ 23：59の場合と、翌日0：00 ～ 1：00の場合という２つのテストを行う必要があるのです。10：00 ～ 23：59が毎月１日に該当する場合や翌日0：00 ～ 1：00が毎月1日に該当する場合も同様です。

このように、実際にテストを実施する際には、1つのルールから複数のテストケースを作成する場合もあります。だからといって、毎回すべての組合せをテストするのでは、ルールの数を減らした意味がありません。重要なのは、上記のことを念頭においたうえで、**リスクとコストのバランスを考慮して、実施するテストケース（条件の組合せ）を検討・調整すること**です。

デシジョンテーブルの活用方法

デシジョンテーブルは、デシジョンテーブルテストだけでなく、「**発見した欠**

表5-26 ● 欠陥の原因分析

条件／アクション ＼ ルール		ルール（Y：Yes/N：No）						
		ルール1	ルール2	ルール3	ルール4	ルール5	ルール6	ルール7
条件	条件1	Y	Y	Y	Y	Y	Y	Y
	条件2	Y	Y	Y	Y	N	N	N
	条件3	Y	Y	N	N	Y	Y	N
	条件4	Y	N	Y	N	Y	N	Y
アクション	アクション1		Y		Y		Y	
	アクション2					Y	Y	
		欠陥発見	**欠陥発見**	欠陥なし	欠陥なし	**欠陥発見**	あやしい	欠陥なし

陥の原因分析」や「**静的テスト**」でも利用できます。

発見した欠陥の原因分析

デシジョンテーブルの活用方法の１つとして、**発見した欠陥の原因分析**が挙げられます。デシジョンテーブルテストで欠陥が見つかった場合は、その欠陥が発生した条件の組合せと部分的に同じルールの条件を一覧表から探し出し、その差異を見比べます。すると、欠陥の原因が潜んでいそうな条件（または条件の組合せ）を特定することができます。

表5-26のデシジョンテーブルを見てください。ルール１から順番にテストを実施している場合に、ルール１とルール２で同じ種類の欠陥が発見されたとします。これら２つのルールの条件に注目すると、条件１、２、３の値がいずれも「Y」「Y」「Y」であることがわかります。

その後、条件１、２がともに「Y」であるルール３とルール４をテストしたところ、これらに欠陥はありませんでした。そして、ルール５をテストしたところ、欠陥が発見されました。すると、条件１、３がともに「Y」になる個所に欠陥の原因が潜んでいる可能性が高いと推測できます。したがって、ルール６は「あやしい」と考えられます（そして、テストしてみたところ、ルール６で再び欠陥が発見されました）。

静的テスト

ソフトウェアを動作させることなく、開発仕様書に誤りや不備がないことを確

	ルール(Y：Yes/N：No)								
	ルール8	ルール9	ルール10	ルール11	ルール12	ルール13	ルール14	ルール15	ルール16
	Y	N	N	N	N	N	N	N	N
	N	Y	Y	Y	Y	N	N	N	N
	N	Y	Y	N	N	Y	Y	N	N
	N	Y	N	Y	N	Y	N	Y	N
	Y								
						Y	Y		
	欠陥なし	欠陥なし	欠陥なし	欠陥なし	欠陥なし	欠陥なし	欠陥なし	欠陥なし	欠陥なし

認する作業を「**静的テスト**」と呼びますが、デシジョンテーブルはこの静的テストでも利用できます。

機能確認テストにデシジョンテーブルを用いるようなソフトウェアの多くは、条件同士が複雑に絡み合っているため、事前にソフトウェア全体を正確に理解することが難しく、そのためにテストを実施する人が誤って操作したり、ソフトウェアの誤動作を見過ごしたりすることがあります。

このような場合、テスト前にデシジョンテーブルを用いて静的テストを行ったり、仕様を整理したりして、テスト対象のソフトウェアの概要や仕様をテスト担当者と共有することが有効です。**各テスト担当者がソフトウェアへの理解を深めることは、テストの実施効率の向上につながりますし、テスト実施段階でのミスの低減も期待できます**。その結果、テストのやり直しが減るなど、テスト実施にかかる工数を削減することが可能となります。

デシジョンテーブルテストのまとめ

デシジョンテーブルは、条件の組合せからアクションの整合性を確認していくうえでとても便利な技法です。また、作成中に仕様の矛盾などを洗い出せることから、テストフェーズだけではなく、上流工程の静的テストでも利用することが可能です。

注意点としては、条件のすべての組合せを洗い出すので、規模が非常に大きくなる場合があります。必要に応じて、分割や簡略化をするなどテスト実施が可能な項目数になるように設計してください。

練習問題 1 解答

解答①

条件とアクション

要素	内容
条件	・映画の日（毎月1日） ・レイトショー（20時以降上映開始） ・高校生以下（子供料金）
アクション	・1000円 ・1200円 ・1500円 ・1800円

※条件欄の記載順序は不問です。

解答②

デシジョンテーブル

条件／アクション	ルール	ルール（Y：Yes/N：No）							
		1	2	3	4	5	6	7	8
条件	映画の日	Y	Y	Y	Y	N	N	N	N
	レイトショー	Y	Y	N	N	Y	Y	N	N
	子供料金	Y	N	Y	N	Y	N	Y	N
アクション	1000円	Y	Y	Y	Y				
	1200円					Y	Y		
	1500円							Y	
	1800円								Y

練習問題 2 解答

解答①

腹囲90cm以上の成人男性の場合のデシジョンテーブルは以下のようになります。なお、ルールの順番は不問です。

成人男性用デシジョンテーブル

条件／アクション ＼ ルール			ルール(Y：Yes/N：No)															
			1	2	3	4	5	6	7	8	9	10	11	12	13	14	15	16
条件	血圧(上)	130mmHg以上	Y	Y	Y	Y	Y	Y	Y	Y	N	N	N	N	N	N	N	N
	血圧(下)	85mmHg以上																
	中性脂肪	150mg/dL以上	Y	Y	Y	Y	N	N	N	N	Y	Y	Y	Y	N	N	N	N
	HDLc	40mg/dL未満	Y	Y	N	N	Y	Y	N	N	Y	Y	N	N	Y	Y	N	N
	血糖	100mg/dL以上	Y	N	Y	N	Y	N	Y	N	Y	N	Y	N	Y	N	Y	N
アクション	メタボリック判定		Y	Y	Y	Y	Y	Y	Y	N	Y	Y	Y	N	Y	N	N	N
	出力されるメッセージID		A	A	A	A	A	A	A	B	A	A	A	B	A	B	B	?

今回の解答例では、血圧は(上)(下)で一行の条件を成すようにデシジョンテーブルを作成しましたが、別個の条件として2行に分けて作成するとさらに細かく条件を確認するテストが行えます。その場合のデシジョンテーブルは32のルールになります。

アクション部、特に「**出力されるメッセージID**」を記入する際は、条件部の升目の「**Y**」の数を数えておくと、効率よく記入できるでしょう。

解答②

すべての条件に該当しないルール16の、メッセージ出力アクションに関する仕様が定義されていません。メッセージBを表示させるのか、別メッセージを表示させるのかについて仕様の確認を行う必要があります。

Chapter 06 状態遷移テスト

本章では、状態遷移図や状態遷移表を使用したテスト技法である「**状態遷移テスト**」について解説します。この技法は主に、結合テストや機能テストの「状態遷移テスト」や、システムテストの「機能確認テスト」で使用できます。

状態遷移テストの概要

状態遷移テストとは、「**状態遷移図を用いたテスト**」や「**状態遷移表を用いたテスト**」の総称です。状態遷移テストでは、ソフトウェアの動作中にさまざまに変化する「**状態**」に着目します。状態とは、以下のいずれかのことです。

- 一定の同じ動作を続けている様子
- 動作後に異なる動作を開始しない様子

また、ある状態が別の状態へ変化することを「**状態遷移**」と呼び、状態遷移のきっかけとなる操作や条件のことを「**イベント**」と呼びます。簡単な機能を持つストップウオッチを例に状態やイベントについて解説します。

時間表示部が「00：00：00」のままでカウントアップしていないとき、そのストップウオッチは**【停止中】**という状態にあります。その状態で**《STARTボタンを押す》**とカウントアップがはじまり**【計測中】**という状態に遷移します。

次に**《STOPボタンを押す》**とカウントアップが停止し、その時点までの時間が表示される**【結果表示中】**という状態になります。ここまでの解説で【　】で括った内容が「状態」、《　》で括った内容が「イベント」です。

状態遷移テストは、デジタルカメラやデジタル複合機といった家電製品に組み込まれているソフトウェアや、ショッピングサイトのように、ユーザーの操作によって複数の画面を遷移しながら一連の処理を進めるようなシステムをテストする際に有効です。

状態遷移図と状態遷移表

状態遷移図・状態遷移表とは、上記のような“状態”や“イベント”を開発仕様書から抽出してまとめたフロー図や一覧表です。開発仕様書によっては、状態が状態として明確に記載されていなかったり、記載されていたとしても文章表現になっていたり、状態とは関連のない情報がちりばめられていたりすることがあります。そのような開発仕様書からソフトウェア全体の状態遷移を把握するのは容易ではありません。このような場合に、状態遷移図・状態遷移表を使用すると、状態遷移の全体像を把握できるようになり、結果として、開発仕様書を眺めているだけでは気づくことのできない、ソフトウェアの動きを網羅的に確認できるようになるのです。

図6-1 • 簡易なストップウオッチの状態遷移図例

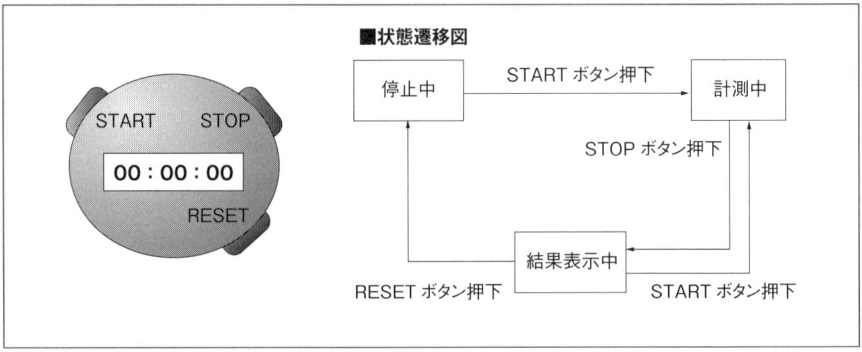

START
STOP
00 : 00 : 00
RESET

■状態遷移図

停止中
START ボタン押下
計測中
STOP ボタン押下
結果表示中
RESET ボタン押下
START ボタン押下

表6-1 • 簡易なストップウオッチの状態遷移表例（図中の—は遷移先がないことを表している）

状態＼イベント	STARTボタン押下	STOPボタン押下	RESETボタン押下
停止中	計測中	—	—
計測中	—	結果表示中	—
結果表示中	計測中	—	停止中

状態とは

「状態」についてもう少し詳しく見ていきます。「状態」を指すものには、一般的に次の3種類があります。

表6-2 ● 状態の種類

項目	内容
部位の状態	ソフトウェアシステムが搭載された機器を構成している各部位の状態。部位とはLEDランプ、スイッチ、外装カバーなど ・LEDランプの状態：点灯／点滅／消灯 ・スイッチの状態：ON ／ OFF ・外装カバーの状態：開／閉
処理の状態	ソフトウェアの処理状態のこと。処理の状態には「計算中」や「データ読み込み中」「データ書き込み中」などがある
モードの状態	ソフトウェアシステムが搭載された機器全体の状態。ストップウオッチの場合は計測中／停止中、音楽プレーヤーの場合は再生中／一時停止中／停止中などがモードの状態にあたる

これらの状態は、以下の順で上位概念に位置づけられます。

1. 部位の状態
2. 処理の状態
3. モードの状態

テストを行う際は目的に合わせて、どの状態に注目するかを考えます。上記の3つの状態を、プリンターに当てはめると以下のようになります。

- プリンターを構成している「部位の状態」
- プリンターで動作しているソフトウェアの「処理の状態」
- プリンター全体での「モードの状態」

また、プリンターの「印刷中」という状態を当てはめると以下のようになります。

印刷中のプリンターにおける「部位の状態」

「ユーザーインタフェース」という部位であれば、プリンターの液晶ディスプレイに“印刷中”と表示されたり、印刷中を示すランプが点滅したりする状態を指します。また「給紙装置」という部位であれば、用紙トレイに置かれた印刷用紙がインク射出部分に向かって順次送り出されている状態を指します。

印刷中のプリンターにおける「処理の状態」

プリンターに搭載されたソフトウェアが、PCから送られてきた印刷データを処理して、給紙装置やインク射出部分に指示を出している状態を指します。

ただし、これらの処理の多くはプリンター内部で行われているため、ユーザーは処理の状態を直接確認することはできません。画面の状態や給紙装置の動きや、インク射出部分の動きを見ることによって間接的に確認します。

ソフトウェアが搭載された機器は、ソフトウェアによって各部位が制御されているので「**部位に動きがある＝処理が行われている**」といえます。そのため、部位の状態を確認することで、ある程度、処理の状態を認識することができます。

印刷中のプリンターにおける「モードの状態」

印刷中のプリンター全体の状態を指します。プリンターにはさまざまな部位があり、各部位の動きはソフトウェアが制御しています。

例えば、給紙装置は、インク射出部分の動きやスピードに合わせて、印刷用紙を送ります。このように、各部位とそれを制御するソフトウェアが適切に処理され、プリンター全体として動作している状態を「**モードの状態**」といいます。

column ｜ 画面遷移と状態遷移

最近はさまざまなソフトウェアが、ＰＣ、スマートフォン問わず、Webブラウザ上で動作するようになっています。こういったソフトウェアは画面ごとに役割を持ち、表示の条件や遷移の条件が定義されています。こうして状態遷移の中から、画面の遷移だけを取り出して、それ以外の状態遷移とは区別することが多くなっています。Webブラウザを使用したシステムであればほぼ確実に、画面遷移図が作成されていることでしょう。

しかし、画面遷移として区別したとしても、**画面（状態）の洗い出し**と、**遷移するためのイベントを定義する**という意味では、状態遷移テストと変わりません。

状態遷移図を作成するメリット

状態遷移図を作成するメリットは、大きく以下の2点です。

状態遷移の流れを容易に把握できる

状態遷移図を作成すると、**状態遷移の流れ**を容易に把握できるようになります。このことは、**テスト担当者が理解した仕様**(状態遷移の流れやイベントに関する仕様など)と、**開発者が思い描く仕様**に相違がないことを確認する際の助けになります。こうした理解の確認は、開発仕様書を見ながら口頭で行うことも可能ですが、状態遷移図を使用したほうが正確かつ迅速に確認作業を進められます。

図示することによって新たな発見がある

図に表された状態遷移を見ることによって、「**どこへも遷移しない状態**」や「**複数の異なる状態に遷移するイベント**」といった、状態遷移に関する仕様の不備に気づくことがあります。開発仕様書を丁寧に読むことでもこれらの不備に気づけるかもしれませんが、状態遷移図を見ると一目瞭然で確認できます。

例えば、コピー機などで、一時停止中からの動作を考えてみましょう。再開して印刷中への遷移の記載はあっても、ジョブをクリアしてスタンバイに戻る遷移が仕様書に記載がない場合があります。こういったときに、状態遷移図を作成すれば、記載がないことに気がつくことができます。

状態遷移表を作成するメリット

状態遷移表を作成するメリットは、大きく以下の2点です。

仕様が曖昧な個所に潜む欠陥を発見できる

状態遷移表を作成すると、**すべての状態とすべてのイベントの組合せを一覧表示できる**ため、仕様が曖昧な個所を特定できます。ソフトウェアの欠陥は仕様が曖昧な個所に作り込まれることが多いため、結果的に、状態遷移表を作成することによって欠陥を発見する可能性を高めることができます。

状態遷移図の不備を見つけることができる

作成した状態遷移図と状態遷移表を突き合わせることで、**状態遷移図の不備**を見つけることができます。状態遷移図はソフトウェアの動作を思い浮かべながら作成することが多いため、作成時に漏れや抜けが生じることがあります。
一方、状態遷移表はすべての状態とイベントを網羅的に組合せて作成するため、漏れや抜けがありません。

上記のように、状態遷移図、状態遷移表にはそれぞれに異なるメリットがあります。また、それぞれが苦手とする部分を相互に補完しあうという特徴もあります。
そのため、実際に状態遷移図や状態遷移表を作成する際は、相互確認を行いながら、それぞれのメリットを活かして正しい状態遷移図、状態遷移表を作成することが必要になります。

状態遷移図の作り方

状態遷移図を作成する場合は、まず開発仕様書を読み、「状態」と「イベント」を抽出します。**ある「状態」で「イベント」が起きると、別の状態へ「遷移」する**という関係です。
状態遷移図は、以下の表記方法にしたがって記述します。

表6-3 ● 状態遷移図の表記方法

名称	内容	表記
開始	状態遷移の開始位置	●
終了	状態遷移の終了位置	◉
状態	一定の同じ動作を続けている／留まっているさま	（状態名）［四角］ または （状態名）［楕円］
イベント	状態を遷移させるきっかけ	イベント→
遷移	ある状態から別の状態への遷移方向	

イベントは人の手による操作だけではありません。コピー機は【コピー中】に《停止ボタンを押す》という操作（イベント）で【停止中】に遷移しますが、それ以外に、《コピーが終わる》際にも自動的に【停止中】に遷移します。これもイベン

トとなります。これを状態遷移図に表すと以下のようになります。

図6-2 ● コピー機の状態遷移図（簡略版）

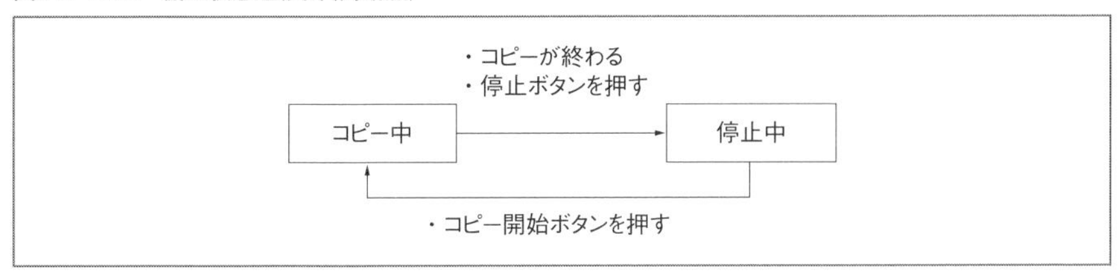

上図はコピー機の一部分の状態を表したものなので、開始や終了の記号は記載されていません。コピー機には他にも「**コピー設定時の状態**」や「**用紙補充時の状態**」「**インク交換時の状態**」「**紙詰まり時の状態**」など多くの状態があります。実際のコピー機の状態遷移図は、さらに多くの状態とイベントが書かれた複雑なものとなります。

状態遷移図を見やすくするコツ

先ほど、状態遷移図を作成するメリットとして「**状態遷移の流れを容易に把握できる**」や「**図示することによって新たな発見がある**」という点を挙げましたが、最近のソフトウェアは複雑な構成のものが多いため、仕様書にしたがって状態遷移図を書き起こすだけでは、状態遷移図が巨大なものになってしまったり、遷移する状態が遠く離れて記載されてしまったりして、あまり見やすいものにはなりません。これではせっかくのメリットを活かせません。状態遷移図が大きくなりすぎてしまった場合は、機能ごとに状態遷移図を分割するとよいでしょう。

携帯電話に搭載されているソフトウェアを例に考えてみましょう。携帯電話の画面を想像してください。メール機能を利用する際には、最初に「メール」画面へ遷移し、その後「新規メール作成」画面に遷移します。さらに「入力画面」「かな漢字変換画面」「送信確認画面」「送信中画面」「送信完了画面」などを経てメール送信の一連の動作が完了します。メールを送信するだけでも多くの画面を遷移していることがわかります。これに、アドレス帳や予定表、カメラ機能、ブラウザ機能といった、携帯電話のすべての画面遷移を1つの図に表すと、状態遷移図が巨大化してしまいます。

そこで、**状態遷移図を機能ごとに分割していきます**。多くの場合、ソフトウェアは機能単位で作成されるため、状態遷移は各機能内に限定されます。携帯電話を例にすると、メール機能の送信確認画面が表示された後に、スケジュール機能のカレンダー表示画面に直接遷移することはありません。

図6-3●状態遷移図の分割例

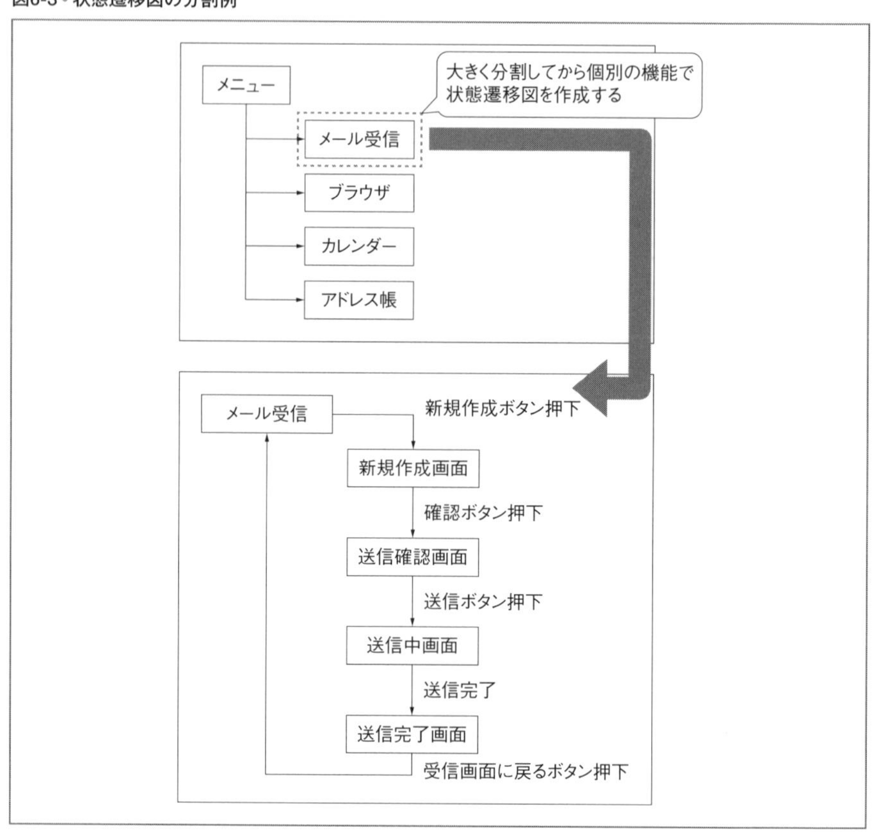

なお、携帯電話の通話ボタンやカメラボタンのように、どの機能からでもすぐに遷移できる機能（ここでは通話機能やカメラ撮影機能）もあります。そういった機能間の遷移は、無理に状態遷移図に盛り込もうとせず、遷移元と遷移先の組合せを一覧表にして確認するとよいでしょう。

状態遷移図を作成する目的は、状態遷移テストを適切に行うためです。状態遷移図を作成すること自体が目的ではありません。無理にすべての仕様を盛り込んだ状態遷移図を作成する必要はないのです。

では、練習問題を使用して仕様の記述から適切な「状態」と「イベント」を抽出する練習をしてみましょう。

練習問題 1

次のコピー機の仕様例を読み、状態とイベントを抽出しなさい。なお、ここでは状態やイベントに相当する語句を「　」で囲っている。

コピー機の仕様例

①「電源を入れる」と「停止中」になり、いつでもコピーできる状態となる
②「停止中」に「設定ボタンを押す」と「設定中」になり、コピー枚数やコピー倍率などを指定できるようになる。設定を終え、「コピーボタンを押す」とコピーがはじまり「コピー中」になる
③毎度設定をしなくても「停止中」に「コピーボタンを押す」と標準設定（コピー枚数：1 枚、コピー倍率：等倍）でのコピーがはじまり「コピー中」となる
④「コピー終了を検知」すると「停止中」になる
⑤「コピー中」に「停止ボタンを押す」とコピーが中断され「停止中」になる。用紙トレイのセンサーが「用紙無しを検知」しても「停止中」になる
⑥「停止中」に「用紙トレイを開ける」と「用紙交換中」になる。「コピー中」や「設定中」に「用紙トレイを開ける」場合も「用紙交換中」になる
⑦用紙補充後、「用紙トレイを閉める」と「停止中」になる

状態とイベント

項目	内容
状態	
イベント	

続いて、下図を用いて「状態」を四角形の中に、「イベント」を丸カッコに記入しなさい。

状態遷移図

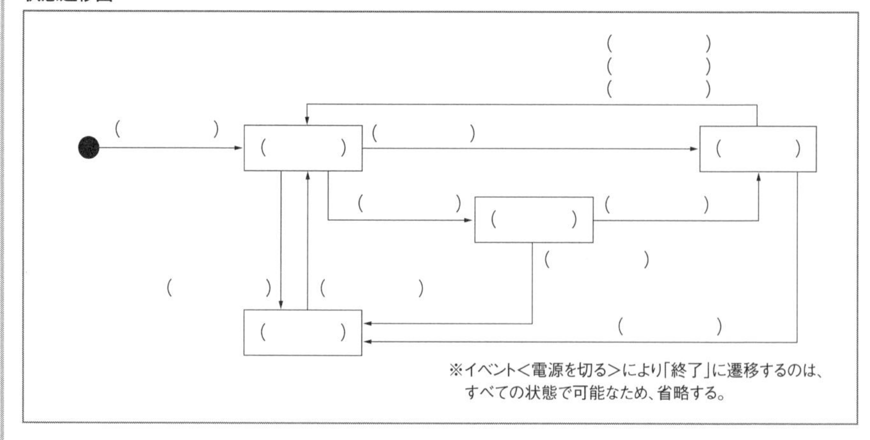

解答 p.147

状態遷移図を用いたテスト

状態遷移図を作成しただけでは、状態遷移テストを行うことはできません。状態遷移図をもとにして「**テストケース**」を作成する必要があります。状態遷移テストでは、作成したテストケースの一つひとつについて実際にソフトウェアを動作させながら適切に遷移するかを確認します。

テストケースの作り方

状態遷移図をもとにしてテストケースを作成する際は、次の3つのポイントに注目します。

- すべての状態を1回は通る
- すべてのイベントを1回は発生させる
- すべての遷移を1回は通る

ここでは、上記の［練習問題1］で使用した「**コピー機の仕様例**」を用いてそれそれのポイントについて解説します。［練習問題1］で洗い出した状態とイベントは以下のとおりです。

表6-4 ● 状態とイベント

項目	内容	
状態	・停止中 ・設定中 ・コピー中 ・用紙交換中	
イベント	・電源を入れる ・設定ボタンを押す ・コピーボタンを押す ・コピー終了を検知	・停止ボタンを押す ・用紙なしを検知 ・用紙トレイを開ける ・用紙トレイを閉める

図6-4 ● 状態遷移図

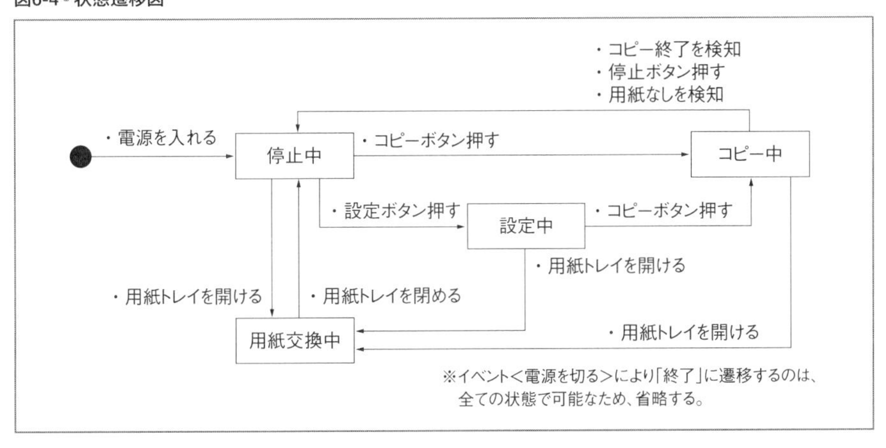

上記の4つの状態を「**期待結果（遷移後の状態）**」に記載することで、**“すべての「状態」を1回は通る”**を満たすことができます。

表6-5 ● テストケース①

No.	遷移前の状態	発生させるイベント	期待結果（遷移後の状態）	判定
1	電源OFF	電源を入れる	**停止中**	
2	停止中	設定ボタンを押す	**設定中**	
3	設定中	コピーボタンを押す	**コピー中**	
4	停止中	用紙トレイを開ける	**用紙交換中**	

また、8つのイベントを「**発生させるイベント**」に記載することで、**“すべてのイベントを1回は発生させる”**を満たすことができます。

表6-6 • テストケース②

No.	遷移前の状態	発生させるイベント	期待結果(遷移後の状態)	判定
1	電源OFF	**電源を入れる**	停止中	
2	停止中	**設定ボタンを押す**	設定中	
3	設定中	**コピーボタンを押す**	コピー中	
4	コピー中	**コピー終了を検知**	停止中	
5	コピー中	**停止ボタンを押す**	停止中	
6	コピー中	**用紙なしを検知**	停止中	
7	停止中	**用紙トレイを開ける**	用紙交換中	
8	用紙交換中	**用紙トレイを閉める**	停止中	

また、上記の状態とイベントを状態遷移図に記入すると前ページの**図6-4**のようになります。図内にある9本の矢印(遷移)をテストケースに含めることで、**“すべての遷移を1回は通る”**を満たすことができます。

表6-7 • テストケース③

No.	遷移前の状態	発生させるイベント	期待結果(遷移後の状態)	判定
1	**電源OFF**	電源を入れる	**停止中**	
2	**停止中**	コピーボタンを押す	**コピー中**	
3	**停止中**	設定ボタンを押す	**設定中**	
4	**停止中**	用紙トレイを開ける	**用紙交換中**	
5	**設定中**	コピーボタンを押す	**コピー中**	
6	**設定中**	用紙トレイを開ける	**用紙交換中**	
7	**コピー中**	停止ボタンを押す	**停止中**	
8	**コピー中**	用紙トレイを開ける	**用紙交換中**	
9	**用紙交換中**	用紙トレイを閉める	**停止中**	

3つのポイントに注目して作成したテストケースを比較すると、**テストケース③**がもっともケース数が多いので、この例が優れているように見えますが、一概にそうとはいえません。

例えば、状態遷移図内にある「**コピー中→停止中**」の遷移を見てください。この遷移には「**コピー終了を検知**」「**停止ボタンを押す**」「**用紙なしを検知**」という3つのイベントが書かれていますが、テストケース③では状態遷移図内の矢印（遷移）に着目したため、テストケースには「**コピー終了を検知**」や「**用紙なしを検知**」のイベントが含まれていません。一方、テストケース②には3つのイベントがすべて含まれています。

このように、それぞれのテストケースでは着目しているポイントが異なるため、単純にケース数が多いものが優れているとはいえません。それぞれの特徴を理解したうえで、段階的にそれぞれのテストケースをテストすることが必要です*1。

例えば、機能単位のソフトウェアが完成したら「**すべての状態を1回は通る**」テストを行います。ここではコピー機能が実現している状態（「コピー中」など）から、他の機能が実現する状態に遷移してもコピー機能に問題が生じないことを確認します。

また同様に、他の機能が実現する状態からコピー機能が実現している状態に遷移してもコピー機能に問題が生じないことも確認します。

次に、機能間でのデータ受け渡しや割り込み処理といった、イベントに関わる機能が完成したら「**すべてのイベントを1回は発生させる**」テストを行います。ここではすべてのイベントが、ソフトウェア上でイベントとして認識され、状態遷移が生じることを確認します。

最後に、ソフトウェアシステム全体が完成したら「**すべての遷移を1回は通る**」テストを行います。ここでは、さまざまな処理を同時に実行して、それぞれの状態が正しく遷移することを確認します。

状態遷移図不要論

ここまで、状態遷移図を用いてテストケースを作成する方法を解説してきましたが、ここまでの解説を読み進めてきた読者のなかには次のような疑問を抱いた人もいるかもしれません。

わざわざ状態遷移図を描かなくても、開発仕様書を見ればこれと同じテストケースを作れるのでは……？

---

*1　すべての状態とすべてのイベントを網羅的に組合せるような、詳細なテストを行いたい場合は、状態遷移図ではなく、後述する状態遷移表を用いてテストケースを作成する方法のほうが適しています。

確かに、状態遷移図を用いずに、開発仕様書からテストケースを作成するエンジニアも多数存在します。しかし、ここで状態遷移図を作成する目的を思い出してください。状態遷移図を作成する目的は「テストケースを効率的に作ること」ではありません。「**ソフトウェアの動きを網羅的に確認すること**」です。状態遷移図を作成することで仕様に対する理解が深まったら、状態遷移図を使用してさらに考えを深めていきましょう。つまり「**この仕様で問題ないか**」「**考慮が不足している仕様はないか**」という具合に問題を探すことが肝要なのです。

実は、先述のコピー機の状態遷移図（p.129）にも「こういう場合はどうなるのだろうか」と疑問に思う部分が残されています。

１つは「**【設定中】から【停止中】に戻る方法はあるのだろうか**」という点です。現在の仕様ではいったん【設定中】になると、コピーボタンを押してコピーをしなければ【停止中】に戻ることができません。これは仕様書に書いてあることをそのまま状態遷移図にするだけでは気づけないことです。

もう１つは「**【設定中】のまま、一定時間放置したらどうなるのだろうか**」という点です。多くのコピー機には、一定時間操作がない状態が続くと自動的に【停止中】に戻る機能が備えられていますが、この例にあるコピー機にはこの部分の仕様が明記されていません。

このように、状態遷移図を作成したり、状態遷移図をもとにテストケースを作成したりする過程のなかで、ユーザーの日常的な使い方を想定し、その使い方が遷移として表されているかを確認することが必要になります。つまり、**状態遷移図は不要ではない**ということです。

ユーザーのシナリオに沿って見直そう

少し話を戻して、３つのポイントに注目して作成したコピー機のテストケースをもう一度見てください（p.130）。**テストケース③**では「**すべての遷移を1回は通る**」という点に注目して９つのテストケースを作成しました。これでテストケースは完成でしょうか。

これで完成とせず、状態遷移図を眺めながら、実際にコピー機を使うユーザーが通るであろうシナリオ*2を辿ってみましょう。つまり、コピー機を利用するユーザーが実際に行うであろう、または遭遇するであろう操作の流れを思い浮かべ、それをテストケースに落とし込むわけです。

例えば、**コピー枚数**や**コピー倍率**を任意に設定してコピーする以下のようなシナリオが考えられます。

- 【停止中】→【設定中】→【コピー中】→【停止中】

他にも、コピー中に**用紙切れ**を起こし、用紙を補充して再度コピーを行う以下のようなシナリオも考えられます。

- 【停止中】→【コピー中】→【停止中】→【用紙交換中】→【停止中】→【コピー中】→【停止中】

図6-5 ◦ コピー機の状態遷移図

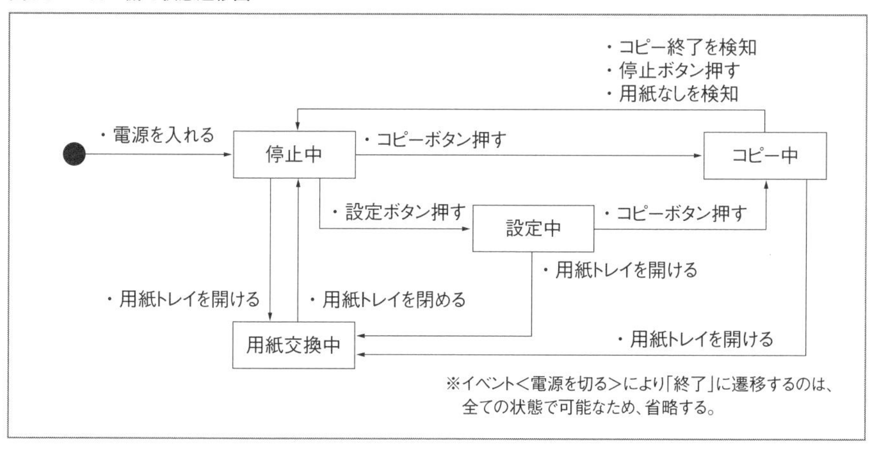

このようにシナリオを考えてみると以下の①〜⑤が例として挙がります。

①【停止中】→【コピー中】→(コピー終了を検知)→【停止中】
②【停止中】→【設定中】→【コピー中】→(停止ボタンを押す)→【停止中】
③【停止中】→【コピー中】→(用紙無しを検知)→【停止中】→【用紙交換中】→【停

＊2　ある状態から次の状態に1回の遷移で辿りつく遷移を「単遷移」または「ショートパス」と呼びます。一方、複数の状態を経由するような遷移を「ロングパス」と呼びます。ロングパスのうち、ユーザーの使用状況を想定した、ストーリーのある遷移経路のことを「シナリオ」と呼びます。

止中】→【コピー中】→【停止中】

④【停止中】→【設定中】→【用紙交換中】→【停止中】→【設定中】→【コピー中】→【停止中】

⑤【停止中】→【コピー中】→【用紙交換中】→【停止中】→【コピー中】→【停止中】

上記のシナリオの例から、以下の５つのテストケースを追加することができます。

表6-8 • コピー機のテストケース

No.	手順	遷移前の状態	発生させるイベント	期待結果(遷移後の状態)	判定
1	1	停止中	コピーボタンを押す	コピー中	
	2	コピー中	コピー終了を検知	停止中	
2	1	停止中	設定ボタンを押す	設定中	
	2	設定中	コピーボタンを押す	コピー中	
	3	コピー中	停止ボタンを押す	停止中	
3	1	停止中	コピーボタンを押す	コピー中	
	2	コピー中	用紙なしを検知	停止中	
	3	停止中	用紙トレイを開ける	用紙交換中	
	4	用紙交換中	(用紙を補充し) 用紙トレイを閉める	停止中	
	5	停止中	コピーボタンを押す	コピー中	
	6	コピー中	コピー終了を検知する	停止中	
4	1	停止中	設定ボタンを押す	設定中	
	2	設定中	用紙トレイを開ける	用紙交換中	
	3	用紙交換中	用紙トレイを閉める	停止中	
	4	停止中	設定ボタンを押す	設定中	
	5	設定中	コピーボタンを押す	コピー中	
	6	コピー中	コピー終了を検知する	停止中	
5	1	停止中	コピーボタンを押す	コピー中	
	2	コピー中	用紙トレイを開ける	用紙交換中	
	3	用紙交換中	用紙トレイを閉める	停止中	
	4	停止中	コピーボタンを押す	コピー中	
	5	コピー中	停止ボタンを押す	停止中	

なお、ユーザーのシナリオは数限りなく考えられるので、これですべてのシナリオを網羅したわけではありません。他にもさまざまなシナリオが考えられます。

繰り返しになりますが、**文字で書かれた仕様を図に描き起こすことが状態遷移図を作成する目的ではありません**。状態遷移図を作成する際や状態遷移図からテストケースを作成する際は、再度、**状態遷移の仕様に漏れや抜けがないかを確認することが大切**です。そして、状態遷移図が完成したら、ユーザーのシナリオに沿って状態遷移図を見直し、すべての遷移が正しく定義されているかを確認してください。シナリオに沿って遷移を辿れなかったり、面倒な遷移をユーザーに強いていたりする場合は、仕様に問題があるのかもしれません。

状態遷移図をもとにテストケースを作成したり、テストを実施したりすることも大切ですが、**状態遷移図を作成する過程で仕様を再確認すること**もまた、状態遷移図の重要な役割なのです。この点を意識して状態遷移図を活用していきましょう。

練習問題 2

以下のミニ電子レンジの仕様を読み、状態遷移図を完成させなさい。

ミニ電子レンジの仕様

- 「待機中」から、「タイマー設定」を行うと、「設定中」になる
- 「設定中」に、「スタートボタンを押す」と、「あたため中」になる
- 「設定中」に「取消ボタンを押す」と、「待機中」に戻る
- 「あたため中」に「タイマー終了」すると、ブザーが鳴って「待機中」に戻る
- 「あたため中」に「ドアを開ける」と、「一時停止中」になる
- 「あたため中」に「取消ボタンを押す」と、「待機中」に戻る
- 「一時停止中」に「ドアを閉める」と、「あたため中」に戻る
- 「一時停止中」に「取消ボタンを押す」と、「待機中」に戻る

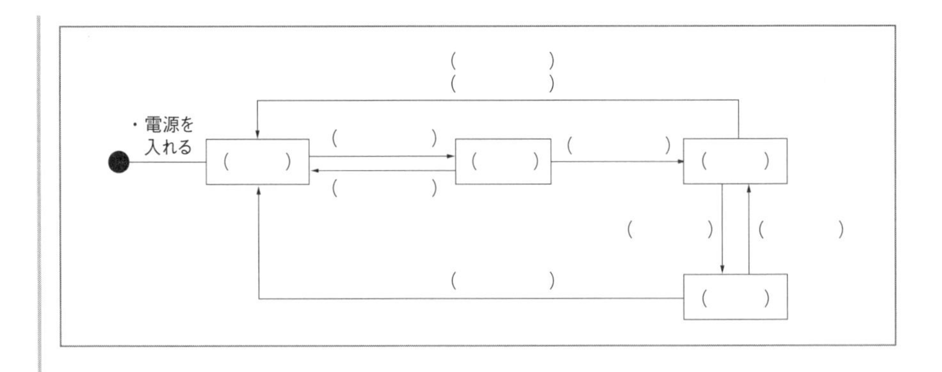

解答 p.148

状態遷移図だけでは不十分

上記のとおり、状態遷移図は「**状態**」「**イベント**」「**遷移**」をフロー図に表したものです。言い換えると、ソフトウェアの「できること」を表す方法であったわけです。しかし、「できること」を確認するだけでは、テストとしては不十分です。**「できないはずのこと」が本当に実行できないことを確認する必要があります**。

例えば、上記の【練習問題２】にあるミニ電子レンジには「スタートボタンを押す」というイベントがあります。仕様として想定しているのは「あたためる時間を設定した後でスタートボタンを押すとあたためが開始される」という使い方です。しかし、スタートボタンは物理的なボタンなので、いつでも押せるはずです。待機中にスタートボタンが押された場合、もしくは一時停止中にスタートボタンが押された場合、このミニ電子レンジは、どのように状態遷移することが正しいのでしょうか。

練習問題の仕様には、そのことは一切書かれていませんでした。仕様に書かれていないので状態遷移図にも書かれていません。状態遷移図が「できること」を表す方法であると述べたのはこのような意味合いからです。

状態遷移表の作り方

「できないはずのこと」を網羅的に書き表すには「**状態遷移表**」を作成する必要があります。状態遷移表とは、状態遷移を網羅的に表す二次元の表です。表の縦軸は「**状態**」、横軸は「**イベント**」を示します。

ここでは以下の仕様をもとにした状態遷移表について解説します。ここで先ほど記載した、コピー機の状態遷移図を再掲します。

仕様サンプル

①停止中にコピー開始ボタンを押下すると、コピー中に遷移する
②コピー中にコピーが終わると、停止中に遷移する
③コピー中に停止ボタンを押下すると、停止中 に遷移する

図6-6 ● 状態遷移図（再掲）

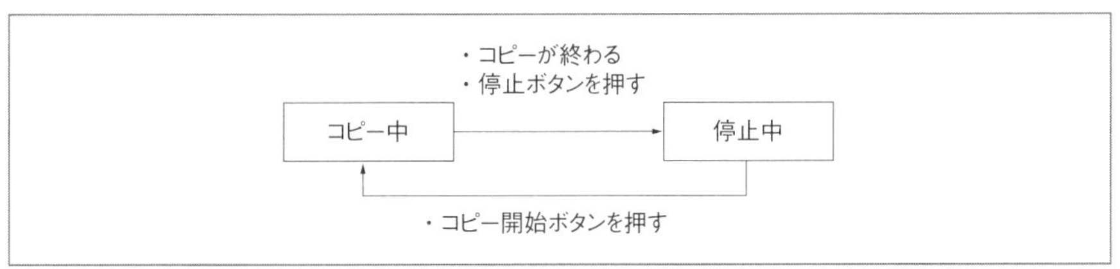

これを状態遷移表に表すと、以下のようになります。

表6-9 ● 「状態×イベント」型

	コピー開始ボタン押下	停止ボタン押下	コピーが終わる
停止中	コピー中	—	—
コピー中	—	停止中	停止中

状態「停止中」の行を左から見てみましょう。「停止中」と「コピー開始ボタン押下」が交差する升目には「コピー中」と書かれています。つまり、「停止中」状態から、ボタン操作によって「コピー中」に状態が遷移したことを表しています。同様に「コピー中」と「停止ボタン押下」「コピーが終わる」が交差する升目には、遷移先である「停止中」が記載されています。このように、状態遷移表の升目の

中には、状態（縦軸）とイベント（横軸）の組合せにおける遷移先の状態を記入します。

また、状態遷移表の「停止中」と「停止ボタン押下」が交差する升目を見ると「―」と書かれています。これは「**そのイベントが発生してもどこにも遷移しない**」という意味になります。この仕様書には「停止中」に「停止ボタン押下する」の場合の記述がないので、仕様書に誤りや漏れがない場合を除き、どこにも遷移しないと判断できます。

なお、本書では先に状態遷移図を解説していますが、状態遷移図をもとにして状態遷移表を作成するわけではありません。状態遷移図と状態遷移表は、相互に確認しながら、同時に作成を進めます。

もう1つの状態遷移表

上記の状態遷移表では縦軸に「状態」、横軸に「イベント」が設定されていますが、状態遷移表には以下のように、**縦軸・横軸の両方に「状態」を設定する方法**もあります。この場合は、升目の中にイベントを記入し、遷移しない場合に「―」を記入します。

表6-10●「状態×状態」型

	停止中	コピー中
停止中	―	コピー開始ボタン押下
コピー中	・コピー終了 ・停止ボタン押下	―

「状態×状態」型の場合、同じ状態の組合せの升目（コピー中とコピー中が交差する升目など）には必ず「―」（遷移しない）が記入されると思うかもしれませんが、そうではありません。場合によっては、何らかのイベントが起きて、遷移以外の動作をした後で同じ状態に戻ってくることもあります。

上記の例では、「停止中×停止中」のマス目が「―」となっています。この状態遷移表を見ると、「遷移しないイベントはないのか」という思考が働くようになります。そうして仕様の確認を行い、未定義のイベントがないかどうか、何もイベントがなければ何も起こらないことを確認します。その結果、「停止中」に「停止ボタン押下」を発生させると、ビープ音が鳴って「停止中」に戻る、ということがわかれば状態遷移表を修正し、テストケースを追加することができます。さらには、元の仕様書にも記載がなければ仕様書の修正も行えます。

「状態×状態」型の欠点

「状態×状態」型の状態遷移表では、**最初に行う状態とイベントの抽出が不十分だと状態遷移に漏れが生じる恐れがある**ので注意が必要です。上の例では、コピー機が「コピー中」から「停止中」に状態遷移するイベントには以下のものを挙げています。

- コピーが終了した場合
- ユーザーが停止ボタンを押して処理を中断した場合

この場合は1つの升目に2つのイベントが列記されることになるのですが、イベントはこれだけで十分でしょうか。これ以外に「コピー中」から「停止中」に遷移するイベントはないのでしょうか。

状態遷移表の作成者は仕様書を見ながら頭の中ですべてのイベントを思い浮かべて検討する必要があるため、漏れや抜けがないか心配です。「**用紙切れになって自動的に停止された場合**」などもあるのではないか、と。イベント一覧を別途用意すればよいのかもしれませんが、イベントが多い場合はこの作業も煩雑になります。

一方、**「状態×イベント」型**の状態遷移表では、状態とイベントの数に比例して表が大きくなってしまうものの、状態とイベントの組合せが1つの升目に相当するため、**状態やイベントを漏れなく、網羅的に確認できます**。仮に状態の抽出が不十分であっても関係するイベントを抽出できていれば、状態の不足に気づくことができます。同様に、イベントの抽出が不十分であっても関係する状態からその不足に気づくことができます。これらの特徴を考慮して、本書では「状態×イベント」型の状態遷移表を使用して解説を進めます。

起こりえないイベントと遷移

ここまで「**どこにも遷移しないイベント**」を示す表記として「—」を使用してきましたが、場合によっては「**N/A**」(Not Applicable)という表記を使用することもあります。

表6-11 ● 状態遷移表の表記法

表記	説明
—	発生しても処理が起きないように実装されたイベント
N/A	発生させることができないイベント。起こり得ないイベント

例えば、CDプレーヤーにおいて「再生中」に「CDを入れる」という操作はできません。EJECTボタンを押して「停止」の状態にし、CDを載せるトレイを出さないと物理的にCDを入れることはできません。そのため、この場合は状態遷移表の状態「再生中」とイベント「CDを入れる」が交差する升目に「N/A」と記載します。

一方、「—」で表される部分には、イベント発生時にそのイベントを無視する

表6-12 ● 携帯電話の状態遷移表の例(p.126の状態遷移図を用いて作成)

画面名		Topに戻るボタン押下	メール受信ボタン押下	新規作成ボタン押下	確認ボタン押下	送信ボタン押下	送信完了	受信画面に戻るボタン押下	カレンダーボタン押下
メニュー	メニュー一覧	N/A	メール受信	N/A	N/A	N/A	N/A	N/A	月単位表示
メール受信	メール受信	メニュー一覧	N/A	メール作成	N/A	N/A	N/A	N/A	N/A
	メール作成	メニュー一覧	N/A	N/A	送信確認	N/A	N/A	メール受信	N/A
	送信確認	メニュー一覧	N/A	N/A	N/A	送信中	N/A	メール受信	N/A
	送信中	N/A	N/A	N/A	N/A	N/A	送信完了	N/A	N/A
	送信完了	メニュー一覧	N/A	N/A	N/A	N/A	N/A	メール受信	N/A
カレンダー	月単位表示	メニュー一覧	N/A	N/A	N/A	N/A	N/A	N/A	N/A
	週単位表示	メニュー一覧	N/A	N/A	N/A	N/A	N/A	N/A	N/A
	日単位表示	メニュー一覧	N/A	N/A	N/A	N/A	N/A	N/A	N/A
	予定登録	メニュー一覧	N/A	N/A	N/A	N/A	N/A	N/A	N/A
	予定確認	メニュー一覧	N/A	N/A	N/A	N/A	N/A	N/A	N/A
アドレス帳	アドレス一覧	メニュー一覧	N/A	N/A	N/A	N/A	N/A	N/A	N/A
	個人詳細	メニュー一覧	N/A	N/A	N/A	N/A	N/A	N/A	N/A
	登録内容編集	メニュー一覧	N/A	N/A	N/A	N/A	N/A	N/A	N/A

(無効にする)処理が実装されているので、テストを行う場合は「N/A」の箇所よりも「—」の箇所を優先的に確認する必要があります。

状態遷移表の大きさに注意しよう

巨大化した状態遷移図を見やすくするコツは「**状態遷移図を機能ごとに分割する**」ことでした(p.125)。このことは状態遷移表にもいえます。テストの目的がある機能の正常動作を確認することであれば、状態遷移表も機能ごとに作成するとよいでしょう。状態遷移図よりも、状態遷移表のほうがより多くの情報を持ちます。したがって、状態遷移図が大きい場合は、状態遷移表はそれ以上に拡大する可能性があります。仕様を理解するためには、人が把握しやすい大きさに保つ工夫も必要です。

月単位表示ボタン押下	週単位表示ボタン押下	日付ボタン押下	予定登録ボタン押下	登録確認ボタン押下	登録ボタン押下	アドレス帳ボタン押下	個人アドレス選択	一覧に戻るボタン押下	編集ボタン押下	登録ボタン押下
N/A	N/A	N/A	N/A	N/A	N/A	アドレス一覧	N/A	N/A	N/A	N/A
N/A	N/A	N/A	N/A	N/A	N/A	N/A	N/A	N/A	N/A	N/A
N/A	N/A	N/A	N/A	N/A	N/A	N/A	N/A	N/A	N/A	N/A
N/A	N/A	N/A	N/A	N/A	N/A	N/A	N/A	N/A	N/A	N/A
N/A	N/A	N/A	N/A	N/A	N/A	N/A	N/A	N/A	N/A	N/A
N/A	N/A	N/A	N/A	N/A	N/A	N/A	N/A	N/A	N/A	N/A
N/A	週単位表示	日単位表示	N/A	N/A	N/A	N/A	N/A	N/A	N/A	N/A
月単位表示	N/A	日単位表示	N/A	N/A	N/A	N/A	N/A	N/A	N/A	N/A
月単位表示	週単位表示	N/A	予定登録	N/A	N/A	N/A	N/A	N/A	N/A	N/A
月単位表示	週単位表示	日単位表示	N/A	予定確認	N/A	N/A	N/A	N/A	N/A	N/A
N/A	N/A	N/A	N/A	N/A	日単位表示	N/A	N/A	N/A	N/A	N/A
N/A	N/A	N/A	N/A	N/A	N/A	N/A	個人詳細/メール作成	N/A	N/A	N/A
N/A	N/A	N/A	N/A	N/A	N/A	N/A	N/A	アドレス一覧	登録内容編集	N/A
N/A	N/A	N/A	N/A	N/A	N/A	N/A	N/A	アドレス一覧	N/A	個人詳細

表6-13 ● 上記の状態遷移表から、メール機能のみを抽出して作成

画面名		Topに戻るボタン押下	新規作成ボタン押下	確認ボタン押下	送信ボタン押下	送信完了	受信画面に戻るボタン押下
メール受信	メール受信	メニュー一覧	メール作成	N/A	N/A	N/A	N/A
	メール作成	メニュー一覧	N/A	送信確認	N/A	N/A	メール受信
	送信確認	メニュー一覧	N/A	N/A	送信中	N/A	メール受信
	送信中	N/A	N/A	N/A	N/A	送信完了	N/A
	送信完了	メニュー一覧	N/A	N/A	N/A	N/A	メール受信

練習問題 3

次のCDプレーヤーの状態遷移図を用いて、状態遷移表を完成させなさい。なお、このCDプレーヤーはスロットローディング式で、状態遷移図に誤りはないものとする。

状態遷移図

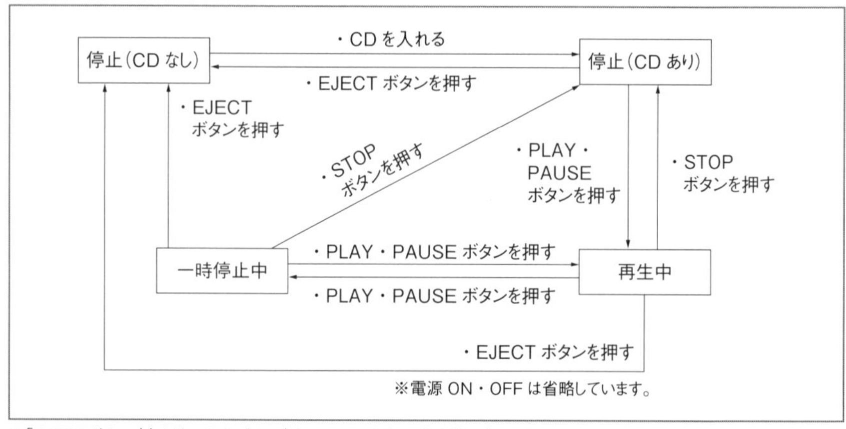

※「EJECTボタン」(イジェクトボタン)とは、CDを取り出す際に押すボタンです。

状態遷移表

	EJECTボタンを押す	CDを入れる	PLAY・PAUSEボタンを押す	STOPボタンを押す
停止(CDなし)				
停止(CDあり)				
再生中				
一時停止中				

解答 p.148

状態遷移表を用いたテスト

状態遷移表を用いたテストでは、1つの升目を1つのテストケースとみなします。以下の状態遷移表をもとにテストケースを作成してみましょう。

表6-14●CDプレーヤーの状態遷移表

	EJECTボタンを押す	CDを入れる	PLAY・PAUSE ボタンを押す	STOPボタンを押す
停止(CDなし)	—	停止(CDあり)	—	—
停止(CDあり)	停止(CDなし)	N/A	再生中	—
再生中	停止(CDなし)	N/A	一時停止中	停止(CDあり)
一時停止中	停止(CDなし)	N/A	再生中	停止(CDあり)

以下のテストケースはCDプレーヤーの状態遷移表をテストケース化したものです。なお、ここでは時間などの制約があるためにすべてのケースをテストできない場合を想定し、前述した優先順位にしたがって以下の順番でテストケースを並べ替えています。

1. 状態遷移が起きるテストケース*3（テストケースNo.1 ～ 9）
2. 「—」のテストケース（テストケースNo.10 ～ 13）
3. 「N/A」のテストケース（テストケースNo.14 ～ 16）

*3 「状態遷移が起きるテストケース」は状態遷移図から作成されたテストケースと同じになるはずです。重複した無駄なテストケースが作成されないよう注意してください。

表6-15 ● 状態遷移表から作成したテストケース

No.	遷移前の状態	発生させるイベント	期待結果(遷移後の状態)	判定
1	停止(CDなし)	CDを入れる	停止(CDあり)	
2	停止(CDあり)	EJECTボタンを押す	停止(CDなし)	
3	停止(CDあり)	PLAY・PAUSEボタンを押す	再生中	
4	再生中	EJECTボタンを押す	停止(CDなし)	
5	再生中	PLAY・PAUSEボタンを押す	一時停止中	
6	再生中	STOPボタンを押す	停止(CDあり)	
7	一時停止中	EJECTボタンを押す	停止(CDなし)	
8	一時停止中	PLAY・PAUSEボタンを押す	再生中	
9	一時停止中	STOPボタンを押す	停止(CDあり)	
10	停止(CDなし)	EJECTボタンを押す	何も起こらない	
11	停止(CDなし)	PLAY・PAUSEボタンを押す	何も起こらない	
12	停止(CDなし)	STOPボタンを押す	何も起こらない	
13	停止(CDあり)	STOPボタンを押す	何も起こらない	
14	停止(CDあり)	CDを入れる	CDを入れることができない	
15	再生中	CDを入れる	CDを入れることができない	
16	一時停止中	CDを入れる	CDを入れることができない	

状態遷移図と状態遷移表の特徴(まとめ)

これで状態遷移図、状態遷移表の作成方法、およびこれらの図表からテストケースを作成する方法を習得できました。最後にそれぞれの特徴をまとめておきます。両方の良さを活用しながら、上手に組合せて使いましょう。

状態遷移図の特徴

状態遷移図は、ソフトウェアの「**できること**」を図に表し確認する方法です。テストの目的が「**開発仕様書どおりにソフトウェアが動作すること**」や「**ユーザーが使うシナリオを確認すること**」である場合は状態遷移図が適しています。

ただし、対象のソフトウェアが大規模であったり、複雑であったりすると、図が巨大化してしまうため、機能ごとに分割したり、簡略化したりする工夫が必要です。

状態遷移表の特徴

状態遷移表は、「できること」に加え、「**できないはずのこと**」も確認する方法です。開発仕様書には定義されていない、つまり使い方として想定されていない状態とイベントの組合せを含む、すべての遷移を網羅的に確認したい場合は状態遷移表が適しています。

練習問題 4

練習問題2で作成した以下の状態遷移図を用いて状態遷移表を完成させなさい。なお、イベント「電源を入れる(切る)」を考慮する必要はない。

ミニ電子レンジの状態遷移図

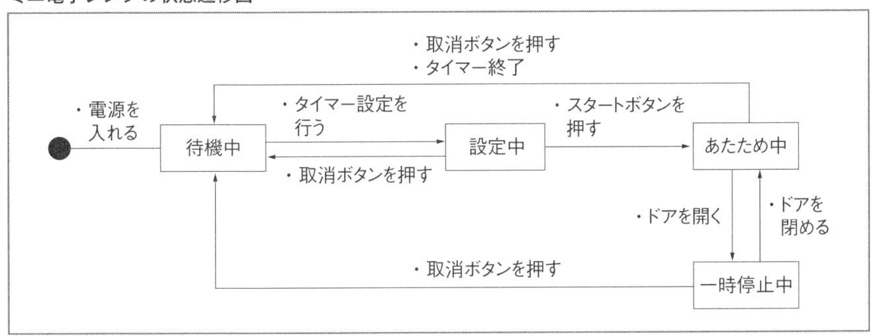

ミニ電子レンジの状態遷移表

	タイマー設定を行う	スタートボタンを押す	タイマー終了	取消ボタンを押す	ドアを開く	ドアを閉める
待機中						
設定中						
あたため中						
一時停止中						

解答 p.148

練習問題 5

便器に近づいた人を感知するセンサー付温水洗浄便座の自動動作仕様と状態遷移図を確認し、状態遷移表を完成させなさい

センサー付温水洗浄便座の仕様

【待機状態（センサーが何も感知していない状態）】
- 動作なし

【準備状態（人が一定距離以内にいる状態）】
- 便座のフタを自動で開く「自動開閉」機能が作動
- 「脱臭」機能をONにする

【至近状態（人が至近距離にいる状態）】
- 動作なし

【着座状態（人が便座に座った状態）】
- 便器を事前に軽く洗浄する「事前洗浄」機能が作動

【終了状態（人が一定距離より遠く離れていった状態）】
- 水を自動で流す「自動洗浄」機能が一定秒数後に作動
- 便座のフタを自動で閉める「自動開閉」機能が作動
- 「脱臭」機能をOFFにする

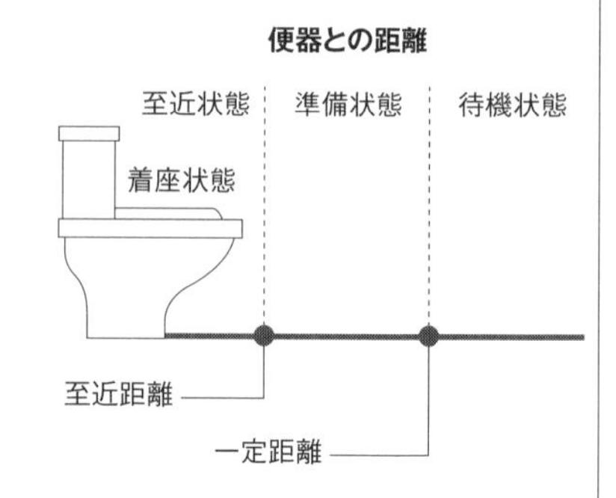

※状態遷移について
- 状態は「待機⇒準備⇒至近⇒着座」の順に遷移するものとする。例えば、「準備状態」から「着座状態」に直接遷移することはない

※センサー付温水洗浄便座の電源投入と電源断について
- 電源投入するとセンサーはすぐに感知を行い、遷移すべき状態を判断する。例えば、人が便座に座って電源を投入した時は、すぐに「着座状態」となる
- 人が便座から離れている「待機状態」、「準備状態」からの電源投入は、日常の操作で起こる可能性は低い。ソフトウェアの仕様としては、電源投入直後にセンサーが「待機状態」、「準備状態」と感知した場合は、当該状態に遷移するものとする
- 電源断時は、電源を切断した時点の状態で行う処理をすべて実施し、「電源OFF状態」へ移行する

状態遷移図

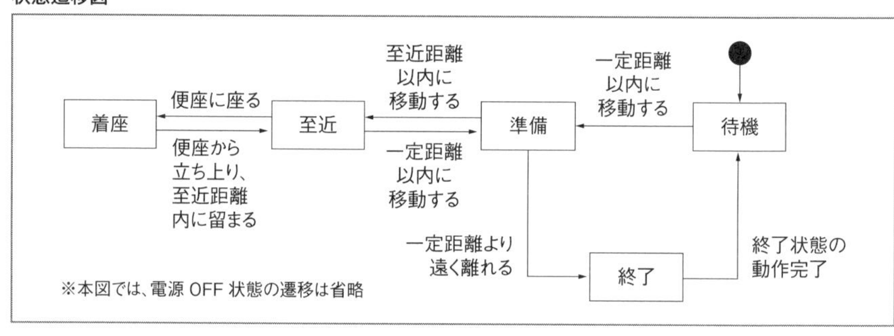

状態遷移表

イベント＼状態	電源投入	一定距離以内に移動する	至近距離以内に移動する	便座に座る	便座から立ち上がる	一定距離より遠く離れる	終了状態の動作完了	電源断
電源OFF	待機状態							N/A
待機状態	待機状態							電源OFF
準備状態	準備状態							電源OFF
至近状態	至近状態							電源OFF
着座状態	着座状態							電源OFF
終了状態	N/A							電源OFF

解答 p.149

練習問題 1 解答

状態とイベント

項目	内容	
状態	・停止中 ・設定中 ・コピー中 ・用紙交換中	
イベント	・電源を入れる ・設定ボタンを押す ・コピーボタンを押す ・コピー終了を検知	・停止ボタンを押す ・用紙無しを検知 ・用紙トレイを開ける ・用紙トレイを閉める

状態遷移図

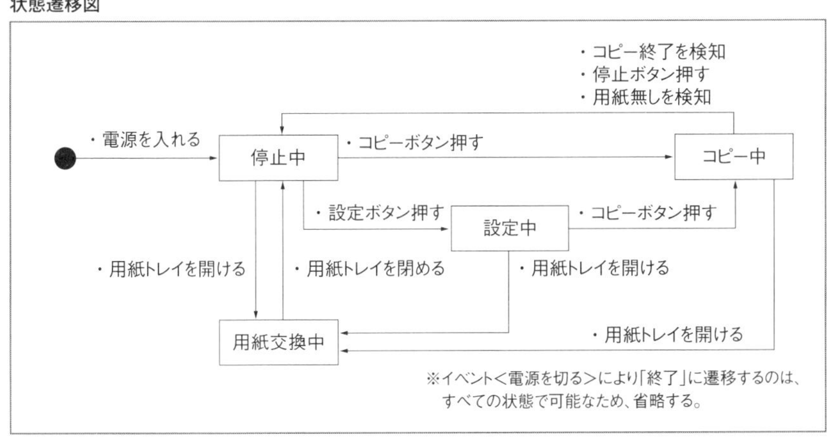

練習問題 2 解答

ミニ電子レンジの状態遷移図

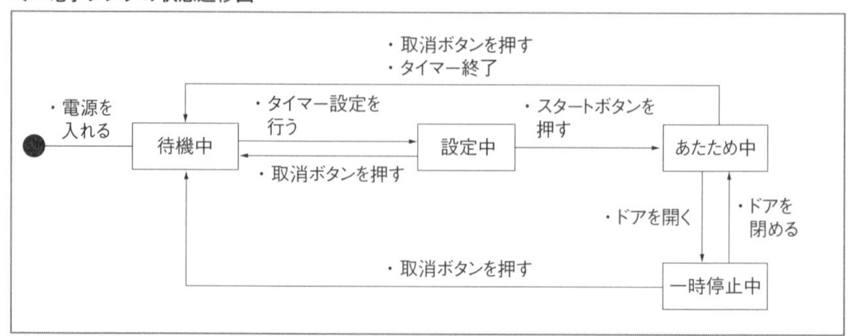

練習問題 3 解答

CDプレーヤーの状態遷移表

	EJECTボタンを押す	CDを入れる	PLAY・PAUSEボタンを押す	STOPボタンを押す
停止(CDなし)	—	停止(CDあり)	—	—
停止(CDあり)	停止(CDなし)	N/A	再生中	—
再生中	停止(CDなし)	N/A	一時停止中	停止(CDあり)
一時停止中	停止(CDなし)	N/A	再生中	停止(CDあり)

N/A：起こりえない　—：遷移しない

練習問題 4 解答

ミニ電子レンジの状態遷移表

	タイマー設定を行う	スタートボタンを押す	タイマー終了	取消ボタンを押す	ドアを開く	ドアを閉める
待機中	設定中	—	N/A	—	—	—
設定中	—	あたため中	N/A	待機中	—	—
あたため中	—	—	待機中	待機中	一時停止中	N/A
一時停止中	—	—	N/A	待機中	N/A	あたため中

N/A：起こりえない　—：遷移しない

練習問題 5 解答

今回は、応用的に状態遷移図には記載されていない電源ON時の状態遷移を仕様から読み取り、1つの状態遷移表にまとめました。このように、さまざまな情報を理解したうえで状態遷移表を作成すると、仕様の全体像を把握しやすくなります。

センサー付温水洗浄便座の状態遷移表

状態＼イベント	電源投入	一定距離以内に移動する	至近距離以内に移動する	便座に座る	便座から立ち上がる	一定距離より遠く離れる	終了状態の動作完了	電源断
電源OFF	待機状態	—	—	—	—	—	N/A	N/A
待機状態	待機状態	準備状態	N/A	N/A	N/A	—	N/A	電源OFF
準備状態	準備状態	—	至近状態	N/A	N/A	終了状態	N/A	電源OFF
至近状態	至近状態	準備状態	—	着座状態	N/A	N/A	N/A	電源OFF
着座状態	着座状態	N/A	至近状態	—	至近状態	N/A	N/A	電源OFF
終了状態	N/A	—	N/A	N/A	N/A	—	待機状態	電源OFF

N/A：起こりえない　—：遷移しない

Chapter 07 組合せテスト技法

本章では効果的なテスト技法の１つである「**組合せテスト技法**」について解説します。この技法は主に、システムテストの「機能確認テスト」や「環境テスト」で使用できます。

組合せテストとは、複数の条件を組合せてソフトウェアの動作を確認するテスト技法です。組合せテストは「**単一の条件だけでは発生しないが、複数の条件が組み合わさった際に発生する欠陥**」を見つけるために行います。

なお、広義には考えられるすべての条件の組合せをテストする方法（全網羅組合せテスト）のことを「組合せテスト」と呼ぶこともありますが、本書では、一定のルールにしたがって「テストする組合せの数」を減らしたうえでテストする方法について解説します。**本書で解説する方法を習得すると、発見できる欠陥数に大きな影響を与えることなく、テストする組合せ数を劇的に減らすことができます。**組合せ数が多い場合や、テストに使える時間が限られている場合に効率よくテストを実施できます。

MEMO

当然のことながら、考えられるすべての組合せをテストしたほうが欠陥を検出できる可能性は高くなります。しかし、実際のソフトウェアシステムでは条件の組合せ数が膨大になるため、そのすべてをテストすることは現実的には不可能に近いといえます。

組合せテストの必要性

テスト対象の組合せ数を減らす方法を解説する前に、そもそもなぜ組合せテストを行う必要があるのかについて解説します。

炊飯器を例に考えてみましょう。最近の炊飯器ではかなり複雑な設定が可能です。例えば、ご飯の硬さには「やわらかめ」「普通」「硬め」などがあり、炊飯時間には「通常」「早炊き」などが用意されています。また、ご飯の種類は「白米」「玄米」「五穀米」「炊込ご飯」から選択することができます。

図7-1 ● 炊飯器の操作パネルイメージ

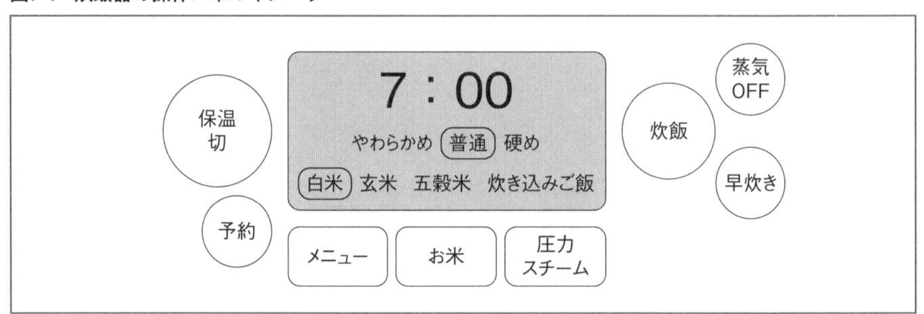

私たちの周りには、このように1つの結果(炊飯器の場合は「ご飯を炊く」という結果)を得るために複数の設定を必要とするソフトウェアが多数あります。エアコンの場合は「運転モード」「温度」「風量」などを設定します。デジタルカメラの場合は「撮影モード」「フラッシュの有無」「露出補正」などを設定できます。

上記のような、複数の設定を必要とするソフトウェアをテストする場合は、一つひとつの機能・設定に対する動作確認はもちろんのこと、**それぞれの設定を組合せた場合の動作確認も必要**です。つまり、炊飯器の場合は以下のA、Bの組合せを別々にテストする必要があるのです。

A：【ご飯の硬さ：やわらかめ】+【炊飯時間：通常】+【ご飯の種類：白米】
B：【ご飯の硬さ：硬め】+【炊飯時間：早炊き】+【ご飯の種類：玄米】

複数の設定の組合せをすべてテストするとなると、組合せの数が膨大になってしまいます。以下の設定ができる炊飯器を例に組合せテストのケース数を見てみましょう。

表7-1 ● 炊飯器の設定項目

ご飯の硬さ	炊飯時間	ご飯の種類	圧力スチーム	蒸気なし
やわらかめ	通常	白米	通常	オン
普通	早炊き	玄米	高温	オフ
硬め	—	五穀米	—	—
—	—	炊込ご飯	—	—

この設定項目のすべての組合せは96通り(3×2×4×2×2)あります。デシジョンテーブルの条件欄のパターンを作成するのと同じ要領です。

表7-2 ● 炊飯器の全設定パターン

No.	ご飯の硬さ	炊飯時間	ご飯の種類	圧力スチーム	蒸気なし
1	硬め	通常	五穀米	高温	オン
2	やわらかめ	通常	白米	高温	オン
3	やわらかめ	通常	炊込ご飯	高温	オフ
4	普通	通常	炊込ご飯	通常	オン
5	普通	通常	白米	高温	オン
6	硬め	通常	五穀米	通常	オフ
7	普通	通常	炊込ご飯	高温	オフ
8	やわらかめ	通常	白米	高温	オフ
9	硬め	早炊き	炊込ご飯	通常	オフ
10	普通	早炊き	玄米	高温	オフ
11	硬め	早炊き	白米	通常	オン
12	普通	通常	玄米	通常	オフ
13	硬め	通常	玄米	通常	オフ
14	やわらかめ	通常	五穀米	高温	オン
15	普通	通常	炊込ご飯	高温	オン
	~		~		~
90	普通	通常	白米	高温	オフ
91	硬め	早炊き	五穀米	高温	オン
92	硬め	通常	玄米	高温	オフ
93	硬め	早炊き	白米	高温	オン
94	やわらかめ	早炊き	白米	通常	オフ
95	やわらかめ	早炊き	玄米	高温	オフ
96	普通	通常	玄米	高温	オフ

96通りと聞くとすべてテストできそうに感じますが、実務で扱うソフトウェアはもっと複雑です。例えば、上記の炊飯器に４段階の設定値を持つ項目が２つ追加されると、その組合せ数は**1,536通り**へと一気に増加します。実際、組合せ数が10万通りを超えるソフトウェアもたくさん存在します。

MEMO

組合せテストを行う場合は、事前に単一条件下でのテストを十分に行っておくことが望ましいです。単一条件でのテストを行わずにいきなり組合せテストを行うと、そこで発見された欠陥が、単一条件下でも生じるものなのか、組合せによって生じるものなのか判断できないため、欠陥の原因を特定するのが難しくなります。

図7-2●項目数とパターン数の関係（各項目が4段階の設定値を持つ場合）

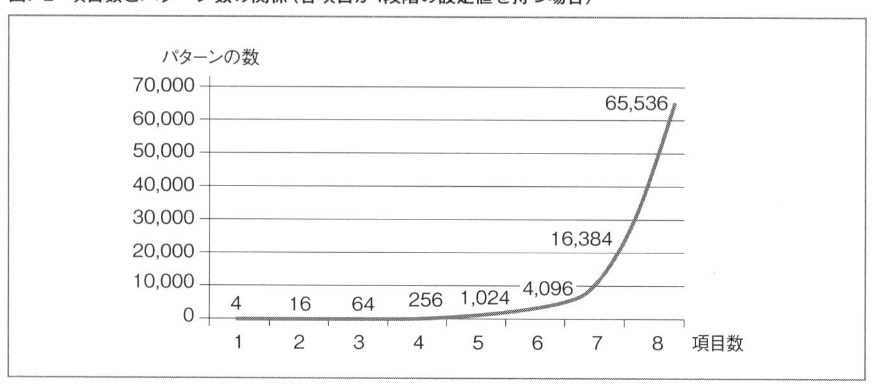

2因子間網羅

組合せテストでは「**2因子間網羅**」という考え方に基づいた配列表を使用して組合せ数を減らします。２因子間網羅を理解するには先に「**因子**」と「**水準**」を理解しておく必要があります。

因子と水準

因子とは「**テスト対象の機能名や設定項目名など**」です。また、水準とは「**因子が持つ選択肢や設定値など**」です。組合せテスト技法を有効に用いるには、因子と水準を的確に抽出する必要があります。前述した炊飯器の設定の場合では「ご飯の硬さ」や「炊飯時間」が因子となり、「ご飯の硬さ」という項目の設定値である「やわらかめ」「普通」「硬め」などが水準となります。

表7-3 ● 炊飯器の設定の因子と水準

ご飯の硬さ	炊飯時間	ご飯の種類	圧力スチーム	蒸気なし
やわらかめ	通常	白米	通常	オン
普通	早炊き	玄米	高温	オフ
硬め		五穀米		
		炊込ご飯		

因子
水準

参考までに、デジタル複合機とPCアプリケーションの因子と水準の例を確認してください。

表7-4 ● デジタル複合機の設定の因子と水準

カラーモード	用紙サイズ	用紙タイプ	コピー面	コピー倍率
カラー	A5	普通紙	片面	等倍
モノクロ	A4	光沢紙	両面	A3→B4、A4→B5
	A3	厚紙		A3→A4、B4→B5
	B5			A4→B4、A5→B5
	B4			A4→A3、B5→B4

表7-5 ● PCアプリケーションの設定の因子と水準

OS	ディスプレイサイズ	ブラウザ
Windows	1024×768	Edge
Mac OS	1280×800	Chrome
Linux	1440×900	Safari
	1920×1080	Firefox
	1920×1200	Opera
	その他	

2因子間網羅という考え方

2因子間網羅とは「**2つの因子間の組合せをすべて網羅する**」という考え方です。2因子間網羅を満たす組合せを作成する手法には「**直交表**」や「**All-Pairs法**(Pairwise法)」などがあります。これらの手法を用いて作成したテストケースでは2因子間網羅率が100%になります。

ここでは先に、All-Pairs法を用いて2因子間網羅とは何かを説明します(それぞれの手法の詳細は後述します)。以下の**表7-6**は、先述した炊飯器設定の2因子間網羅の組合せ表です。All-Pairs法を用いて作成しています。All-Pairs法を用いると96通りあった組合せが13通りになります(作成方法や使用するツールによっては13通り以外になる場合もあります)。

表7-6 ● All-Pairs法による炊飯器設定の2因子間網羅の組合せ表

No.	ご飯の硬さ	炊飯時間	ご飯の種類	圧力スチーム	蒸気なし
1	やわらかめ	通常	白米	通常	オン
2	普通	早炊き	白米	高温	オフ
3	やわらかめ	早炊き	玄米	通常	オフ
4	普通	通常	玄米	高温	オン
5	硬め	通常	五穀米	通常	オフ
6	硬め	早炊き	五穀米	高温	オン
7	やわらかめ	通常	炊込ご飯	高温	オフ
8	普通	早炊き	炊込ご飯	通常	オン
9	硬め	通常	白米	通常	オン
10	硬め	早炊き	玄米	高温	オフ
11	やわらかめ	早炊き	五穀米	高温	オン
12	普通	通常	五穀米	通常	オフ
13	硬め	通常	炊込ご飯	高温	オン

一見ランダムに並んでいるように見える組合せ表ですが、この13通りの組合せで、2因子間の組合せがすべて実現されています。試しに「ご飯の硬さ」と「蒸気なし」で確認してみましょう。

「ご飯の硬さ」と「蒸気なし」のすべての組合せが、上記の組合せ表内にも記載されていれば2因子間網羅が実現されているといえます。

表7-7 ●「ご飯の硬さ」と「蒸気なし」の全網羅表

No.	ご飯の硬さ	蒸気なし	組合せ表に登場するNo.
1	やわらかめ	オン	1、11
2	やわらかめ	オフ	3、7
3	普通	オン	4、8
4	普通	オフ	2、12
5	硬め	オン	6、9、13
6	硬め	オフ	5、10

それぞれの組合せが２回以上登場していることがわかります。「ご飯の硬さ」と「蒸気なし」の組合せに限らず、すべての２因子の組合せが13通りの組合せ表の中に記載されています。いくつかの因子を選んで確かめてみてください。

２因子間網羅で十分なのか

炊飯器の例の場合、５つの因子すべての組合せ（**５因子網羅**）は96通りありますが、２因子網羅に絞ると組合せ数を13通りに減らすことができました。このようにテスト対象の組合せを大きく削減できる点が組合せテストのメリットです。

確かに、５因子間網羅よりも２因子間網羅のほうが組合せ数は少なくなりますが、ここで以下のような疑問が沸き起こります。

- 本当に２因子間網羅のテストだけで十分なのか
- なぜ、２因子間網羅なのか
- ３因子間網羅やそれ以上の組合せ表を用いたテストは不要なのか

ソフトウェアのテストにおいては「**多くの欠陥（バグ）は２因子間までで見つかる**」という定説があります。これを裏付けるデータは非常に限られているのですが、D.Richard Kuhnの研究結果が参考になります。D.Richard Kuhnが**①医療機器に搭載されているソフトウェア、②Webブラウザ、③サーバー用ソフトウェア、④NASAのデータベース**を調査したところ、１因子で生じる欠陥数と２因子間で生じる欠陥数の合計が、それぞれの全欠陥数の**①97%、②76%、③70%、④93%**を占めるという結果になったのです*1。このことから、１因子によるテストと２因子間網羅によるテストを行えば、すべてではないにしても、相当数の欠陥を発見することができるといえます。

図7-3●因子数と欠陥数に占める割合

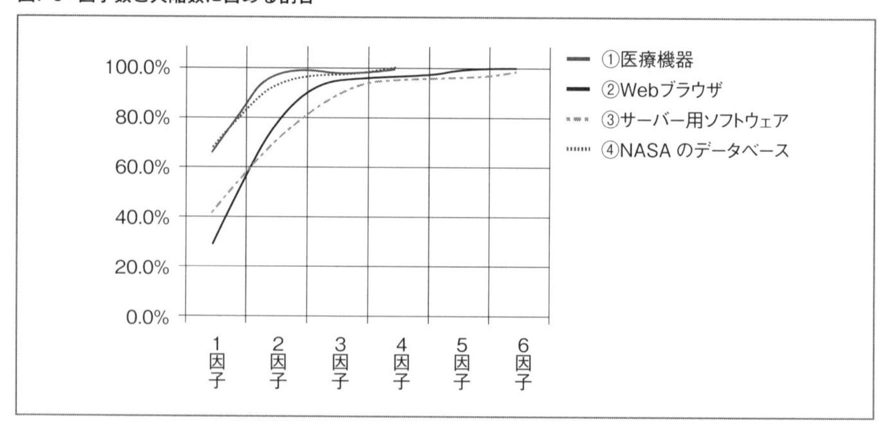

なお、確かに3因子間網羅にすると発見できる欠陥の割合は**①99%**、**②95%**、**③89%**、**④98%**にまで上昇しますが、この場合はテスト対象の組合せ数が増大するため、工数(費用)とその効果を考慮するとあまりメリットがあるとはいえません。これらのことから、工数と効果のバランスが丁度よい2因子間網羅が最低限の目標とされているのです。

組合せテストに限ったことではありませんが、**テスト工数と欠陥を見逃すリスクはトレードオフの関係にある**といえます。そのため、テストを行う際は、

- どの程度のテストで、どれだけの欠陥を見つけることができるのか
- このテストを省略すると、どの程度欠陥を見逃すリスクが上がるのか

といったことを検討しながら、適切なバランスを探すことが必要になります。

上記では2因子間網羅が妥当であると述べましたが、これが常に妥当であるとはいえません。重要度が高い個所では全網羅の組合せテストを行うなど、リスクを下げる工夫も必要となります。例えば、既存製品に新機能を追加した際のテストにおいて、すでに一度テストされている従来機能については2因子間網羅を用いたテストを行い、新機能の部分にはより多くの欠陥が潜んでいる可能性が高いため全網羅テストを行うといった工夫です。

---

*1 D.Richard Kuhn,Dolores R.Wallace,Albert M.Gallo Jr (2004)、『Software Fault Interactions and Implications for Software Testing』、IEEE TRANSACTIONS ON SOFTWARE ENGINEERING, VOL.30, NO.6, JUNE 2004

All-Pairs法を使った組合せ表の作り方

All-Pairs法（Pairwise法）は、基本的に2因子間網羅に特化する形で、因子水準表から組合せ表の作成を行っていきます。そのロジックについての説明は割愛しますが、ツールを使えば比較的容易にテストケースを作成できます。

All-Pairs法で組合せ表を生成するツールはいくつかあります。ここでは各ツールで共通する注意点について説明します。

組合せパターンを生成するにあたって、ほぼどのツールでも、**図7-4**に示すような因子水準表を作成します。因子水準表の形式はツールによって異なりますが、ツールを実行すると以下のような組合せ表が出力されます（**図7-5上**）

図7-4 ● 因子水準表

	A	B	C	D	E	F	G	H	I
1									
2		種別	プレゼント包装	住所	価格（p）帯	お急ぎ配達	値引きコード	キャンペーンコード	
3		会員	利用する	日本国内	0 < p < 10000	利用しない	なし	なし	
4		非会員	利用しない	日本国外	10000 < = p < 50000	利用する	あり	ある	
5					50000 < = p				
6									
7									
8									
9									

図7-5 ● 出力結果のイメージ

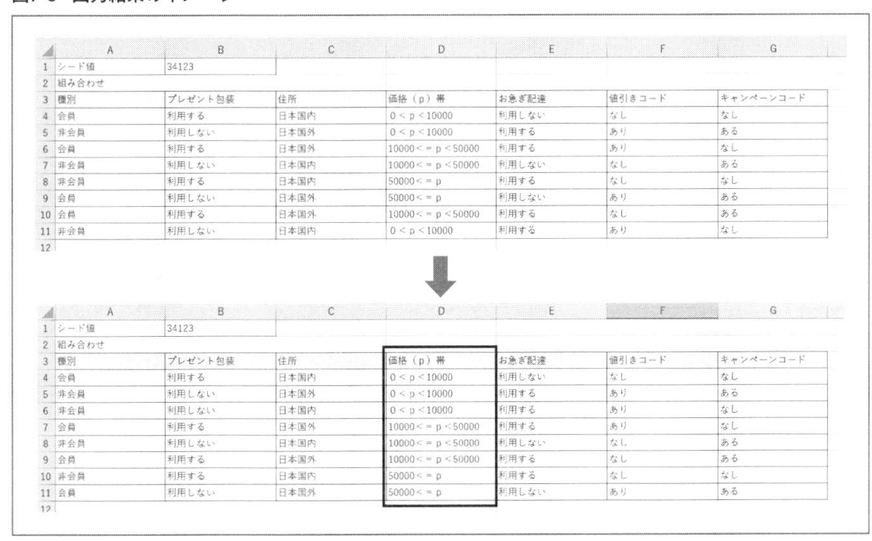

	A	B	C	D	E	F	G
1	シード値	34123					
2	組み合わせ						
3	種別	プレゼント包装	住所	価格（p）帯	お急ぎ配達	値引きコード	キャンペーンコード
4	会員	利用する	日本国内	0 < p < 10000	利用しない	なし	なし
5	非会員	利用しない	日本国外	0 < p < 10000	利用する	あり	ある
6	会員	利用する	日本国外	10000 < = p < 50000	利用する	あり	なし
7	非会員	利用しない	日本国内	10000 < = p < 50000	利用しない	なし	ある
8	非会員	利用する	日本国内	50000 < = p	利用する	なし	なし
9	会員	利用しない	日本国外	50000 < = p	利用しない	あり	ある
10	会員	利用する	日本国外	10000 < = p < 50000	利用する	なし	ある
11	非会員	利用しない	日本国内	0 < p < 10000	利用する	あり	なし
12							

	A	B	C	D	E	F	G
1	シード値	34123					
2	組み合わせ						
3	種別	プレゼント包装	住所	価格（p）帯	お急ぎ配達	値引きコード	キャンペーンコード
4	会員	利用する	日本国内	0 < p < 10000	利用しない	なし	なし
5	非会員	利用しない	日本国外	0 < p < 10000	利用する	あり	ある
6	非会員	利用しない	日本国内	0 < p < 10000	利用する	あり	なし
7	会員	利用する	日本国外	10000 < = p < 50000	利用する	あり	なし
8	非会員	利用しない	日本国内	10000 < = p < 50000	利用しない	なし	ある
9	会員	利用する	日本国外	10000 < = p < 50000	利用する	なし	ある
10	非会員	利用する	日本国内	50000 < = p	利用する	なし	なし
11	会員	利用しない	日本国外	50000 < = p	利用しない	あり	ある
12							

組合せ表がツールから出力された時点では、各因子の水準がバラバラな状態であり、テストが実施しやすい状態ではありません。ツールが出力した組合せ表を用いて組合せテストのテストケースを作成する際には、列単位・行単位で並べ替えを行い、テストを行いやすいように加工しましょう。

ツールが出力した組合せ表を並べ替える際は、以下の点に注意してください。

- 組合せ表の並べ替えは、必ず「列単位」「行単位」で行い、セル単位の入れ替えはしないようにしましょう。組合せ表は表の全体で２因子間網羅となるようにできているので、セル単位で入れ替えすると２因子間網羅が崩れてしまうためです。
- 最も時間がかかりそうな因子を中心に並べ替えを行うと、テスト実施がスムーズになります。上記の例では[価格（p）帯]が時間がかかりそうなので、この列を中心に並べ替えています（図7-5下）。

この後のCOLUMNでは、組合せ表作成ツールの「Qumias Plus」と「PictMaster」について解説しています。どちらも日本語で操作することができるツールです。

column | **Qumias Plus**

Qumias Plus（クミアス プラス）は、本書の執筆陣が所属するバルテス株式会社と、大阪大学・土屋達弘教授が開発する組合せテストケース生成エンジンCIT-BACH（シット・バック）を用いた、高速な組合せテストケース生成ツールです。膨大な因子水準数があってもテストケースを瞬時に生成することができます。またこのツールはWeb上でAll-Pairs法によるテストケースを生成することが可能です。ですから特別なアプリケーションは不要です。

なお、Qumias Plusを利用するには、バルテス株式会社が運営するWebサイト「Qbook」への無料会員登録が必要です。

Qumias Plusは、以下のサイトで利用できます。

Qumias Plus

URL https://www.qbook.jp/login/?return=/qumias/top

Qbook

URL https://www.qbook.jp/

ここでは一番シンプルにテストケースを作成する方法を解説します。

(1) Qumias PlusのWebサイトへアクセスする

Qbookへログインした後、Qumias PlusのWebサイトへアクセスして、**[新規作成] ボタン**をクリックします①。

図7-6 • Qumias Plusでの新規作成

(2) 因子水準表(入力値一覧表)を作成する

「入力値一覧表作成」画面が表示されるので、表中の黄色の部分に因子を入力します②。因子の下に縦方向で水準を並べて記載します③。フォーマットは、本書に掲載している因子水準表と同じです。入力が完了したら、**[次へ] ボタン**をクリックします。

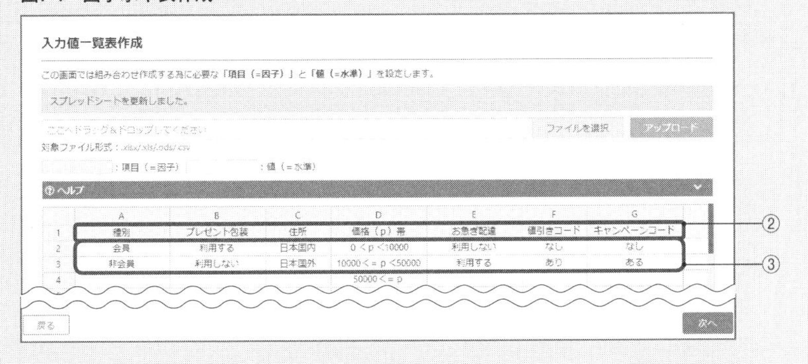

図7-7 • 因子水準表作成

(3) 全体網羅度を設定して、[作成] ボタンをクリックする

「組み合あわせ条件作成」画面で全体の網羅度を設定します。ここでは [2]、つまり2因子間網羅を設定しています④。右下の **[作成] ボタン**をクリックすると⑤、「設定内容一覧」が表示されます⑥。表示される内容に問題がなければそのまま **[OK] ボタン**を押下します。

図7-8 ● Qumias Plusの網羅度設定画面と設定内容一覧ダイアログ

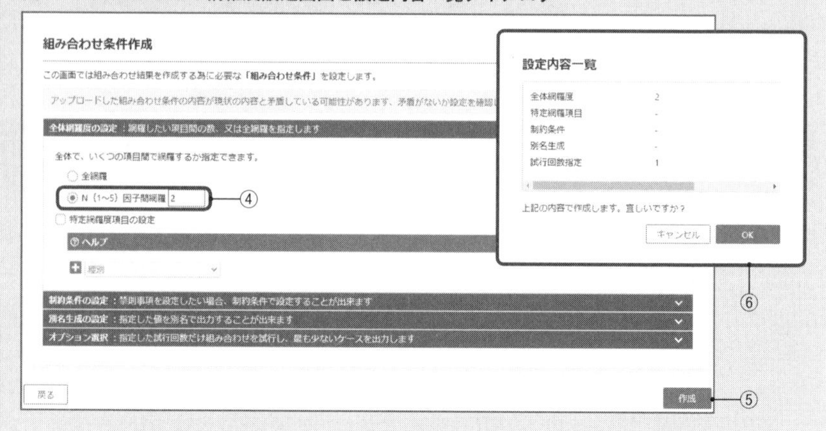

(4) 組合せ結果ファイルの出力

[OK] ボタンをクリックすると、「組み合わせ結果」画面に遷移します(**図7-9**)。そうして表中央の「状態」が「正常終了」になるまで待ちます⑦。必要に応じて何度か画面更新を行ってください。「正常終了」になったら **[ダウンロード] ボタン**をクリックします⑧。テストケースのエクセルファイルとログファイルをまとめたZip形式ファイルが作成されるので、適切なフォルダへ保存してください。

図7-9 ● 組合せ結果画面

組み合わせ結果

この画面では組み合わせ作成した履歴が一覧で表示されます。
又組み合わせ作成依頼の状態確認・キャンセル、組み合わせ結果ファイルのダウンロード・削除が出来ます。

ログファイルのエラーメッセージについて

#	結果ファイル名	ファイル形式	状態		
1	20211112_120040	.xlsx	正常終了	ダウンロード	削除

⑦ ⑧

※組み合わせ作成の依頼は最大10件まで可能です。
※上記一覧が10件の状態で組み合わせ作成する時、表示されている中で1番古い組み合わせ結果ファイルが削除されます。ご注意ください。

column | **PictMaster**

組合せテストのテストケースを作成できるツールには、上記で紹介した「Qumias Plus」の他に、**「PictMaster」**もあります。

PictMasterはMicrosoft社が提供している**「PICT** (Pairwise Independent Combinatorial Testing Tool)」をより使いやすく、より高機能化した、Excelベースのフリーソフトです。以下のサイトからダウンロードできます。

PictMaster

URL http://sourceforge.jp/projects/pictmaster/

PICT

URL https://github.com/microsoft/pict/releases

PictMasterのユーザーズガイドには、このフリーソフトを公開する目的が以下のように記されています。

> PictMaster を公開する目的は PICT という非常に優れた組合せテストケース生成ツールを Excel 上で簡単に使用することができるようにすることによって、完全に無償のツールとして多くの人 に使ってもらいたいからです。直交表をベースにした非常に優れたツールは存在しますが、公開されておらず、自作することはコスト的にも技術的にもかなり困難です。
> このような状況を少しでも改善することを目的として PictMaster を公開するものです。

出所：PictMasterユーザーズガイド 第1.2版 V5.0対応

直交表を使った組合せ表の作り方

直交表の組合せ表は、次の手順で作成します。ここでは先述の炊飯器の例(p.153)を用いて解説します。

(1)因子水準表をもとに適切な直交表を選択する

因子水準表をもとにして**直交表テンプレート**の中から適切な直交表を選択します。直交表テンプレートは、書籍やウェブ上に数多く公開・提供されています。通常は、こういった既存のテンプレートの中から適したサイズのものを選択します(主な直交表テンプレートはp.189に掲載しています)。

炊飯器の例では因子が以下のように5つあります。

表7-8 ● 炊飯器の因子と水準

ご飯の硬さ	炊飯時間	ご飯の種類	圧力スチーム	蒸気なし
やわらかめ	通常	白米	通常	オン
普通	早炊き	玄米	高温	オフ
硬め		五穀米		
		炊込ご飯		

それぞれの因子の水準数をみると、

- 4水準を持つ因子が1つ
- 3水準を持つ因子が1つ
- 2水準を持つ因子が3つ

であることがわかります。この水準数を満たす、最適な直交表テンプレートをp.189に掲載しているテンプレートの中から選んでみましょう。上記の場合は、4水準の因子を2つ割り当てることができ、2水準の因子を9つまで割り当てることができる「**L16直交表**」(4水準×2因子、2水準×9因子)のテンプレートが適していることがわかります。

表7-9 ● L16直交表(4水準×2因子、2水準×9因子)

L16		因子										
		A	B	C	D	E	F	G	H	I	J	K
水準	1	1	1	0	0	0	0	0	0	0	0	0
	2	1	2	0	0	0	1	1	1	1	1	1
	3	1	3	1	1	1	0	0	0	1	1	1
	4	1	4	1	1	1	1	1	1	0	0	0
	5	2	1	0	1	1	0	1	1	0	1	1
	6	2	2	0	1	1	1	0	0	1	0	0
	7	2	3	1	0	0	0	1	1	1	0	0
	8	2	4	1	0	0	1	0	0	0	1	1
	9	3	1	1	0	1	1	0	1	1	0	1
	10	3	2	1	0	1	0	1	0	0	1	0
	11	3	3	0	1	0	1	0	1	0	1	0
	12	3	4	0	1	0	0	1	0	1	0	1
	13	4	1	1	1	0	1	1	0	1	1	0
	14	4	2	1	1	0	0	0	1	0	0	1
	15	4	3	0	0	1	1	1	0	0	0	1
	16	4	4	0	0	1	0	0	1	1	1	0

「３水準の因子が１つあるから、４水準では水準が１つ余るのではないか」と感じるかもしれませんが、テンプレートは衣料品でいえば既製服のようなもので、**「できるだけ近いサイズを選び、ちょうど良いサイズがない場合は少し大きいもの」**を選びます。小さいサイズのテンプレートを選ぶと２因子間網羅を満たすことができないので注意してください。

column｜多水準化

L16直交表に限らず、直交表テンプレートの原型はすべて２水準の因子で構成されていますが、ソフトウェアテストで実際に組合せる因子は２水準以上のものが多いため、実際に使用する際は２水準の因子を複数合成して「多水準化」したうえで、２水準以外の因子を含めた直交表テンプレートを用意する必要があります。

例えば、L16直交表のバリエーションには以下のものがあります。

- ２水準×15因子
- ４水準×１因子、２水準×12因子
- ４水準×２因子、２水準×９因子
- ４水準×３因子、２水準×６因子
- ４水準×４因子、２水準×３因子
- ４水準×５因子

ただし、書籍やWeb上を探せば多水準化処理済みの直交表を入手することができます。実際にみなさんが自身の手で直交表テンプレートの多水準化を行うことはほとんどないので、本書では多水準化の方法は割愛します。

(2)選んだ直交表テンプレートに、因子と水準を割り付ける

直交表テンプレートには記号と数字しか記されていないため、各数字に因子水準表の中から適切な水準を割り付けます。

左端のA列とB列には１～４の数字が使われているので、この２列には４水準の因子（ご飯の種類）と３水準の因子（ご飯の硬さ）を割り付けます。「ご飯の種

類」の場合、テンプレートの１に「白米」、２に「玄米」、３に「五穀米」、４に「炊込ご飯」という具合に割り付けていきます。**３水準の因子をテンプレートの４水準の因子に割り付ける場合は、残った水準にもっともよく使用するであろう水準を再度割り付けます**。ここでは余った水準に「普通」をもう一度割り付けます（重複した水準であることを明示するために**表7-10**は「**普通***」としています）。

同様の手順でE列までにそれぞれの水準を割り付けます。今回の例では、F列以降は使用しません。最終的に、直交表は下表のようになります。この表にしたがって合計16回のテストを行えばよいということになります。

表7-10●直交表による炊飯器設定の2因子間網羅の組合せ表

L16		因子										
		ご飯の種類	ご飯の硬さ	炊飯時間	圧力スチーム	蒸気なし	F	G	H	I	J	K
水準	1	白米	柔らかめ	通常	通常	オン	0	0	0	0	0	0
	2	白米	普通	通常	通常	オン	1	1	1	1	1	1
	3	白米	硬め	早炊き	高温	オフ	0	0	0	1	1	1
	4	白米	普通*	早炊き	高温	オフ	1	1	1	0	0	0
	5	玄米	柔らかめ	通常	高温	オフ	0	1	1	0	1	1
	6	玄米	普通	通常	高温	オフ	1	0	0	1	0	0
	7	玄米	硬め	早炊き	通常	オン	0	1	1	1	0	0
	8	玄米	普通*	早炊き	通常	オン	1	0	0	0	1	1
	9	五穀米	柔らかめ	早炊き	通常	オフ	1	0	1	1	0	1
	10	五穀米	普通	早炊き	通常	オフ	0	1	0	0	1	0
	11	五穀米	硬め	通常	高温	オン	1	0	1	0	1	0
	12	五穀米	普通*	通常	高温	オン	0	1	0	1	0	1
	13	炊込ご飯	柔らかめ	早炊き	高温	オン	1	1	0	1	1	0
	14	炊込ご飯	普通	早炊き	高温	オン	0	0	1	0	0	1
	15	炊込ご飯	硬め	通常	通常	オフ	1	1	0	0	0	1
	16	炊込ご飯	普通*	通常	通常	オフ	0	0	1	1	1	0

All-Pairs法と直交表の違い

All-Pairs法と直交表は「**２因子間網羅を満たす組合せを作成する手法**」という意

味では同じですが、それぞれに異なる特徴を持っています。そこで、ここからはAll-Pairs法と直交表の違いについて少し説明します。ただし、これらの違いを原理にまで踏み込んで説明すると、かなり深い数学的な説明になるので、ここではその特徴と違いを述べるに止めます。

2因子間網羅における相違点

2因子間網羅を満たすことだけを考えた場合、一般的に直交表よりもAll-Pairs法のほうが組合せ数は少なくなります。先述の炊飯器の例で作成した「**All-Pairs法による炊飯器設定の2因子間網羅の組合せ表**」(p.156)と「**直交表による炊飯器設定の2因子間網羅の組合せ表**」(p.166)を見比べても、All-Pairs法では13通り、直交表では16通りの組合せ表になっています。

このように、組合せ数に違いが生じるのは、直交表の作成に標準的に使われているテンプレートサイズが2の累乗の大きさに定型化されていることや、All-Pairs法では2因子間網羅を満たす組合せ以上の組合せが追加されないことなどが関係しています。つまり、**直交表には余分な組合せが含まれている**ともいえます。

しかし、だからといってAll-Pairs法のほうが優れているというわけではありません。直交表を使用すれば、2因子間網羅100%を確保できるだけでなく、多因子間の網羅率をAll-Pairs法よりも高く確保できます。例えば、直交表の3因子間網羅を確認してみると、水準がすべて2値の場合、以下の3因子間網羅率を確保できます。

- L8(8行×7列)直交表では、90.0%(**図7-11**)
- L16(16行×15列)直交表では、96.2%
- L32(32行×31列)直交表では、98.3%

また、**直交表では、因子の組合せパターンが同じ回数だけ現れます**。例えば、L8(8行×7列)直交表では、3因子間の組合せパターンがほぼ1回ずつ現れます。同様に、L16(16行×15列)直交表では、3因子間の組合せパターンはほぼ2回ずつ、4因子間の組合せパターンはほぼ1回ずつ現れます。

表7-11 ● All-Pairs法と直交表の比較

	All-Pairs法	直交表
2因子間網羅率	100%	100%
3因子間以上の網羅率*3	直交表よりも低い	高い(100%ではない)
組合せ数*4	少ない	多い
組合せ表の作成法	ツールで作成できる	直交表テンプレートを使用して手動で作成する
禁則回避	手動またはツールで回避する	手動で回避する
学習時間	ツールの使い方を学習する時間がかかる	直交表テンプレートの使い方を学習する時間がかかる

図7-10 ● All-Pairs法と直交表の因子間網羅のイメージ図

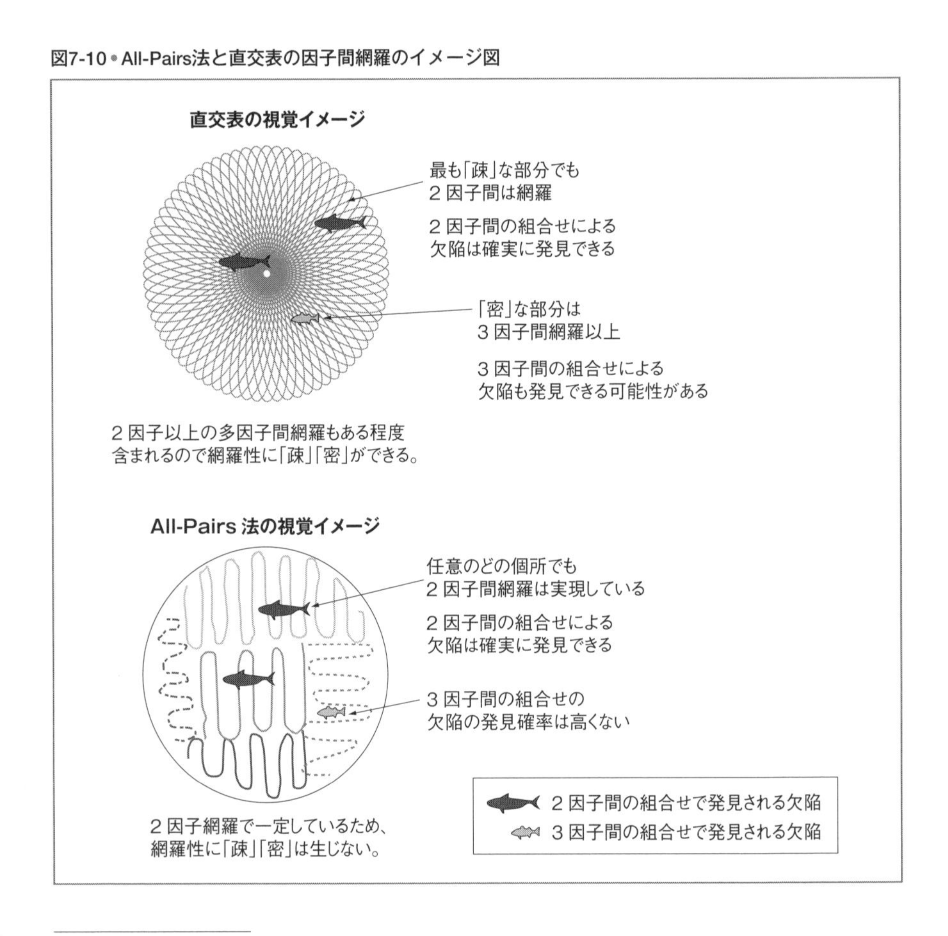

*3　2因子間網羅を満たす組合せ表に対する3因子間以上の網羅率です。これらの手法を使って、3因子間以上の網羅を満たす組合せ表を作成することもできます。

*4　All-Pairs法と直交表の比較です。ただし、直交表の組合せ数のほうが少なくなる場合もあります(直交表テンプレートと完全に一致する因子・水準を割り付けた場合など)。

図7-11 ● L8直交表の3因子間網羅率の確認

L8直交表

列→ 行↓	1	2	3	4	5	6	7
1	0	0	0	0	0	0	0
2	0	0	0	1	1	1	1
3	0	1	1	0	0	1	1
4	0	1	1	1	1	0	0
5	1	0	1	0	1	0	1
6	1	0	1	1	0	1	0
7	1	1	0	0	1	1	0
8	1	1	0	1	0	0	1

3因子パターンの出現回数表

3因子パターン→ 直交表の列↓			000	001	010	011	100	101	110	111
1	2	3	2	0	0	2	0	2	2	0
1	2	4	1	1	1	1	1	1	1	1
1	2	5	1	1	1	1	1	1	1	1
1	2	6	1	1	1	1	1	1	1	1
1	2	7	1	1	1	1	1	1	1	1
1	3	4	1	1	1	1	1	1	1	1
1	3	5	1	1	1	1	1	1	1	1
1	3	6	1	1	1	1	1	1	1	1
1	3	7	1	1	1	1	1	1	1	1
1	4	5	2	0	0	2	0	2	2	0
1	4	6	1	1	1	1	1	1	1	1
1	4	7	1	1	1	1	1	1	1	1
1	5	6	1	1	1	1	1	1	1	1
1	5	7	1	1	1	1	1	1	1	1
1	6	7	2	0	0	2	0	2	2	0
2	3	4	1	1	1	1	1	1	1	1
2	3	5	1	1	1	1	1	1	1	1
2	3	6	1	1	1	1	1	1	1	1
2	3	7	1	1	1	1	1	1	1	1
2	4	5	1	1	1	1	1	1	1	1
2	4	6	2	0	0	2	0	2	2	0
2	4	7	1	1	1	1	1	1	1	1
2	5	6	1	1	1	1	1	1	1	1
2	5	7	2	0	0	2	0	2	2	0
2	6	7	1	1	1	1	1	1	1	1
3	4	5	1	1	1	1	1	1	1	1
3	4	6	1	1	1	1	1	1	1	1
3	4	7	2	0	0	2	0	2	2	0
3	5	6	2	0	0	2	0	2	2	0
3	5	7	1	1	1	1	1	1	1	1
3	6	7	1	1	1	1	1	1	1	1
4	5	6	1	1	1	1	1	1	1	1
4	5	7	1	1	1	1	1	1	1	1
4	6	7	1	1	1	1	1	1	1	1
5	6	7	1	1	1	1	1	1	1	1
1回以上出現するパターンの数			35	28	28	35	28	35	35	28
	合計		252							

直交表の1、2、3列目に1、1、1が出現する回数が0回

直交表の1、3、4列目に1、1、1が出現する回数が1回

3因子パターン網羅数	252
全セル数	280
3因子間網羅率	90.0%

以上、All-Pairs法と直交表の２因子間網羅における違いを見てきました。次にこれらの違いを、実際に欠陥を探し当てる作業を行いながら確認してみましょう。

2つの技法による欠陥探し

ここからは、あるインターネットショッピングサイトの価格計算ソフトウェアを例に、２つの技法を使用して欠陥を検出する手順を紹介します。それぞれの技法でどの程度の欠陥が検出されるか確認していきましょう。

手順①

以下の「欠陥組合せ表」の中に、２～４個の因子・水準の組合せによって見つかる欠陥を自由に追加してください。記入方法は記入済の欠陥１～３を参考にしてください。例えば、欠陥１は「**種別**：会員」かつ「**プレゼント包装**：利用する」を選択した際に見つかる欠陥です。

表7-12 ● 因子水準表と欠陥組合せ表

因子水準表

種別	プレゼント包装	住所	価格(p)帯	お急ぎ配達	配送日指定	値引コード	キャンペーンコード
会員	利用する	日本国内	0 < p < 10000	利用する	指定する	あり	あり
非会員	利用しない	日本国外	10000 ≦ p < 50000	利用しない	指定しない	なし	なし
			50000 ≦ p				

欠陥組合せ表

	種別	プレゼント包装	住所	価格(p)帯	お急ぎ配達	配送日指定	値引コード	キャンペーンコード	欠陥検出	
									直交表	All-Pairs
欠陥1	会員	利用する							○	○
欠陥2			日本国内		指定する			あり	○	○
欠陥3		利用する		0 < p < 10000		指定しない			○	×

手順②

手順①で記入した欠陥と同じ因子・水準の組み合わせが、All-Pairs法と直交表の組合せ表に存在するかどうかを確認します。存在している場合は各手法の「欠陥検出欄」に○印を記入します。例えば、欠陥１の組合せは両方の組合せ表に存在していますが、欠陥３は直交表の組合せ表にのみ存在しています。

表7-13 ● 直交表による組合せ表（L16直交表）

NO	種別	プレゼント包装	住所	価格(p)帯	お急ぎ配達	配送日指定	値引コード	キャンペーンコード
1	非会員	利用しない	日本国外	0 < p < 10000	利用しない	指定しない	なし	なし
2	非会員	利用しない	日本国外	0 < p < 10000	利用しない	指定する	あり	あり
3	会員	利用する	日本国内	0 < p < 10000	利用する	指定しない	なし	なし
4	会員	利用する	日本国内	0 < p < 10000	利用する	指定する	あり	あり
5	非会員	利用しない	日本国内	10000 ≦ p < 50000	利用する	指定しない	なし	あり
6	非会員	利用しない	日本国内	10000 ≦ p < 50000	利用する	指定する	あり	なし
7	会員	利用する	日本国外	10000 ≦ p < 50000	利用しない	指定しない	なし	あり
8	会員	利用する	日本国外	10000 ≦ p < 50000	利用しない	指定する	あり	なし
9	非会員	利用する	日本国外	50000 ≦ p	利用する	指定しない	あり	あり
10	非会員	利用する	日本国外	50000 ≦ p	利用する	指定する	なし	なし
11	会員	利用しない	日本国内	50000 ≦ p	利用しない	指定しない	あり	あり
12	会員	利用しない	日本国内	50000 ≦ p	利用しない	指定する	なし	なし
13	非会員	利用する	日本国内	0 < p < 10000	利用しない	指定しない	あり	なし
14	非会員	利用する	日本国内	0 < p < 10000	利用しない	指定する	なし	あり
15	会員	利用しない	日本国外	0 < p < 10000	利用する	指定しない	あり	なし
16	会員	利用しない	日本国外	0 < p < 10000	利用する	指定する	なし	あり

表7-14 ● All-Pairs法による組合せ表

NO	種別	プレゼント包装	住所	価格(p)帯	お急ぎ配達	配送日指定	値引コード	キャンペーンコード
1	会員	利用する	日本国外	10000 ≦ p < 50000	利用しない	指定する	なし	なし
2	非会員	利用しない	日本国内	10000 ≦ p < 50000	利用する	指定しない	あり	あり
3	会員	利用する	日本国内	0 < p < 10000	利用する	指定する	なし	あり
4	非会員	利用しない	日本国外	0 < p < 10000	利用しない	指定しない	あり	なし
5	非会員	利用する	日本国外	50000 ≦ p	利用する	指定しない	なし	なし
6	会員	利用しない	日本国内	50000 ≦ p	利用しない	指定する	なし	あり
7	会員	利用する	日本国内	50000 ≦ p	利用しない	指定する	あり	なし
8	非会員	利用する	日本国外	50000 ≦ p	利用する	指定する	あり	あり
9	会員	利用する	日本国外	10000 ≦ p < 50000	利用しない	指定しない	あり	あり

結果はどうでしたか。2因子が条件になっている欠陥はどちらの組合せ表からも見つけられたはずです。しかし、**3因子以上が条件になっている欠陥はAll-Pairs法では発見できないものがあった**と思います。

以上でAll-Pairs法と直交表の違いを理解できたでしょうか。この2つの手法は、テスト現場において頻繁に使われています。それぞれの特徴を理解したうえで、目的に応じて使い分けることが重要です。

組合せテストを実施するまでの流れ

これまでの説明にあったとおり、組合せテストを実施すると、一定程度の欠陥を発見しながらテスト工数を劇的に削減できます。しかし、組合せテストは単純にテスト工数を削減することができる魔法のツールではありません。**テストをしていない組合せには欠陥が潜んでいる可能性がある**ということを忘れないでください。実際に組合せテストを実施する際は、こういったリスクがあることを踏まえたうえで、関係者とともに以下の流れに沿って実施の有無や実施方法を検討し、少しでもリスクを軽減するよう努めましょう。

(1)各担当者間でテスト対象とテストの目的に関する認識を合わせる

最初に、テスト担当者や開発担当者間でテスト方針に関する認識を合わせます。特に**テストの目的**は大切です。「テストで何を確認したいのか」によって、選択する因子や水準が変わるからです。

例えば、Webシステムの利用環境の違いをテストする場合はクライアントPCのOSやブラウザの種類、ディスプレイの解像度などが因子になるでしょう。

(2)テスト対象の因子とおおよその水準を洗い出す

テスト対象やテストの目的に関する認識を合わせたら、その目的に関係する因子とおおよその水準を洗い出します。詳細な水準の洗い出しは、組合せテストを実施することが決定してから行うので、この時点ではおおよそで問題ありません。

(3)組合せ数を削減するかを検討する

手順2で洗い出した因子とおおよその水準を用いて、組合せテストにかけられるテスト工数を検討します。理想はすべての組合せをテストすることです(**全網羅組合せテスト**)。また、すべてテスト項目を実行できない場合は、組合せ数を削減しても問題がないかを検討します。検討の結果、削減しても問題ないと判断された場合は積極的に削減してみてください。

(4)組合せる因子・水準を選ぶ

テスト対象の組合せ数を削減する場合は、**使用する因子**と**詳細な水準**を決定します。このとき、仕様書に書いてあるすべての水準を組合せ対象にするのではなく、テストの目的にあった水準だけを組合せ対象にするように心がけてください。せっかく組合せ数を削減しようとしているのに、不要な水準を選択してしまうと無駄な組合せが増えてしまいます。

(5)使用する手法を決定する

テストの目的が定まり、組合せる因子や水準が決まったら、**どの手法で組合せ表を作成するか**を検討します。本書ではAll-Pairs法と直交表を紹介しました。

組合せテストを実施する際は、上記の(1)～(5)の流れに沿って各工程を進めてください。

なお、どの工程もとても大切ですが、特に「**(4)組合せる因子・水準を選ぶ**」が大切であり、また失敗しやすい工程でもあるので、次項で適切な因子や水準を選択する方法を詳しく解説します。慣れるまでは丁寧に作業を進めてください。

適切な因子・水準を選択する方法

適切な**因子**や**水準**を選択するには、テストの「目的」や「役割」を理解しておく必要があります。開発仕様書に書かれているすべての因子と水準を組合せれば良いというわけではありません。

以下の例を見てください。デジタルカメラの写真撮影機能をテストすることを想定して、開発仕様書から12個の因子と47個の水準を選んだものです。

表7-15 ● 開発仕様書から選んだ因子と水準

撮影モード	フラッシュ	撮影	露出補正	シャッター	縦横比	画素数	ピント位置	動画種類	解像度	再生モード	再生対象
写真撮影	オート	オート	−1.5	シングル	4:3	10M	オート	Motion JPEG	QVGA	順次	全画像
動画撮影	強制発光	風景	−1	低速連写	3:2	8M	中央固定	AVCHD	WVGA	ランダム	フォルダ指定
再生	発光禁止	ポートレート	−0.5	高速連写	16:9	5M	左固定		VGA		カテゴリ指定
	赤目防止	スポーツ	0		1:1	3M	右固定				
		マクロ	0.5			0.3M	上固定				
			1				下固定				
			1.5								

上記を見ると、**不要な因子**が含まれていることがわかります。今回は写真撮影機能のテストを想定しているため因子「**撮影モード**」は不要です(「写真撮影」だけでよいため)。また、因子「**動画種類**」「**解像度**」「**再生モード**」「**再生対象**」も、写真撮影機能では設定できないため不要です。

このような不要な因子が入っていると、組合せ数が増えるだけでなく、テスト実施の妨げになることもあります。また、必要な他の因子との組合せ網羅性が損なわれる可能性もあります。

「**何をテストするのか**」を具体的に考え、テストの目的や役割を理解したうえで、適切な因子と水準を選択しましょう。この例の場合は「**デジタルカメラの写真撮影機能をテストすること**」がテストの目的なので、写真撮影機能に関連する因子と水準だけを選択します。そうした場合、因子・水準は以下のようになります。

表7-16 ● 写真撮影機能に絞り込んだ因子と水準

フラッシュ	撮影	露出補正	シャッター	縦横比	画素数	ピント位置
オート	オート	−1.5	シングル	4:3	10M	オート
強制発光	風景	−1	低速連写	3:2	8M	中央固定
発光禁止	ポートレート	−0.5	高速連写	16:9	5M	左固定
赤目防止	スポーツ	0		1:1	3M	右固定
	マクロ	0.5			0.3M	上固定
		1				下固定
		1.5				

なお、上記では余分な因子や水準を選択することによる弊害について触れていますが、**選択すべき因子や水準を見落とさないように注意すること**も必要です。因子や水準に入っていない要素は組合せ表に現れないため、組合せテストの対象外になります。

組合せ表を作成する際の注意点

因子水準表をもとにして組合せ表を作成する際は、以下の点に注意する必要があります。いずれもとても大切な項目です。

- 禁則を回避する
- 重要な組合せを追加する(p.181)
- 無理して組合せテストを行わない(p.182)

禁則を回避する

組合せ表を作成する際は「**禁則を回避する**」という点に注意する必要があります。禁則とは、ソフトウェアの設計上で「**禁止になっている組合せ**」や「**不可能な組合せ**」です。組合せ表のなかに禁則の組合せが存在すると、適切なテストを実施できなくなるので、あらかじめ禁則を回避しておく必要があります。

MEMO

禁則の組合せで欠陥が生じないかを確認するために、あえて禁則の組合せをテストする場合もあります。この場合は、いったん禁則のない組合せで問題がないことを確認してから、別途、禁則の組合せだけのテストを行います。

先述のデジタルカメラの写真撮影機能を例に禁則を見てみましょう。ここでは先ほどの例よりも因子・水準を簡素化しています。

表7-17 ● デジタルカメラ・写真撮影機能の因子水準表(簡素版)

フラッシュ	シャッター	画素数	ピント位置
オート	シングル	10M	オート
強制発光	連写	5M	中央固定
発光禁止		0.3M	

シャッターとピント位置の禁則に関する開発仕様書の記述

> シャッターの設定を「連写」にすると、ピント位置は自動的に「中央固定」に設定される。「オート」は選択できない。

上記の仕様を読むと、因子「**シャッター**」と因子「**ピント位置**」の特定の水準間に禁則関係があることがわかります。禁則の組合せを、因子「シャッター」と因子「ピント位置」の全網羅表で認識しておきましょう。

表7-18●「フラッシュ」と「シャッター」の全網羅表

No.	シャッター	ピント位置	禁則
1	シングル	オート	No
2	シングル	中央固定	No
3	連写	オート	Yes
4	連写	中央固定	No

上表の禁則欄に「Yes」が記載されている組合せが禁則の組合せです。

禁則を考慮せずにAll-Pairs法を用いると以下のような組合せ表ができあがります。禁則の組合せが2行含まれていることがわかります。

表7-19●デジタルカメラのテスト用に作成した組合せ表

No.	フラッシュ	シャッター	画素数	ピント位置
1	オート	シングル	10M	オート
2	オート	連写	5M	中央固定
3	強制発光	連写	10M	オート
4	強制発光	シングル	5M	中央固定
5	発光禁止	シングル	0.3M	オート
6	発光禁止	連写	10M	中央固定
7	オート	連写	0.3M	中央固定
8	強制発光	シングル	5M	オート
9	強制発光	連写	0.3M	オート
10	発光禁止	シングル	5M	中央固定

このように、組合せ表を作成するとその中に禁則の組合せが含まれることがあります。禁則の組合せが見つかった場合は、以下のいずれかの方法で禁則を回避する必要があります。ただ単にその組合せをテストしない、というわけではない

ので注意してください。

- 禁則回避方法（1）：2因子を1因子に見立てる方法
- 禁則回避方法（2）：禁則行をコピーして置換する方法
- 禁則回避方法（3）：禁則を除外した因子水準表で作成する方法

禁則回避方法（1）：2因子を1因子に見立てる方法

「2因子を1因子に見立てる方法」とは、2つの因子を1つの因子に見立てて、禁則のない組合せをその見立てた因子の水準とし、他の因子を組合せる方法です。上記のデジタルカメラの禁則例の場合は、「シャッター」と「ピント位置」という因子を「**禁則を除く、3つの水準を持つ1つの因子**」に見立てます。

図7-12●2因子を1因子に見立てる方法

フラッシュ	シャッター	画素数	ピント位置
オート	シングル	10M	オート
強制発光	連写	5M	中央固定
発光禁止		0.3M	

➡

シャッターーピント位置	フラッシュ	画素数
シングルーオート	オート	10M
シングルー中央固定	強制発光	5M
連写ー中央固定	発光禁止	0.3M
~~連写ーオート~~		

なお、この方法には「**水準が多い因子同士を1つに見立てると、組合せ数が増大する**」というデメリットがあります。水準が少ない因子の禁則に向いています。

表7-20●1因子に見立てた因子水準表から作成した組合せ表

No.	シャッターーピント位置	フラッシュ	画素数
1	シングルーオート	オート	10M
2	シングルーオート	強制発光	5M
3	シングルーオート	発光禁止	0.3M
4	シングルー中央固定	オート	5M
5	シングルー中央固定	強制発光	10M
6	シングルー中央固定	発光禁止	10M
7	連写ー中央固定	オート	0.3M
8	連写ー中央固定	強制発光	10M
9	連写ー中央固定	発光禁止	5M
10	シングルー中央固定	強制発光	0.3M

禁則回避方法(2)：禁則行をコピーして置換する方法

「禁則行をコピーして置換する方法」とは、いったん禁則を考慮しない組合せ表を作成した後、禁則を含む行をコピーして、禁則関係にある水準を禁則関係にない水準に置き換える方法です。ここでは以下の組合せ表からNo.3の禁則を回避します。

表7-21 ● デジタルカメラのテスト用に作成した組合せ表①

No.	フラッシュ	シャッター	画素数	ピント位置
1	オート	シングル	10M	オート
2	オート	連写	5M	中央固定
3	強制発光	連写	10M	オート
4	強制発光	シングル	5M	中央固定
5	発光禁止	シングル	0.3M	オート
6	発光禁止	連写	10M	中央固定
7	オート	連写	0.3M	中央固定
8	強制発光	シングル	5M	オート
9	強制発光	連写	0.3M	オート
10	発光禁止	シングル	5M	中央固定

まず、以下のように禁則が起きている行をコピーします。

表7-22 ● デジタルカメラのテスト用に作成した組合せ表②

No.	フラッシュ	シャッター	画素数	ピント位置
1	オート	シングル	10M	オート
2	オート	連写	5M	中央固定
3	強制発光	連写	10M	オート
3'	強制発光	連写	10M	オート
4	強制発光	シングル	5M	中央固定
5	発光禁止	シングル	0.3M	オート
6	発光禁止	連写	10M	中央固定
7	オート	連写	0.3M	中央固定
8	強制発光	シングル	5M	オート
9	強制発光	連写	0.3M	オート
10	発光禁止	シングル	5M	中央固定

続いて、禁則が解消するように他の任意の水準と置き換えます。No.9の行も同様にコピーして置き換えれば完成です。

表7-23 ● デジタルカメラのテスト用に作成した組合せ表③

No.	フラッシュ	シャッター	画素数	ピント位置
1	オート	シングル	10M	オート
2	オート	連写	5M	中央固定
3	強制発光	連写	10M	中央固定
3'	強制発光	シングル	10M	オート
4	強制発光	シングル	5M	中央固定
5	発光禁止	シングル	0.3M	オート
6	発光禁止	連写	10M	中央固定
7	オート	連写	0.3M	中央固定
8	強制発光	シングル	5M	オート
9	強制発光	連写	0.3M	中央固定
9'	強制発光	シングル	0.3M	オート
10	発光禁止	シングル	5M	中央固定

この方法は、手順が単純であるため比較的簡単に行えます。禁則に気づいた時点で組合せ表を作り直すことなく即座に禁則を回避できます。

一方で、**複雑な禁則の回避には不向き**です。また、この例でも２つの禁則を回避するために、組合せ数が２つ増えているように、禁則を回避するたびに組合せ数が増えていきます。

禁則回避方法(3)：禁則を除外した因子水準表で作成する方法

「禁則を除外した因子水準表で作成する方法」とは、禁則を成す水準を因子水準表から取り除いて、禁則のない組合せ表を作成し、その後、取り除いた水準の２因子間網羅の組合せを追加する方法です。

最初に、**禁則を構成する因子の水準を因子水準表から除外します**（この例の場合は因子「シャッター」の水準「連写」）。なお、禁則の相手である因子の水準はそのままにしておきます（この例の場合は因子「ピント位置」の水準「オート」）。この因子水準表から組合せ表を作成します（**図7-13**）。

次に、**除外した因子（シャッター）の水準（連写）を因子水準表に戻し、他の因子と組合せます**。このとき、すでに組合せ表は完成しているので、因子「シャッター」の他の水準（この例では「シングル」）は取り除きます。併せて、禁則関係にある因子「ピント位置」の水準「オート」も取り除きます。この因子水準表から組合せ表を作成し、作成済みの組合せ表に追加します（**図7-14**）。

図7-13●禁則を成す水準の片方を取り除いた因子水準表と組合せ表①

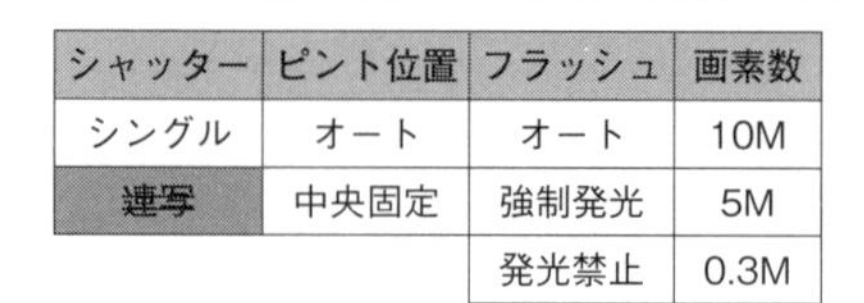

シャッター	ピント位置	フラッシュ	画素数
シングル	オート	オート	10M
連写	中央固定	強制発光	5M
		発光禁止	0.3M

No.	シャッター	ピント位置	フラッシュ	画素数
1	シングル	オート	オート	10M
2	シングル	中央固定	強制発光	5M
3	シングル	オート	発光禁止	0.3M
4	シングル	中央固定	オート	5M
5	シングル	オート	強制発光	10M
6	シングル	中央固定	発光禁止	10M
7	シングル	中央固定	オート	0.3M
8	シングル	オート	強制発光	5M
9	シングル	オート	発光禁止	5M
10	シングル	中央固定	強制発光	0.3M

図7-14●禁則を成す水準の片方を戻した因子水準表と組合せ表②

シャッター	ピント位置	フラッシュ	画素数
~~シングル~~	~~オート~~	オート	10M
連写	中央固定	強制発光	5M
		発光禁止	0.3M

No.	シャッター	ピント位置	フラッシュ	画素数
11	連写	中央規定	オート	10M
12	連写	中央規定	強制発光	5M
13	連写	中央規定	発光禁止	0.3M

この方法は、禁則関係がたくさんある場合は手間がかかりますが、水準が多い場合や複雑な禁則関係でも組合せ数がそれほど増加しません。

現在では、指定された禁則関係を自動的に回避して最小限の組合せ表を生成するツールもあるため、必ずしも本書で紹介した回避方法を実行する必要があるわけではありません。しかし、一度でき上がった組合せ表に対して、後から禁則の仕様が追加されたり、見落としていた禁則関係に気づいたりした場合などは、手作業で禁則を回避しなければならない場合もあるので、ぜひこれらの方法を理解しておいてください。

MEMO

先ほど紹介したQumias Plus（p.160）では、ツール内で禁則回避が可能です。具体的な記載例は以下のとおりです。Qumias Plusでは[制約条件]として設定します。「組み合わせ条件作成」画面にて「制約条件の設定」プルダウンを表示します。そして左側の[条件(IF)]で**項目：シャッター**、**値：連写**を設定し、[と等しい]を選択したら[追加(AND)]をクリックします①。右側の[制約(THEN)]では**項目：ピント位置**、**値：オート**で設定し、[と等しくない]を選択したら[追加(AND)]をクリックします②。こうすると**「連写の際にはオートを組合せない」**という条件になります（詳しくはQumias Plusの操作マニュアルを参照してください）。

図7-15●禁則_デジカメ

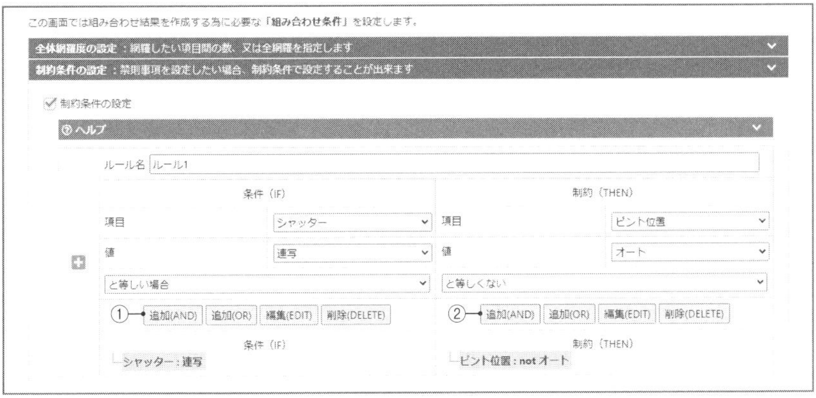

重要な組合せを追加する

組合せテストによって作成される組合せ表は、**2因子間網羅は100%になりますが、3因子間以上では網羅率100%にはなりません**。この性質からいえることは**「組合せテストによって作成した組合せ表の中に、3因子間以上をまたぐ重要な組合**

せが必ず含まれているとは限らない」ということです。そのため、デフォルト設定値のような、多くのユーザーが使うであろう重要な組合せは、組合せ表とは別に確認することが必要です。

下図を見てください。全網羅と２因子間網羅を比べると、２因子間網羅において組合せ数が減っていることがわかります。

図7-16●全網羅と2因子間網羅の比較

	スイッチ1	スイッチ2	スイッチ3
ケース1	ON	ON	ON
ケース2	ON	ON	OFF
ケース3	ON	OFF	ON
ケース4	ON	OFF	OFF
ケース5	OFF	ON	ON
ケース6	OFF	ON	OFF
ケース7	OFF	OFF	ON
ケース8	OFF	OFF	OFF

全網羅

	スイッチ1	スイッチ2	スイッチ3
ケース1	ON	ON	ON
ケース2	ON	OFF	OFF
ケース3	OFF	ON	OFF
ケース4	OFF	OFF	ON

2因子間網羅

しかし、２因子間網羅の表を見ると「**すべてOFF**」の組合せが含まれていないことがわかります。この組合せはスイッチのテストにおいて重要度が高いと考えられるため、テストを行う必要があります。このような場合は、２因子間網羅の組合せ表とは別に「すべてOFF」の組合せを追加します。

無理して組合せテストを行わない

最後に、**組合せテストを行うべきではない状況**をいくつか紹介します。組合せテストは大幅に組合せ数を削減できるため、覚えたての頃はどんなテストにも使いたくなります。しかし、本章で繰り返し述べてきたように、**組合せテストは万能ではありません**。組合せテストを行うこと自体を目的とするのではなく、何のために組合せテストを行うのか、効果があるのかを常に自分自身に問いかけてください。特に以下のような場合は、無理して組合せテストを行う必要はありません。組合せテストの実施を検討する際は参考にしてください。

テストの期待結果を確認できない場合

組合せテストの目的は、因子を組合せることではありません。**ソフトウェアの欠陥を発見すること**です。そのためには、テストの期待結果をどのような方法で確認・判断するのかについて、あらかじめ考えておく必要があります。それができなければ、欠陥が生じているのか否かを判別できないため、テストを行う意味はありません。

また、たとえ欠陥を発見できたとしても、その原因が特定の因子・水準の組合せによるものなのか、別の要因によるものなのかを切り分けることができなければ、その欠陥を適切に修正することはできません。

このように、**テストの期待結果を確認できないものや、確認しにくいもの**に対しては、組合せテストの効果を踏まえたうえで、実施するか否かを検討することが必要です。

禁則が多すぎる場合

禁則が多いと、回避するのに時間がかかったり、誤って禁則を見落としてしまったりしてしまいます。禁則を見落としたまま組合せ表を作成してしまうと、その組合せ表はテストケースとしては不完全です。禁則は後から回避することもできますが、あまりに多いとかえって非効率になります。

このように、**禁則が多すぎる場合**も組合せテストの実施を見直すことが必要です。

組合せテスト技法のまとめ

組合せテスト技法を用いれば、**網羅度を保ちつつ、項目数を減らすことができる**という大きなメリットがあります。しかし、すべての組合せをテストするわけではないので**欠陥を見逃す可能性が残る**というデメリットもあります。テスト設計をするうえで、組合せテスト技法を適用する対象とタイミングを見極めてください。具体的には、組合せテスト技法は、**リリース前の最終確認**や**リグレッションテスト**などに向いています。これらについては、第8章で詳しく解説します。

練習問題 1

次のラベル印刷機の仕様を読み、問題①～③に答えなさい。

ラベル印刷機の仕様

ラベル印刷機
仕様書 No： VAL201009-02
仕様名： 文字書式設定仕様
概要： ラベル印刷機で印字される文字の書式を設定する

縦書き・横書き
- ラベルに印刷する文字の方向を設定する
- 縦書き、横書きの設定が可能
- デフォルト設定は縦書き

行表示
- ラベルに印刷する行数を設定する
- 1 行、2 行、3 行の設定が可能
- デフォルト設定は 1 行

文字サイズ
- ラベルに印刷する文字のサイズを設定する
- 大、中、小、極小の設定が可能
- デフォルト設定は中

フォント
- ラベルに印刷するフォントを設定する
- ゴシック、明朝の設定が可能
- デフォルト設定はゴシック

文字飾り
- ラベルに印刷される文字に対する、装飾を設定する
- なし、太字、斜体、下線、網掛けの設定が可能
- デフォルト設定はなし

枠囲い
- ラベルに印刷される文字を枠で囲う
- あり、なしの設定が可能
- デフォルト設定はなし

問題① 以下の因子水準表を完成させなさい

因子水準表

縦書き・横書き	行表示	文字サイズ	フォント	文字飾り	枠囲い

問題② すべての因子と水準を全網羅する組合せは何通りになるか答えなさい

問題③ All-Pairs法を用いた場合の組合せは、何通りになるか、何らかのツールを使って組合せ表を作成し、調べなさい

解 答 p.186

練習問題 2

次の商品の配送料金を決めるソフトウェアの仕様を読んで、問題①～③に答えなさい。

商品の配送料金を決めるソフトウェアの仕様

商品の配送料金は、購入者の「商品分類」、「配送オプション」、「追加配送料金」情報をもとに決定する。「商品分類」+「配送オプション」+「追加配送料金」の合計金額が、配送料金となる。価格設定は以下のとおりである。

○ 商品分類
購入した商品の分類によって、配送料金が変わる。商品は「小型」、「中型」、「大型」に分類される。

小型：300 円
中型：600 円
大型：800 円

○ 配送オプション
購入した商品の配送オプションによって、配送料金が変わる。配送オプションは「通常配達」、「指定日配達」、「お急ぎ配達」から選択できる。

通常配達：　0 円
指定日配達：100 円
お急ぎ配達：300 円

○追加配送料金
購入した商品の配送先によっては、追加配送料金が発生する。配送先は、顧客の入力した「配送先住所」を参照する。

追加配送料金

配送地域	追加配送料金
北海道	＋ 1,000円
東北	＋ 800円
東京以外の関東	＋ 500円
東京	＋ 0円
甲信越	＋ 800円
北陸	＋ 800円

配送地域	追加配送料金
東海	＋ 500円
関西	＋ 500円
四国	＋ 1,000円
中国	＋ 800円
九州	＋ 1,000円
沖縄	＋ 1,200円

問題① 因子水準表を完成させなさい。

因子水準表

商品分類		
小型		
中型		
大型		

問題② すべての因子と水準を全網羅する組合せは何通りになるか答えなさい

問題③ All-Pairs法を用いた場合の組合せは、何通りになるか、何らかのツールを使って組合せ表を作成し、調べなさい

解答 p.187

練習問題 1 解答

解答①

因子水準表

縦書き・横書き	行表示	文字サイズ	フォント	文字飾り	枠囲い
縦書き	1行	大	ゴシック	なし	あり
横書き	2行	中	明朝	太字	なし
	3行	小		斜体	
		極小		下線	
				網掛け	

解答② 2×3×4×2×5×2=480通り

解答③ 20通り（ツールによって増減あり）

組合せ表

No.	縦書き・横書き	行表示	文字サイズ	フォント	文字飾り	枠囲い
1	縦書き	1行	大	ゴシック	なし	あり
2	横書き	2行	大	明朝	太字	なし
3	縦書き	3行	中	ゴシック	斜体	なし
4	横書き	2行	小	ゴシック	下線	あり
5	縦書き	3行	極小	明朝	網掛け	あり
6	横書き	1行	中	明朝	網掛け	なし
7	横書き	3行	小	明朝	なし	なし

組合せ表(続き)

No.	縦書き・横書き	行表示	文字サイズ	フォント	文字飾り	枠囲い
8	縦書き	1行	小	ゴシック	太字	あり
9	縦書き	1行	極小	ゴシック	下線	なし
10	横書き	2行	極小	明朝	斜体	あり
11	縦書き	2行	中	ゴシック	なし	あり
12	縦書き	3行	大	明朝	下線	なし
13	縦書き	2行	大	ゴシック	網掛け	なし
14	縦書き	3行	中	明朝	太字	なし
15	縦書き	1行	小	明朝	斜体	なし
16	縦書き	3行	極小	ゴシック	なし	あり
17	縦書き	3行	極小	ゴシック	太字	なし
18	横書き	2行	大	明朝	斜体	あり
19	横書き	3行	中	ゴシック	下線	なし
20	横書き	1行	小	ゴシック	網掛け	あり

組合せた結果を確認すると、デフォルト設定の組合せが抜けています。実際に組合せ表を作成する際は以下の設定の組合せの追加が必要になります。または、因子水準表の先頭の水準をデフォルト設定の水準にしておくと、組合せ表の先頭にデフォルト設定が登場します。

・縦書き・横書き＝縦書き
・行表示＝1行
・文字サイズ＝中
・フォント＝ゴシック
・文字飾り＝なし
・枠囲い＝なし

練習問題 2 解答

解答①

因子水準表

商品分類	配送オプション	配送地域
小型	通常配達	東京
中型	指定日配達	東京以外の関東、東海、関西
大型	お急ぎ配達	東北、甲信越、北陸、中国
		北海道、四国、九州
		沖縄

「追加配送料金」が発生する配送地域の水準が、同値クラスでまとめられていることに気づいたでしょうか。同じ金額の追加配送料が発生する地域が複数存在するので、今回はこれらをまとめることで、水準を整理しました。ただし、テスト方針によっては、すべての配送地域を選択し、料金を確認することもあります。

追加配送料金の同値クラス分割

+ 0円の同値クラス：東京
+ 500円の同値クラス：東京以外の関東、東海、関西
+ 800円の同値クラス：東北、甲信越、北陸、中国
+ 1,000円の同値クラス：北海道、四国、九州
+ 1,200円の同値クラス：沖縄

解答② 3×3×5＝45通り

解答③ 15通り（ツールによって増減あり）

組合せ表

No.	商品分類	配送オプション	配送地域
1	小型	お急ぎ配達	東北、甲信越、北陸、中国
2	小型	指定日配達	東京以外の関東、東海、関西
3	小型	通常配達	東京
4	小型	通常配達	北海道、四国、九州
5	小型	通常配達	沖縄
6	中型	お急ぎ配達	東京以外の関東、東海、関西
7	中型	指定日配達	東京
8	中型	指定日配達	北海道、四国、九州
9	中型	指定日配達	沖縄
10	中型	通常配達	東北、甲信越、北陸、中国
11	大型	お急ぎ配達	東京
12	大型	お急ぎ配達	北海道、四国、九州
13	大型	お急ぎ配達	沖縄
14	大型	指定日配達	東北、甲信越、北陸、中国
15	大型	通常配達	東京以外の関東、東海、関西

※ ツールで組合せ表を生成した後、商品分類、配送オプション、配送地域の順でソートしています。

column　直交表テンプレート

表7-24 ● L8直交表：2水準×7因子およびL8直交表：4水準×1因子、2水準×4因子

L8		因子						
		A	B	C	D	E	F	G
水準	1	0	0	0	0	0	0	0
	2	0	0	0	1	1	1	1
	3	0	1	1	0	0	1	1
	4	0	1	1	1	1	0	0
	5	1	0	1	0	1	0	1
	6	1	0	1	1	0	1	0
	7	1	1	0	0	1	1	0
	8	1	1	0	1	0	0	1

L8		因子				
		A	B	C	D	E
水準	1	1	0	0	0	0
	2	1	1	1	1	1
	3	2	0	0	1	1
	4	2	1	1	0	0
	5	3	0	1	0	1
	6	3	1	0	1	0
	7	4	0	1	1	0
	8	4	1	0	0	1

表7-25 ● L16直交表：2水準×15因子

L16		因子														
		A	B	C	D	E	F	G	H	I	J	K	L	M	N	O
水準	1	0	0	0	0	0	0	0	0	0	0	0	0	0	0	0
	2	0	0	0	0	0	0	0	1	1	1	1	1	1	1	1
	3	0	0	0	1	1	1	1	0	0	0	0	1	1	1	1
	4	0	0	0	1	1	1	1	1	1	1	1	0	0	0	0
	5	0	1	1	0	0	1	1	0	0	1	1	0	0	1	1
	6	0	1	1	0	0	1	1	1	1	0	0	1	1	0	0
	7	0	1	1	1	1	0	0	0	0	1	1	1	1	0	0
	8	0	1	1	1	1	0	0	1	1	0	0	0	0	1	1
	9	1	0	1	0	1	0	1	0	1	0	1	0	1	0	1
	10	1	0	1	0	1	0	1	1	0	1	0	1	0	1	0
	11	1	0	1	1	0	1	0	0	1	0	1	1	0	1	0
	12	1	0	1	1	0	1	0	1	0	1	0	0	1	0	1
	13	1	1	0	0	1	1	0	0	1	1	0	0	1	1	0
	14	1	1	0	0	1	1	0	1	0	0	1	1	0	0	1
	15	1	1	0	1	0	0	1	0	1	1	0	1	0	0	1
	16	1	1	0	1	0	0	1	1	0	0	1	0	1	1	0

表7-26 • L16直交表：4水準×4因子、2水準×3因子

L16		因子						
		A	B	C	D	E	F	G
水準	1	1	1	1	1	0	0	0
	2	1	2	2	2	0	1	1
	3	1	3	3	3	1	0	1
	4	1	4	4	4	1	1	0
	5	2	1	2	4	1	0	1
	6	2	2	1	3	1	1	0
	7	2	3	4	2	0	0	0
	8	2	4	3	1	0	1	1
	9	3	1	3	2	1	1	0
	10	3	2	4	1	1	0	1
	11	3	3	1	4	0	1	1
	12	3	4	2	3	0	0	0
	13	4	1	4	3	0	1	1
	14	4	2	3	4	0	0	0
	15	4	3	2	1	1	1	0
	16	4	4	1	2	1	0	1

表7-27 • L16直交表：4水準×2因子、2水準×9因子

L16		因子										
		A	B	C	D	E	F	G	H	I	J	K
水準	1	1	1	0	0	0	0	0	0	0	0	0
	2	1	2	0	0	0	1	1	1	1	1	1
	3	1	3	1	1	1	0	0	0	1	1	1
	4	1	4	1	1	1	1	1	1	0	0	0
	5	2	1	0	1	1	0	1	1	0	1	1
	6	2	2	0	1	1	1	0	0	1	0	0
	7	2	3	1	0	0	0	1	1	1	0	0
	8	2	4	1	0	0	1	0	0	0	1	1
	9	3	1	1	0	1	1	0	1	1	0	1
	10	3	2	1	0	1	0	1	0	0	1	0
	11	3	3	0	1	0	1	0	1	0	1	0
	12	3	4	0	1	0	0	1	0	1	0	1
	13	4	1	1	1	0	1	1	0	1	1	0
	14	4	2	1	1	0	0	0	1	0	0	1
	15	4	3	0	0	1	1	1	0	0	0	1
	16	4	4	0	0	1	0	0	1	1	1	0

表7-28 • L32直交表：8水準×1因子、4水準×6因子、2水準×6因子

L32		因子												
		A	B	C	D	E	F	G	H	I	J	K	L	M
水準	1	0	0	0	0	0	0	0	0	0	0	0	0	0
	2	0	1	1	1	1	1	1	0	1	1	0	1	1
	3	0	2	2	2	2	2	2	1	0	1	1	0	1
	4	0	3	3	3	3	3	3	1	1	0	1	1	0
	5	1	0	0	1	1	2	2	1	1	0	1	1	0
	6	1	1	1	0	0	3	3	1	0	1	1	0	1
	7	1	2	2	3	3	0	0	0	1	1	0	1	1
	8	1	3	3	2	2	1	1	0	0	0	0	0	0
	9	2	0	1	2	3	0	1	1	0	1	1	1	0
	10	2	1	0	3	2	1	0	1	1	0	1	0	1
	11	2	2	3	0	1	2	3	0	0	0	0	1	1
	12	2	3	2	1	0	3	2	0	1	1	0	0	0
	13	3	0	1	3	2	2	3	0	1	1	0	0	0
	14	3	1	0	2	3	3	2	0	0	0	0	1	1
	15	3	2	3	1	0	0	1	1	1	0	1	0	1
	16	3	3	2	0	1	1	0	1	0	1	1	1	0
	17	4	0	3	0	3	1	2	0	1	1	1	0	1
	18	4	1	2	1	2	0	3	0	0	0	1	1	0
	19	4	2	1	2	1	3	0	1	1	0	0	0	0
	20	4	3	0	3	0	2	1	1	0	1	0	1	1
	21	5	0	3	1	2	3	0	1	0	1	0	1	1
	22	5	1	2	0	3	2	1	1	1	0	0	0	0
	23	5	2	1	3	0	1	2	0	0	0	1	1	0
	24	5	3	0	2	1	0	3	0	1	1	1	0	1
	25	6	0	2	2	0	1	3	1	1	0	0	1	1
	26	6	1	3	3	1	0	2	1	0	1	0	0	0
	27	6	2	0	0	2	3	1	0	1	1	1	1	0
	28	6	3	1	1	3	2	0	0	0	0	1	0	1
	29	7	0	2	3	1	3	1	0	0	0	1	0	1
	30	7	1	3	2	0	2	0	0	1	1	1	1	0
	31	7	2	0	1	3	1	3	1	0	1	0	0	0
	32	7	3	1	0	2	0	2	1	1	0	0	1	1

Chapter 08 テスト技法適用チャート

本書の第４章から第７章では、全４章にわたって「**ブラックボックステストで用いられる代表的なテスト技法**」を解説してきました。本章では、これらの中から、実際のテスト現場において適切なテスト技法を選択するためのヒントとなる「**テスト技法適用チャート**」を紹介します。

テスト技法適用チャートの概要

各テスト技法の特徴や使用方法を理解することはとても大切ですが、**それだけでは実務で適切なテスト技法を選択することはできません**。やみくもにテスト技法を使うだけでは「手間がかかるだけであまり効果がない」ということにもなりかねません。

ここで紹介するテスト技法適用チャートは、「**現状の悩み**」や「**テスト対象の仕様の特徴**」を軸に、経験の浅い人でも最適なテスト技法を選択できるようチャート化したものです。このチャートは、テスト経験が豊富なエンジニア数十名に対して行ったアンケートを元に作成しています。

ただし、実際のテスト現場は多種多様であり、どのような場合でもこのチャートをそのまま使えるわけではありません。まずは１つの参考として利用し、その後は読者のみなさん自身で加工・編集を繰り返して、オリジナルのチャートを作成してください。

テスト技法適用チャートの使い方

テスト技法適用チャート(**図8-1**)は、次の流れで使用します。p.195のチャートや表と併せて確認してください。

《ステップ1》

まずは、現状の悩みが「**明確か**」「**明確でないか**」を考えてみましょう。テストにおける悩みが明確に存在し、その解決のためにテスト技法を使用したい場合は「**現状の悩みから探す**」、悩みが明確にあるわけではないが、現状のテストに対してテスト技法を適用してみたい場合は「**仕様内容から探す**」から選択します。

「現状の悩みから探す」を選択した場合は、それがどのフェーズの悩みなのかを、「**仕様書レビュー段階**」または「**テスト設計段階**」から選択します。

《ステップ2》

「現状の悩みから探す」の場合は、現状の悩みに当てはまるものをチャートに沿って探しましょう。さらに「**適用する技法候補(現状の悩みから探す)**」の表から、悩みに対してどのように解決したいのかを選択します。

「仕様内容から探す」の場合は「**適用する技法候補(仕様内容から探す)**」の表から、仕様書の記載内容を考え、該当する項目を選択します。

《ステップ3》

表8-1「**適用する技法候補(現状の悩みから探す)**」や**表8-2**「**適用する技法候補(仕様内容から探す)**」の該当項目を見ていき、適用するテスト技法を選択します。

以降で適用方法の解説を行っていますので、ぜひ実際にテスト技法をどのように使えるかを考えながら読み進めてみましょう。

図8-1 ● テスト技法の適用チャート

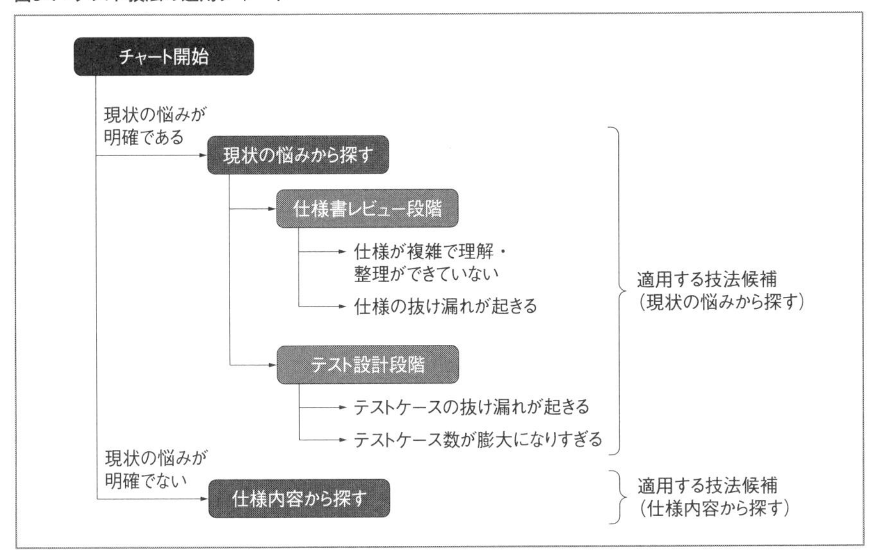

表8-1 ● 適用する技法候補（現状の悩みから探す）

			同値分割テスト	境界値テスト	デシジョンテーブルテスト	状態遷移テスト		組合せテスト
		悩み・望み	同値分割法	境界値分析	デシジョンテーブル	状態遷移図	状態遷移表	組合せテスト技法
仕様書レビュー段階	仕様が複雑で理解・整理できていない							
	1	システム全体の流れや各機能のつながりを理解したい				○		
	2	複雑な条件と挙動の関係性を整理したい			○			
	仕様の抜け漏れが起きる							
	3	状態・画面の遷移に関する考慮漏れをなくしたい				○	○	
	4	単一項目の条件に関する考慮漏れをなくしたい	○	○				
	5	複数の条件の組合せに関する考慮漏れをなくしたい			○			
テスト設計段階	テストケースの抜け漏れが起きる							
	6	状態・画面の遷移に関するテスト漏れがないか確認したい				○	○	
	7	無効値、異常値でのテスト漏れがないか確認したい	○	○				
	8	複雑な条件の組合せによる挙動のテスト漏れをなくしたい			○			
	テストケース数が膨大になりすぎる							
	9	テストを実施する入力値の数を削減したい	○					
	10	欠陥が含まれやすい箇所を重点的にテストしたい		○			○	
	11	複数の入力・設定項目の組合せを効率よくテストしたい						○
	12	複数の環境の組合せ（例：端末、OS、ブラウザ）を効率よくテストしたい						○
	13	複数の機能の同時操作・競合時の挙動を効率よくテストしたい						○

表8-2●適用する技法候補（仕様内容から探す）

		同値分割テスト	境界値テスト	デシジョンテーブルテスト	状態遷移テスト		組合せテスト
仕様内容の特徴		同値分割法	境界値分析	デシジョンテーブル	状態遷移図	状態遷移表	組合せテスト技法
14	「○○以上の場合は□□」のような記載があり、「○○以上でない場合は■■」のような無効な範囲が記載されていない箇所がある	○	○				
15	入力が数値となる項目があり、入力できる数値に制限がある	○	○				
16	入力が数値となる項目があり、分岐となる条件が～、以上、以下などの記載となっている（図もしくは「A≧○○」「B<○○」のような等号不等号で明記されていない）	○	○				
17	入力が手入力を行える項目であり、文字数の制限がある	○	○				
18	登録数、温度、日時など、数値で表される項目によって、システムの挙動が変化する	○	○				
19	入力が手入力を行える項目であり、文字種の制限がある（半角英数字など）	○					
20	画面が多数存在し、複数の経路で画面の遷移をすることができる				○	○	
21	「○○の状態の時は□□が表示される」「●●の状態の時は■■の操作ができる」などの仕様がある			○	○	○	
22	状態や画面を変化させるような物理的なボタン（もしくは常時表示されるボタン）がある					○	
23	「条件１がAの場合かつ条件２がBの場合はCと表示」などの複数条件の組合せがある			○			
24	入力項目や設定項目が多い						○
25	Webシステムやスマホアプリなど複数の環境に対応している						○

適用方法の解説

テスト技法チャートを元に選択したテスト技法に関して、具体的な適用方法を解説します。

現状の悩みから探す

(1)システム全体の流れや各機能のつながりを理解したい

ソフトウェア開発において、自身の担当箇所の仕様であればよく理解しているが、**全体の流れや他の箇所とのつながりがわからない**ということはよくあります。状態遷移図（画面遷移図）を作成してシステムを抽象化することで、システム全体を俯瞰することができ、全体の流れや各機能の繋がりを理解できます。

(2)複雑な条件と挙動の関係性を整理したい
(5)複数の条件の組合せに関する考慮漏れをなくしたい

「年齢80歳以上の人は金額60%引き、体重100kg以上の人は金額50%引き」といった仕様の場合、「年齢80歳以上で体重が100kg以上の人の金額」はどうなるのでしょうか。このケースのように、条件が多くなればなるほど考慮漏れが発生しやすくなります。条件の数が多く、考慮が漏れそうな場合は、**デシジョンテーブル**で条件と挙動の関係を整理しましょう。

(3)状態・画面の遷移に関する考慮漏れをなくしたい

開発仕様書において、状態遷移(画面遷移)が文章で記載してあると、考慮が漏れている仕様の発見が難しくなります。一方、**状態遷移図**(**画面遷移図**)を使用すれば、「状態Aから状態Bに遷移はできるが、状態Aには戻す方法がない」といった遷移の考慮漏れを発見できます。

また、**状態遷移表**(**画面遷移表**)を使用することで、「状態Aでは本来使用しないボタンBを押下したらどうなるか」といった無効遷移の考慮漏れも発見できます。

(4)単一項目の条件に関する考慮漏れをなくしたい

「個数を入力すると、単価を元にして総額が表示される」といった仕様の場合、「文字を入力する」「0やマイナス値を入力する」といった不正な値の入力に関する仕様が漏れることがあります。こういった考慮漏れは、**同値分割法**や**境界値分析**を使って入力項目や設定値を網羅することで防ぐことができます。数直線を使用し、同値パーティションをわかりやすく整理するとよいでしょう。

(6)状態・画面の遷移に関するテスト漏れがないか確認したい

遷移に関する仕様を整理した**状態遷移図**(**画面遷移図**)を元にテストケースを作成することで、遷移に関するテストの漏れを防止できます。無効な遷移もテストに含める場合は、状態遷移図の代わりに**状態遷移表**(**画面遷移表**)を使うと良いでしょう。

(7)無効値、異常値でのテスト漏れがないか確認したい

同値分割法で「有効同値パーティション」と「無効同値パーティション」を整理

し、すべての同値パーティションの入力値に対するテストケースを作成することで、無効値や異常値に対するテストの漏れを防止します。

(8)複雑な条件の組合せによる挙動のテスト漏れをなくしたい

複雑な条件の組合せを整理した**デシジョンテーブル**を元にテストケースを作成する、もしくは作成したテストケースがデシジョンテーブルのルールを網羅しているかどうかを確認することで、テスト設計の漏れを防止します。条件を「**数値の範囲**」で表すことができる場合は、その範囲の**境界値**を網羅しているかどうかの確認も忘れないようにしましょう。

(9)テストを実施する入力値の数を削減したい

各入力項目に関する値の削減には**同値分割法**が適しています。ただし、仕様上に現れない内部的な同値パーティションが存在する場合などは、**入力値を減らした分だけ欠陥を見逃す可能性が高まる**ということは意識しておいてください。

(10)欠陥が含まれやすい箇所を重点的にテストしたい

同値パーティションの境界に欠陥が潜んでいる可能性が高いため(p.79)、仕様書に記載されている入力値における境界以外にも、**出力値の境界**、**データ上の境界**、**ユーザーにとっての境界**など、さまざまな境界値を意識してテストするとよいでしょう。

また、状態遷移表を使用し、状態とイベントの組合せを網羅的に確認することで、仕様策定時に想定されておらず、作り込まれてしまった欠陥を発見することができます。

(11)複数の入力・設定項目の組合せを効率よくテストしたい
(12)複数の環境の組合せ(例：端末、OS、ブラウザ)を効率よくテストしたい
(13)複数の機能の同時操作や競合時の挙動を効率よくテストしたい

保険料の計算や複合機の設定などの入力・設定項目の組合せのテスト、Webシステムにおける多環境のテスト、複数機能の同時操作・競合テストなどは、すべてのパターンをテストすると膨大な件数になります。このような場合は、**組合せテスト技法**を使用することで、最低限の件数で効率よくテストを行うことがで

きます。なお、組合せテスト技法は、機能追加や欠陥修正時に行うリグレッションテストのような広範囲のテストを最低限の工数で行いたい場合にも有効です。

同時操作や競合のテストにおいて、動作の組合せと挙動の関係を整理したい場合は、状態遷移表の「**状態**」を「**動作**」に置き換えて、「**状態(動作)×状態(動作)**」型の状態遷移表(動作組合せ表)を作成するのもよいでしょう。

仕様内容から探す

仕様が文章のみで記載されている場合、考慮の漏れや仕様の不備が発生したり、テストの入力値が偏ったりします。**同値分割法**や**境界値分析**で仕様を整理することで「**仕様書には記載されていないがテストに必要な値の範囲**」を明確にし、効率よくテストできるように、入力値を抽出することが必要です。

(14)「○○以上の場合は□□」のような記載があり、「○○以上でない場合は■■」のような無効な範囲が記載されていない箇所がある
(15)入力が数値となる項目があり、入力できる数値に制限がある
(16)入力が数値となる項目があり、分岐となる条件が~、以上、以下などの記載となっている(図もしくは「A≧○○」「B<○○」のような等号不等号で明記されていない)
(17)入力が手入力を行える項目であり、文字数の制限がある
(18)登録数、温度、日時など、数値で表される項目によって、システムの挙動が変化する
(19)入力が手入力を行える項目であり、文字種の制限がある(半角英数字など)

数直線で表すことができない入力値(半角英数字、全角ひらがな、半角カタカナ、記号などの文字種に関する入力)のテストを行う場合は、**同値分割法**を使って仕様を整理します。入力可能な文字種を明確にすることも重要ですが、入力できない文字種を明確にすることも重要です。実際のテストでは、無効な文字種を入力した場合に「正しくエラーメッセージが表示されるか」や「次の画面に遷移できないようになっているか」なども確認していきます。

(20)画面が多数存在し、複数の経路で画面の遷移をすることができる

多くの機能や複雑な機能を持つシステムでは、ユーザーが数多くの画面を行き来することになります。そのため、画面遷移も複雑になり、開発時の考慮漏れやテストの作成漏れが発生しやすくなります。

そのため、**画面遷移図**や**画面遷移表**で仕様を整理する必要があります。ただし、複雑な画面遷移を1つにまとめようとすると、大きな図や表となってしまい、理解しづらくなるため、適切に分割することが大切です。

(21)「○○の状態の時は□□が表示される」「●●の状態の時は■■の操作ができる」などの仕様がある

(22)状態や画面を変化させるような物理的なボタン(もしくは常時表示されるボタン)がある

組込み系のシステムなどでは、状態が違えば同じ操作を行っても期待される挙動が異なります。特に物理的なボタンなど常時押せるボタンが存在する場合、本来のタイミングとは異なるタイミングでボタンを押下できるため、仕様で定義されていないことが多く、欠陥が含まれやすい箇所です。

通常の操作の流れを整理したい場合は**状態遷移図**を作成しましょう。想定が漏れていそうな状態とイベントの組合せを確認したい場合は**状態遷移表**を作成します。複数の状態が同時に発生するような場合は、**デシジョンテーブル**で挙動を整理します。

(23)「条件1がAの場合かつ条件2がBの場合はCと表示」などの複数条件の組合せがある

複数の条件がある場合、条件の組合せの考慮が漏れる可能性があります。**デシジョンテーブル**で整理することで、仕様の考慮漏れを発見し、すべての条件の組合せをテストで網羅します。

(24)入力項目や設定項目が多い

(25)Webシステムやスマホアプリなど複数の環境に対応している

テストの項目数を削減するには、各同値パーティションから代表値を1つずつ

選んで行う**同値分割テスト**が有効です。また、広い入力範囲であっても動作の変わる境界値とその隣の値を選択して行う**境界値テスト**も有効です。複数条件項目の組合せ数を削減して行いたい場合は**組合せテスト**が適しています。

適用事例

使用するテスト技法を選択する際は、以下の点について事前に十分な検討を行っておくことが必要です。

- 担当箇所
- 現在の状況
- 現状の悩み
- やりたいこと

ここでは2つの事例と、その事例で適用したテスト技法を紹介します。

表8-3 ● 適用事例①

前提条件	内容
担当箇所	Webサイトにおける画面遷移の設計
現在の状況	開発仕様書のレビュー段階
現状の悩み	・多くの画面を頻繁に遷移しながら処理が進む ・ユーザーの処理内容によって多くの画面遷移パターンがある ⇒遷移の考慮漏れが発生する可能性がある
やりたいこと	・画面仕様を整理し、遷移の考慮が漏れていないか確認したい ・無効な遷移も含めて考慮が漏れていないか確認したい

適用するテスト技法

- 画面の遷移に関する考慮漏れを確認したいので、「状態遷移図」で整理をする
- 無効な遷移の考慮漏れを確認したいので、「状態遷移表」で確認する

表8-4 ● 適用事例②

前提条件	内容
担当箇所	ユーザーが手入力する欄が存在するソフトウェアの動作確認テスト
現在の状況	テスト設計段階
現状の悩み	入力値に使用できる数値の範囲が非常に広く、すべての値をテストすることはスケジュール上難しい
やりたいこと	テスト実施時に入力欄を効率よく減らしたい

適用するテスト技法

- テストを実施する入力値を削減したいので、同値分割法を使用する
- 境界が存在する場合は、効率よく欠陥を検出できる境界値分析も効果的

練習問題 1

以下の事例に対して、適用するテスト技法を考えてみましょう。

前提条件	内容
担当箇所	システム全般の動作確認テスト
現在の状況	基本的なテスト実施は終了し、不具合修正もほぼ完了している
現状の悩み	不具合の件数が多かったためデグレードが発生していないか不安
やりたいこと	リグレッションテストも含めて最低限の工数で全体の確認をしたい

練習問題 1 解答

複数の入力や設定項目の組合せ、および複数の環境の組合せなどを効率よくテストしたいことから、組合せテストを選択します。全体的な確認を最低限の件数で行うには、組合せテスト技法が適しています。

なお、今回の例では不具合の修正がほぼ完了しているため組合せテスト技法が適切ですが、逆に不具合修正が完了していない場合は、組合せテスト技法は適切ではありません。なぜなら、組合せテスト技法においては、もし不具合が発見されても、既存の不具合か、組合せによる新しい不具合なのかが区別できないからです。不具合修正が終わっていない場合は、重要機能から優先的にシナリオテストなどを再実施した方が品質が向上します。

Part 3

テストドキュメントとモニタリング

本章では、テストドキュメントの役割と各ドキュメントに含まれる項目を紹介します。また、各ドキュメントの作成担当者をテストプロジェクトチーム編成の中で位置づけていきます。

Chapter 09 テストドキュメントの作成

第2章で紹介したように、テスト工程にはテスト全体の目的や方針を定める「**テスト全体計画**」と、段階的に分割された「単体テスト」「結合・機能テスト」「システムテスト」といった、個別の「**テスト工程**」があります。

また、各テスト工程には「テスト計画」や「テスト設計」「テストケース作成」といった「**テストフェーズ**」があります（下図を参照）。

図9-1 ● テスト工程とテストフェーズ

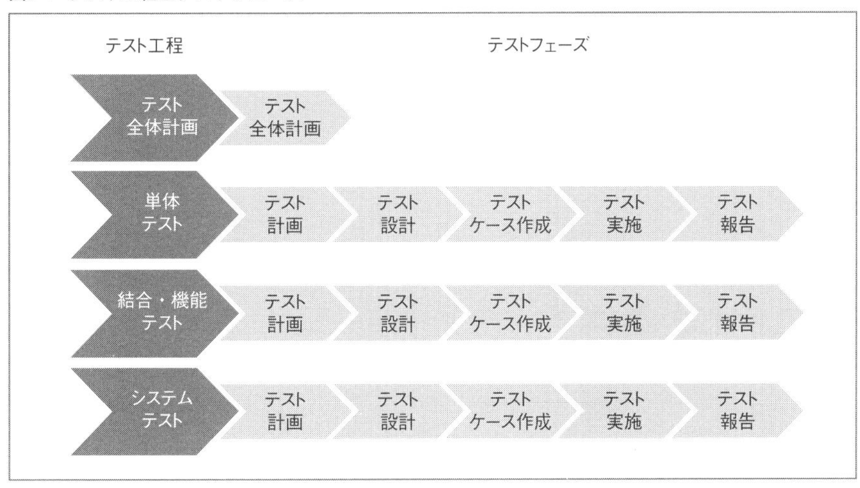

上記の各テスト工程や各テストフェーズでは「**テスト計画書**」や「**テスト設計仕様書**」「**不具合報告書**」「**テストサマリレポート**」など、目的に応じてさまざまなドキュメントを作成する必要があります。また、テスト工程を管理するために使用する「**進捗管理表**」も、ソフトウェアテストにおける重要なドキュメントの1つです。

こういった、テスト工程やテストフェーズで作られるドキュメントを総称して「**テストドキュメント**」と呼びます。テストドキュメントの内容や数は、ソフトウェアの開発規模によって異なりますが、場合によっては数千枚に及ぶこともあります。また、テストドキュメントは、テスト工程の終了時に成果物としてプロジェクトマネージャに提出することになります。

図9-2●テストフェーズとテストドキュメント

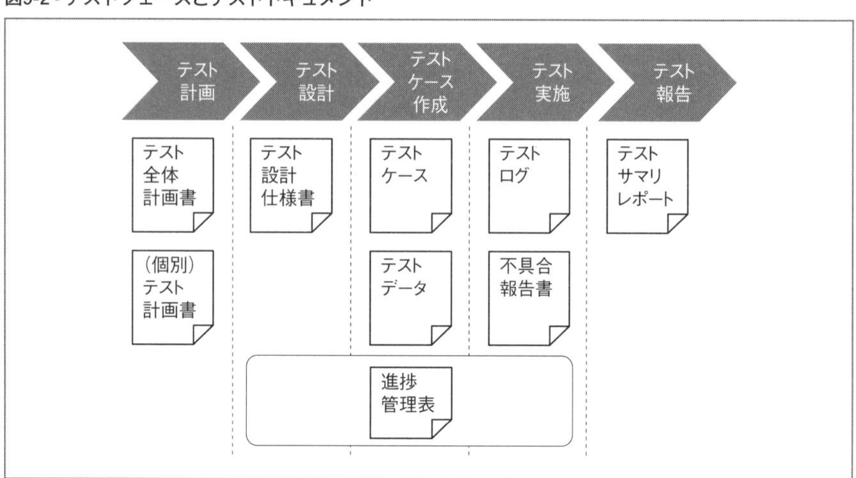

テストドキュメントの必要性

テストドキュメントは、テスト工程単位ではなく、**テストフェーズ単位**で作成します。その理由は次の２つです。

【理由1】テスト工程間で品質が劣化することを防ぐため

１つめの理由は「テスト工程間で品質が劣化することを防ぐため」です。多くの場合、テスト工程はある一定期間、複数人のチームによって進められます。その間にはさまざまなテスト工程やテストフェーズがあり、担当者も入れ替わります。このような場合に、テストドキュメントがないと、テストの目的や内容を担当者間で正確に伝達することができないため、担当者間で認識に齟齬が生じてしまい、結果的に不具合ではないものを不具合として報告してしまったり、修正する必要のない個所を修正してしまったりすることにつながります。

一方、テストドキュメントがあれば、前のテストフェーズ(テスト工程)の担当者の意図を正確に把握することができ、また、同じテストフェーズ(テスト工程)内の担当者間で認識を合わせることができます。後のテストフェーズ(テスト工程)の担当者に正確に意図を伝えることもできます。

【理由2】テスト対象のソフトウェアの品質状況を可視化するため

2つめの理由は「テスト対象のソフトウェアの品質状況を可視化するため」です。テスト計画やテスト設計、テストケース作成フェーズでは実施するテストの具体的な内容や期間などを決定します。また、テスト実施フェーズではテストケースに基づいてテストを実施します。この際、各テストフェーズでテストドキュメントを適切に作成しておけば、テストの予定と実績を対比させることで当初の計画通りにテストが実施されたかどうかを確認することができ、また、テスト対象ソフトウェアの現在の品質を正確に把握することができます。

テストドキュメントの種類

ここからは第2章で紹介した『**音楽自動切替機能付きエアロバイク**』という架空の製品開発プロジェクト(p.17)をサンプルとして用いながら、テストドキュメントの概要を説明します。

図9-3 ● 開発ドキュメント・テストドキュメントの構成図

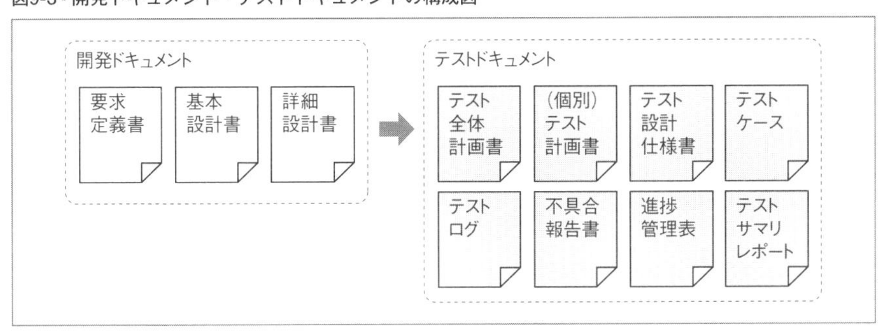

なお、開発ドキュメントについては第2章の各項目を参照してください。また、ここで紹介するサンプルは、開発の流れや各テストドキュメントの内容を理解できるようにするために簡略化しています。

テスト全体計画書

テスト全体計画書とは、対象のソフトウェアに対して行う全テスト工程の計画を記述するドキュメントです。テストの全体像を表します。主に以下の項目を記述します。

- 開発プロジェクトにおけるテスト全体の目的や方針
- テストの範囲
- テスト工程全体のスケジュール
- 対象の開発プロジェクトのテスト工程を構成する個別のテストの説明やリソースの配分
- 使用するテストツール
- テストの開始・終了条件
- テスト業務中のリスクと対策

また、この段階で本書の第2章で解説した「**機能一覧**」も作成します。

(個別)テスト計画書

(個別)テスト計画書とは、テスト工程を構成する個別のテスト工程(単体テスト、結合・機能テスト、システムテスト)の計画を記述するドキュメントです。主に以下の項目を記述します。

- テストの目的
- テスト対象の範囲
- どのようなアプローチでテストするのか
- 設備や環境、人員といった必要なリソースやスケジュール
- テスト作業の内容
- 使用するテスト技法

・テストの合否判定基準とその根拠

記述する項目はテスト全体計画書と類似していますが、**対象範囲が各テスト工程に限定される**ため、**より具体的な記述**となります。また、担当者の体制や役割分担、想定されるリスクなども具体化されます。

以下は『音楽自動切替機能付きエアロバイク』の（個別）テスト計画書の例です。ここでは機能テストの（個別）テスト計画書とシステムテストの（個別）テスト計画書を1つのドキュメントにしています。

（個別）テスト計画書

音楽自動切替機能付きエアロバイクの
機能テスト、システムテスト
（個別）テスト計画書
ID：AERO1_TPLAN（Ver.2.0.3）

1．テスト対象
- テスト対象製品　：「音楽自動切替機能付きエアロバイク」
- テスト対象機能　：「音楽メニュー」
- 前提情報　：「音楽自動切替機能付きエアロバイクの仕様書」
  - 要求定義書
  - 基本設計書

※テスト非対象　：運動メニュー、履歴メニュー

2．参照資料
- エアロバイク開発計画書　ID：AERO1_PLAN（Ver.1.1.1）
- エアロバイク仕様書　ID：AERO1_SPEC（Ver.1.0.2）

3．テストの目的および範囲

（1）システムテスト
- 対象製品の要求事項を確認する
- テスト対象製品が、ユーザーの期待する要求を満たしていることを確認する

（2）機能テスト
- 対象製品の基本機能および画面設計を確認する
- テスト対象機能がすべて実装され、要求を満たす動作を行うことを確認する

4．テストの種類とアプローチ

（1）システムテスト

◆通常利用テスト

音楽の再生中に通常利用が可能であることを確認する。
- 利用時間：5分以上、30分以下
- 停止操作（通常操作における音楽の停止操作、停止からの再生操作）を含むこと

◆操作テスト

エアロバイクで運動中にさまざまな操作を行い、問題ないことを確認する。
- 機能性に問題ないこと
- 使用性に問題ないこと
- 同じ操作を繰り返しても問題ないこと（ボタンの連打など）

◆長時間テスト

長時間利用しても、問題ないことを確認する。

- 利用時間：31 分以上（最長 120 分程度）
- 内蔵音楽の総再生時間を超えて再生し続けた場合、繰り返し再生されること

◆官能テスト

テンポ自動変更機能を利用した場合と、利用しない場合とで、運動継続のしやすさ、運動効率のよさを比較する。

- 音楽を聴いているほうが飽きるまでの時間が長いか
- 音楽を聴いているほうが疲労を感じるまでの時間が長いか
- 音楽を聴いているほうが時速は速いか

(2) 機能テスト

◆画面設計テスト

- 画面デザイン

〔利用するテスト技法〕(特になし)

- ホームメニュー、音楽メニューの画面デザイン
- 位置、色、文字の属性（フォント、大きさ、太さ、下線など）
- 図形（線の太さ、線の種類など）

- 画面遷移

〔利用するテスト技法〕状態（画面）遷移

1) ホームメニュー（音楽ボタン）⇔（ホームボタン）音楽メニュー
2) ホームメニュー（運動ボタン）⇔（ホームボタン）運動メニュー
3) ホームメニュー（履歴ボタン）⇔（ホームボタン）履歴メニュー

上記 2）3）については、音楽メニューが表示されないことを確認し、遷移後のメニュー内の動作はテスト対象外とする

◆基本機能テスト

- 音楽再生 PLAY/STOP 切替機能

〔利用するテスト技法〕デシジョンテーブル

- 音楽メニューの[PLAY]ボタン、[STOP]ボタン
- 再生 STOP でペダルをこぐと自動的に再生開始

- 音量調整機能

〔利用するテスト技法〕デシジョンテーブル

- 音楽メニューの[－]ボタン、[＋]ボタン

- 再生テンポ変更機能

〔利用するテスト技法〕デシジョンテーブル

- 音楽メニューの[スロー]ボタン、[アップ]ボタン

- テンポ自動変更機能

〔利用するテスト技法〕同値分割テスト、境界値分析、状態遷移

- 音楽メニューの[自動]ボタン

- 音楽メニュー組合せテスト

〔利用するテスト技法〕組合せテスト

再生状態、音量設定、テンポ設定、運動状態の 4 つの機能で、2 機能間の組合せ網羅テストを行う。

5. 予想不具合検出率（不具合数／テストケース数）

社内品質標準、前機種の実績データより、テストの種類ごとの予想不具合検出率を下記の通りとする。ただし、「機能テスト−基本機能テスト−再生テンポ変更機能、テンポ自動変更機能」は、新たに追加される機能であり、本製品の重要な機能であることから値を高く設定する。

(1) システムテスト

◆通常利用テスト・・・・・・・・・・・・・3.0%
◆操作テスト・・・・・・・・・・・・・・・5.0%
◆長時間テスト・・・・・・・・・・・・・・3.0%
◆官能テスト・・・・・・・・・・・・・・・3.0%

(2) 機能テスト

◆画面設計テスト

・画面デザイン・・・・・・・・・・・・・10.0%
・画面遷移・・・・・・・・・・・・・・・5.0%

◆基本機能テスト

・音楽再生 PLAY/STOP 切替機能・・・15.0%
・音量調整機能・・・・・・・・・・・15.0%
・再生テンポ変更機能・・・・・・・・20.0%
・テンポ自動変更機能・・・・・・・・20.0%
・音楽メニュー組合せテスト・・・・・5.0%

6. 留意事項

対象製品の本来の目的は、音楽を聴くことではなく、身体運動を行うことである。本テストでは、あくまでも身体運動を促進する機能としての「音楽再生」機能であることに留意してテストを行う。また、音楽再生機能の不具合により、エアロバイクによる身体運動ができなくなることがあってはならない。

7. テストアイテム

・エアロバイク（テスト対象製品）
・イヤホン（製品付属品、市販品）　※ケーブル長：1.2m

8. テストフェーズとテストドキュメント

テストは次のフェーズに従って進め、その成果としてテストドキュメントを作成する。

＜テストフェーズ＞　　　　＜テストドキュメント＞
・テスト計画・・・・・・・・・テスト計画書（本書）
・テスト設計・・・・・・・・・テスト設計書
・テストケース作成・・・・・・テストケース
・テスト実施・・・・・・・・・テストデータ、テスト結果、不具合報告書
・テスト終了・・・・・・・・・サマリレポート

9. スケジュール

テスト期間：20XX 年 1 月 5 日～ 3 月 31 日

テストの種類		1月	2月	3月
テスト全体		テスト計画→ / テスト設計完了▲	テスト実施期間▲ / （機材入手）→ / テストケース作成完了▲	テスト実施終了▲ / テスト完了→
システムテスト	通常利用テスト	テスト設計→	テストケース作成→	テスト実施→
	操作テスト	テスト設計→	テストケース作成→	テスト実施→
	長時間テスト	テスト設計→	テストケース作成→	テスト実施→
	官能テスト	テスト設計→	テストケース作成→	テスト実施→
機能テスト	画面設計テスト	テスト設計→	テストケース作成→	テスト実施→
	基本機能テスト	テスト設計→	テストケース作成→ テスト実施→	

10. テスト体制
下図の人員構成と作業分担でテストを行う。

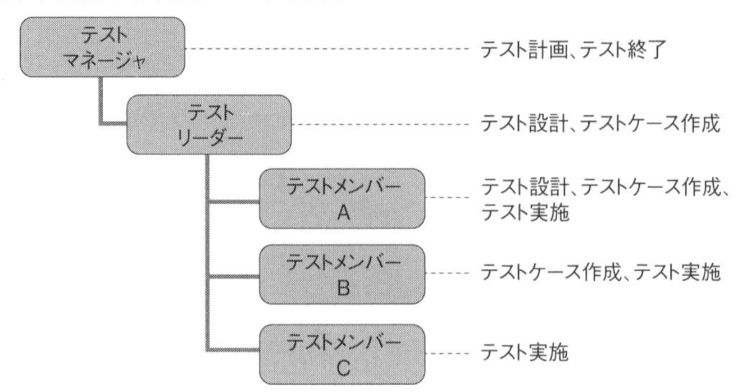

11. リスク

(1) 実利用環境との差異

<リスク>

テストはすべてエアロバイクを動作させながら実施する。しかし、ペダルを漕ぎ運動しながらすべてのテスト実施を行うのは、すぐに疲労してしまうため不可能である。実際にはエアロバイクに乗らず、ペダルを手で回しながら行うことになる。このとき、本来のユーザーの利用方法とは異なる状況でのテスト実施となるため、「エアロバイクで運動中に音楽を聴く」という状況でしか検出できない不具合を見逃してしまう恐れがある。

<対策>

以下のシステムテストは、最低限一度は実利用環境の状況でテストを行うことを条件とする。

- 通常利用テスト全般の確認
- 操作テストの使用性の確認
- 官能テストにおける運動継続のしやすさ、運動効率のよさの確認

(2) 音楽データの選定

<リスク>

テスト対象のエアロバイクで再生することができる音楽は内蔵曲だけであり、ユーザーが自由に選定できるわけではない。そのため、要求事項を確認するシステムテスト、なかでも官能テストは、テスト実施担当者の主観が判断基準となるため、適切なテスト結果が得られない恐れがある。

<対策>

製品に採用される内蔵曲の良し悪しについては、本テストでは評価しない。テスト実施においては必ず同じ曲でテストを実施し、テスト条件を一定にする。また、システムテストの官能テストは、複数人で実施し、人による違いを評価検討できるようにしておく。テストの進捗に余裕があれば、製品の内蔵曲以外で官能テストを行い、参考データとして提供する。

以上

テスト設計仕様書

テスト設計仕様書とは、各テスト工程で行われるテストに対する、以下の項目を具体的に記述したドキュメントです。

- そのテストの目的

- テスト対象機能
- テストの方法
- 使用するテスト技法
- テストの入力・出力に何を使うかの定義
- テストの実施に必要となる環境
- テストの実施手順に関する特記事項や合否判定基準

テスト設計仕様書は、**機能ごと**、あるいは**確認したいテストの目的ごと**に作成します。以下に3つのテスト設計仕様書のサンプルを掲載します。各テスト設計仕様書のなかでテスト技法がどのように記述されているのかについても確認してください。

テスト設計仕様書①：テンポ自動変更機能テスト

音楽自動切替機能付きエアロバイクの
機能テスト設計仕様書
ID：AERO1_FT_SPEC_ATCHG_01（Ver.1.0.0）

1. テスト名称
   テンポ自動変更機能テスト

2. テストの目的
   テンポ「自動」の際にペダルを漕ぐ速度によって自動的に再生曲のテンポが切り替わるかを確認する。

3. 参照資料
   ・エアロバイクテスト計画書　ID：AERO1_TPLAN（Ver.2.0.3）
   ・エアロバイク仕様書　ID：AERO1_SPEC（Ver.1.0.2）

4. テストの方法
   状態遷移図、状態遷移表に表された遷移の通りに機能することを確認する。
   【前提条件】
   ・テンポ「自動」であること
   ・速度の自動検知は再生開始から20秒周期で行われる（イベントは20秒周期で自動的に発生する）

5. 動作速度（イベント）の分析

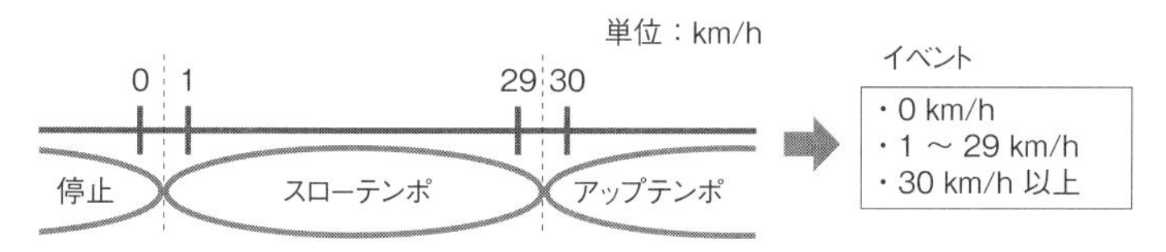

6. 状態遷移図

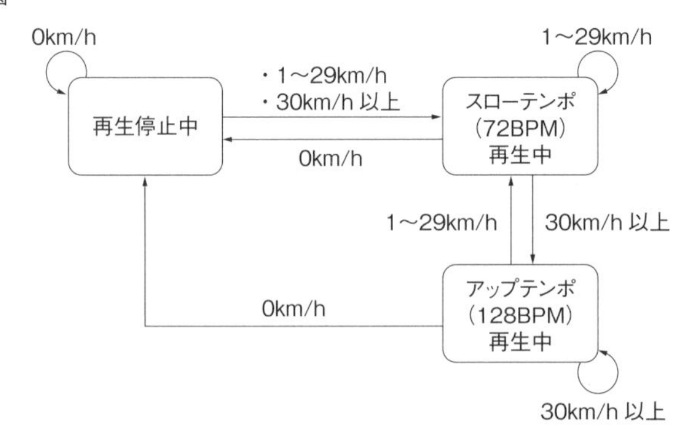

7. 状態遷移表

状態＼イベント	0km/h	1 ～ 29km/h	30km/h以上
再生停止中	—	→スローテンポ再生中	→スローテンポ再生中(注1)
スローテンポ再生中	→再生停止中	—	→アップテンポ再生中
アップテンポ再生中	→再生停止中	→スローテンポ再生中	—

【凡例】 —：遷移しない
(注1)基本メニューの基本設計より「常に“スローテンポ曲”から再生を開始する」

以上

テスト設計仕様書②：音楽メニュー組合せテスト

音楽自動切替機能付きエアロバイクの
機能テスト設計仕様書
ID：AERO1_FT_SPEC_COMBI_01 (Ver.1.0.0)

1. テスト名称
   音楽メニュー組合せテスト

2. テストの目的
   音楽メニューの項目を組合せ、さまざまな操作を行ったとき、適切に動作することを確認する。

3. 参照資料
   ・エアロバイクテスト計画書　ID：AERO1_TPLAN (Ver.2.0.3)
   ・エアロバイク仕様書　ID：AERO1_SPEC (Ver.1.0.2)

4. テストの方法
   ・音楽メニューの組合せ表のすべてのケースの操作前状態から、組合せ表の「操作」を行い、適切に動作することを確認する
   ・操作ごとに動作を確認する。操作は連続して行わず、例えば“再生”操作を行ったら、一度操作前状態に戻した後で“音量”などその他の操作を行う

5. 音楽メニューの因子水準表

因子	再生状態	音量設定	テンポ設定	運動状態
水準	停止中	1	スロー	ペダル駆動中
	再生中	2～9	アップ	ペダル停止中
		10	自動	

※各因子における水準の選択理由
再生状態　：選択可能な設定をすべて選択
音量設定　：選択可能な設定から最小、中間、最大の観点から3つを選択
テンポ設定：選択可能な設定をすべて選択
運動状態　：選択可能な設定をすべて選択

6. 音楽メニューの組合せ表
音楽メニュー項目の組合せ（All-Pairs法）と操作の一覧。

ケース	音楽メニュー項目の組合せ（操作前状態）				操作						
	再生状態	音量設定	テンポ設定	ペダル状態	再生	音量		テンポ			ペダル
1	停止中	1	スロー	駆動中	PLAY	＋			アップ	自動	駆動停止
2	再生中	1	アップ	停止中	STOP	＋		スロー		自動	駆動開始
3	再生中	2～9	スロー	駆動中	STOP	＋	－		アップ	自動	駆動停止
4	停止中	2～9	アップ	停止中	PLAY	＋	－	スロー		自動	駆動開始
5	停止中	10	自動	駆動中	PLAY		－	スロー	アップ		駆動停止
6	再生中	10	スロー	停止中	STOP		－		アップ	自動	駆動開始
7	再生中	1	自動	停止中	STOP	＋		スロー	アップ		駆動開始
8	停止中	2～9	アップ	駆動中	PLAY	＋	－	スロー		自動	駆動停止
9	再生中	2～9	自動	駆動中	PLAY	＋	－	スロー	アップ		駆動停止
10	停止中	10	アップ	停止中	STOP		－	スロー		自動	駆動開始

以上

テスト設計仕様書③：音楽再生PLAY／STOP切替機能テスト

音楽自動切替機能付きエアロバイクの
機能テスト設計仕様書
ID：AERO1_FT_SPEC_PLYSTP_01（Ver.1.0.0）

1. テスト名称
音楽再生PLAY／STOP切替機能テスト

2. テストの目的
再生機能のボタン操作、ペダルの駆動開始によって、再生状態が適切に変化することを確認する。

3. 参照資料
・エアロバイクテスト計画書　ID：AERO1_TPLAN（Ver.2.0.3）
・エアロバイク仕様書　ID：AERO1_SPEC（Ver.1.0.2）

4. テストの方法

・音楽メニューの再生機能に関するデシジョンテーブルのすべてのルールについて、デシジョンテーブルの通りに機能することを確認する

・動作結果の曲のテンポについては別途「再生テンポ変更機能テスト」で確認するため、本テストでは、再生が開始するか、終了するかのみの確認とする

5. デシジョンテーブル

記述部＼ルール		1	2	3	4	5	6
条件部	再生状態	再生中	再生中	再生中	停止中	停止中	停止中
	ペダル状態	駆動中	停止中	停止中	駆動中	停止中	停止中
	テンポ	スロー、アップ	スロー、アップ	スロー、アップ	スロー、アップ	スロー、アップ	自動
	音楽メニュー再生イベント	STOP押下	STOP押下	ペダル駆動開始	PLAY押下	PLAY押下	ペダル駆動開始
動作部	再生開始／終了	終了	終了	ー	開始	開始	開始

【凡例】 ー：変化しない

以上

テストケース作成のための中間成果物

テスト設計仕様書の作成前後で、以下のドキュメントも作成することをお勧めします。

- 機能動作確認一覧
- テストマップ
- テスト明細

これらのドキュメントは、機能仕様を元にテストケースを生成していくために作成します。それぞれ解説していきます。

機能動作確認一覧

機能動作確認一覧を作成する狙いは、大きく分けて２つあります。

1. テスト対象から検証すべき機能を抽出するため。ここでは「目的機能」と呼ぶ
2. 抽出した目的機能に対して、テストの大まかな内容を案出するため。ここでは「確認内容」と呼ぶ

下図は「ログイン機能」を例にした機能動作確認一覧のイメージ図です。なお、「できる」操作のことを**Must系**、「できない」操作のことを**Never系**と呼びます。

図9-4 ● 機能動作確認一覧

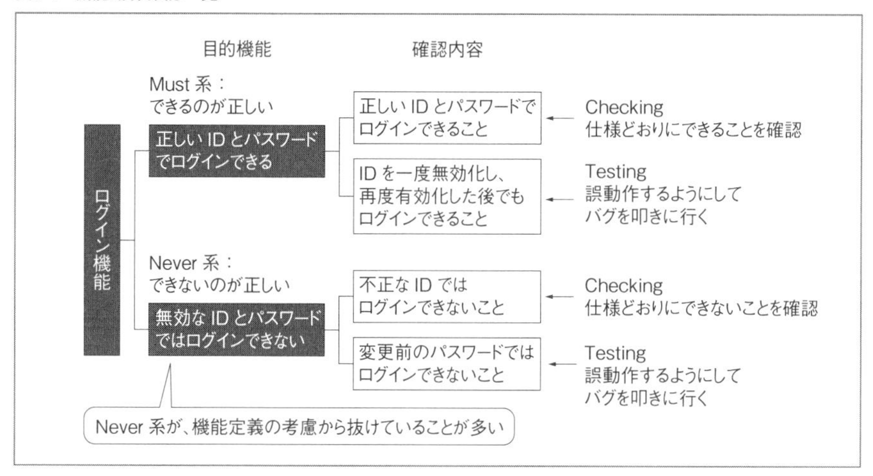

上図の例では、ログイン機能の目的機能として次の２つを挙げています。

- 正しいIDとパスワードでログインできる（Must系）
- 無効なIDとパスワードではログインできない（Never系）

上記のように、ログイン機能一つを取り上げても「**ログインできる／ログインできない**」の両面を抽出します。

テストを設計するうえでは、Never系が特に重要です。なぜなら、Never系の機能は機能仕様書などに十分に記載されていないため、Never系のほうに不具合が多く残っている傾向があるためです。

続いて、抽出したMust系とNever系の目的機能に対して、**確認内容**（どのようなテストを行うか）を案出します。確認内容には次の２つの系統があります。

- 正しく動作することを確認するための確認内容（Checking系）
- 誤動作するような条件を考えて、バグを出しに行くための確認内容（Testing系）

このように、目的機能をMust系とNever系で捉え、さらに確認内容をChecking

系とTesting系に分けて案出することで、抜けや漏れなく、バグを抽出できるテストを設計できるようになります。**表9-1**はエアロバイクの音楽メニューに関する機能動作確認一覧です。

表9-1 ● 機能動作確認一覧

No.	中項目	小項目	機能要件(要求/リスクベース)	確認内容	備考
1-1-1	音楽メニュー	—	音楽を再生することができる	さまざまな設定で音楽を再生できること	考慮する条件 音楽再生状態、音量設定、テンポ設定、運動状態
1-2-1-1		音楽再生PLAY/STOP切替機能	音楽の再生を開始することができる	「PLAY」ボタン押下で音楽の再生が出来ること	考慮する条件 ペダルの状態、音楽の再生テンポ
1-2-1-2				音楽が停止しているとき、ペダルをこぐと音楽が再生されること	考慮する条件 ペダルの状態、音楽の再生テンポ
1-2-2-1			音楽の再生を停止することができる	音楽の停止ができること	考慮する条件 ペダルの状態、音楽の再生テンポ
1-3-1		音量調整機能	音量を上げることができる	音量が一定量上がること	考慮する条件 音楽再生状態、変更する前の音量、変更する音量
1-3-2			限界以上に音量を上げることができない	音量が一定量以上、上がらないこと	考慮する条件 音楽再生状態、変更する前の音量、変更する音量
1-3-3			音量を下げることができる	音量が一定量下がること	考慮する条件 音楽再生状態、変更する前の音量、変更する音量
1-3-4			限界以上に音量を下げることができない	音量が一定量以上、下がらないこと	考慮する条件 音楽再生状態、変更する前の音量、変更する音量
1-3-5			音量が変更されたことがわかる	変更した音量が画面に表示されること	考慮する条件 音楽再生状態、変更する前の音量、変更する音量
1-4-1-1		再生テンポ変更機能	音楽のテンポを手動で変更できる	テンポを変更できること	考慮する条件 音楽再生状態、変更する前のテンポ
1-4-1-2				テンポの変更を自動から手動に変更できること	考慮する条件 音楽再生状態、変更する前のテンポ
1-4-2			音楽のテンポが自動で変更されるように設定できる	テンポを変更を手動から自動に変更できること	考慮する条件 音楽再生状態、変更する前のテンポ
1-4-3			テンポが変更されたことがわかる	変更したテンポが画面に表示されること	考慮する条件 音楽再生状態、変更する前のテンポ
1-5-1-1		テンポ自動変更機能	音楽のテンポが自動で変更される	停止しているときは、音楽が再生されないこと	・停止=時速0km ・考慮する条件 音楽再生状態、運動状態
1-5-1-2				速度がゆっくりのときは、スローテンポで音楽が再生されること	・ゆっくり=時速29km以下 ・考慮する条件 音楽再生状態、運動状態
1-5-1-3				速度が速いときはアップテンポで音楽が再生されること	・速い=時速30km以上 ・考慮する条件 音楽再生状態、運動状態

テストマップ

テストマップとは、洗い出した**機能動作確認一覧**と**テスト観点**を用いてマトリクスにしたものです。以下は『音楽自動切替機能付きエアロバイク』のテストマップです。横軸がテスト観点、縦軸が機能です*1。

図9-5 • テストマップ

					テスト観点					
					No	1-1-1	1-2	2-1	2-2-1	2-2-2
					大分類	画面設計テスト		基本機能テスト		
					中分類	画面デザイン	画面遷移	入力確認	動作確認	
					小分類	—	—	ボタン	機能動作	状態遷移
テスト対象機能	No	大項目	中項目	小項目						
	1-1	ホームメニュー	—	—		○	○	—	—	—
	1-2		運動メニュー	—		NT	○	NT	NT	NT
	1-3		履歴メニュー	—		NT	○	NT	NT	NT
	1-4-1		音楽メニュー	—		○	○	—	○	—
	1-4-2			音楽再生 PLAY/STOP 切替機能		—	—	○	○	—
	1-4-3			音量調整機能		—	—	○	○	—
	1-4-4			再生テンポ変更機能		—	—	○	○	—
	1-4-5			テンポ自動変更機能		—	—	○	○	○

特記事項

・画面デザインのテストは、ホームメニューと音楽メニューが対象
・運動メニュー、履歴メニューは、画面遷移のみをテストする

重要度

○：実施
△：実施検討
ー：実施不可
NT：実施なし

上記のようなテストマップを作ることで、テストの全体が見渡せるようになります（どの機能に対して、どのようなテストを行うのか）。その結果、大きな抜けや漏れを防止するとともに、「どのテストを重点的に行うべきか」といった、力の配分を調整できるようになります。

テスト明細

上記のドキュメントをもとにして、テストに必要な要素をまとめます。具体的に

*1　テストマップの詳細な説明は第2章で解説しているのでここでは割愛します（p.35）。

は**テスト対象の設定値**や、**入力値のパターン**などを抽出し、テストケース数を求めていきます。そうして、テスト明細からテストケースの作成へとつなげていきます。

テンポ自動変更機能テストに関するテスト明細

音楽自動切替機能付きエアロバイクの機能テスト テスト明細
ID：AERO1_FT_DETAIL_ATCHG_01 (Ver.1.0.0)

1. テスト名称
テンポ自動変更機能テスト

2. テストの目的
テンポ「自動」の際にペダルを漕ぐ速度によって自動的に再生曲のテンポが切り替わるかを確認する。

3. 参照資料
・エアロバイクテスト計画書　ID：AERO1_TPLAN (Ver.2.0.3)
・エアロバイク仕様書　ID：AERO1_SPEC (Ver.1.0.2)
・エアロバイクテスト設計仕様書　ID：AERO1_FT_SPEC_ATCHG_01 (Ver.1.0.0)

4. テストパラメータ
・使用するテストパラメータ

	実施条件	操作
因子	再生曲の「テンポ」	動作速度
水準	再生停止中	0km/h
	スローテンポ再生中	1 ～ 29km/h
	アップテンポ再生中	30km/h

※テストパラメータの選択については、テスト設計仕様書の5. イベント(動作速度)分析を参照。

・組合せ方法
状態遷移を網羅するように、再生曲の「テンポ」と動作速度の各水準を1回ずつ組合せる。
(状態遷移図・状態遷移表については、テスト設計仕様書を参照。)

〈テストパラメータ組合せ〉

No.	実施条件	操作
1	再生停止中	0km/h
2	再生停止中	1 ～ 29km/h
3	再生停止中	30km/h
4	スローテンポ再生中	0km/h
5	スローテンポ再生中	1 ～ 29km/h
6	スローテンポ再生中	30km/h
7	アップテンポ再生中	0km/h
8	アップテンポ再生中	1 ～ 29km/h
9	アップテンポ再生中	30km/h

5. テストケースの件数見積もり
9件

音楽メニュー組合せテストに関するテスト明細

音楽自動切替機能付きエアロバイクの機能テスト　テスト明細
ID：AERO1_FT_DETAIL_COMBI_01 (Ver.1.0.0)

1. テスト名称
音楽メニュー組合せテスト

2. テストの目的
音楽メニューの項目を組合せ、さまざまな操作を行ったとき、適切に動作することを確認する。

3. 参照資料
・エアロバイクテスト計画書　　ID：AERO1_TPLAN (Ver.2.0.3)
・エアロバイク仕様書　　ID：AERO1_SPEC (Ver.1.0.2)
・エアロバイクテスト設計仕様書　ID：AERO1_FT_SPEC_COMBI_01 (Ver.1.0.0)

4. テストパラメータ
・使用するテストパラメータ

	実施条件				操作			
因子	再生状態	音量設定	テンポ設定	運動状態	再生	音量	テンポ	ペダル
水準	停止中	1	スロー	ペダル稼働中	PLAY	＋	スロー→自動	駆動停止
	再生中	2-9	アップ	ペダル停止中	STOP	−	アップ→自動	駆動開始
		10	自動			＋→−	スロー→アップ	

※テストパラメータの選択については下記の通り。
・実施条件
再生状態：選択可能な設定をすべて選択
音量設定：選択可能な設定から最小、中間、最大の観点から 3 つを選択
テンポ設定：選択可能な設定をすべて選択
運動状態：選択可能な設定をすべて選択
・操作
再生：選択可能な操作をすべて選択
音量：「+」、「−」の双方を選択する。
　ただし、音量設定が最大または最小の時は、それぞれ「−」、「+」のみとする。
テンポ：前提条件で指定されているテンポ以外への変更を選択
ペダル：選択可能な操作をすべて選択

・組合せ方法
音楽メニュー項目（再生状態・音量設定・テンポ設定・運動状態）を All-Pairs 法を用いて、2 因子間網羅を満たすように組合せる。
〈テストパラメータ組合せ〉

No.	実施条件				操作						
	再生状態	音量設定	テンポ設定	ペダル状態	再生	音量		テンポ			ペダル
1	停止中	1	スロー	駆動中	PLAY	＋			アップ	自動	駆動停止
2	再生中	1	アップ	停止中	STOP	＋		スロー		自動	駆動開始
3	再生中	2～9	スロー	駆動中	STOP	＋	−		アップ	自動	駆動停止
4	停止中	2～9	アップ	停止中	PLAY	＋	−	スロー		自動	駆動開始
5	停止中	10	自動	駆動中	PLAY		−	スロー	アップ		駆動停止
6	再生中	10	スロー	停止中	STOP		−		アップ	自動	駆動開始
7	再生中	1	自動	停止中	STOP	＋		スロー	アップ		駆動開始
8	停止中	2～9	アップ	駆動中	PLAY	＋	−	スロー		自動	駆動停止
9	再生中	2～9	自動	駆動中	PLAY	＋	−	スロー	アップ		駆動停止
10	停止中	10	アップ	停止中	STOP		−	スロー		自動	駆動開始

5. テストケースの件数見積もり
54 件

音楽再生　PLAY/STOP切り替え機能テストに関するテスト明細

音楽自動切替機能付きエアロバイクの機能テスト　テスト明細
ID：AERO1_FT_DETAIL_PLYSTP_01 (Ver.1.0.0)

1. テスト名称
音楽再生 PLAY ／ STOP 切替機能テスト

2. テストの目的
再生機能のボタン操作、ペダルの駆動開始によって、再生状態が適切に変化することを確認する。

3. 参照資料
・エアロバイクテスト計画書　ID：AERO1_TPLAN (Ver.2.0.3)
・エアロバイク仕様書　ID：AERO1_SPEC (Ver.1.0.2)
・エアロバイクテスト設計仕様書　ID：AERO1_FT_SPEC_PLYSTP_01 (Ver.1.0.0)

4. テストパラメータ
・使用するテストパラメータ

	実施条件			操作
因子	再生状態	ペダル状態	テンポ	音楽メニュー再生イベント
水準	停止中	駆動中	スロー	PLAY押下
	再生中	停止中	アップ	STOP押下
		自動	ペダル駆動開始	

※テストパラメータの選択については下記の通り。
・実施条件
再生状態：選択可能な設定をすべて選択
ペダル状態：選択可能な状態をすべて選択
テンポ設定：選択可能な設定をすべて選択
・操作
音楽メニュー再生イベント：選択可能な操作をすべて選択

・組合せ方法
音楽メニューの再生状態に関連する項目に関して、すべての組合せを網羅するようにデシジョンテーブルを用いて組合せる。テンポ設定がスロー、アップの時それぞれで、各音楽メニュー再生イベントでの動作を確認できるケースを対象とする。テンポ設定が自動の時はペダルの駆動開始により、音楽再生が開始することを確認するケースを対象とする。
〈テストパラメータ組合せ〉

No.		1	2	3	4	5	6	7	8	9	10	11
条件	再生状態	再生中	再生中	再生中	再生中	再生中	再生中	停止中	停止中	停止中	停止中	停止中
	ペダル状態	駆動中	駆動中	停止中	駆動中	停止中	停止中	駆動中	駆動中	停止中	停止中	停止中
	テンポ設定	スロー	アップ	スロー	アップ	スロー	アップ	スロー	アップ	スロー	アップ	自動
	音楽メニュー再生イベント	STOP押下	STOP押下	STOP押下	STOP押下	ペダル駆動開始	ペダル駆動開始	PLAY押下	PLAY押下	PLAY押下	PLAY押下	ペダル駆動開始
動作	再生開始/終了	終了	終了	終了	終了	-	-	開始	開始	開始	開始	開始

5. テストケースの件数
11件

テストケース

テストケースは、テスト実施時に必要となる情報を記述するドキュメントです。主に以下の項目を記述します。

- 事前条件
- 具体的な入力値
- テスト実施手順
- 期待結果(ソフトウェアの動作後に予想される結果)
- テスト実施結果(期待結果に記載された通りの動作結果が得られたかどうかの判定結果)

テストケースはテスト設計仕様書やテスト明細に基づいて作成され、テスト担当者はテストケースにしたがってテストを実施します。

テストログ

人手によるテストでは、テストケースを片手にテストを実施し、判定欄にテスト実施結果(「○/×」や「OK/NG」など)を書き込みます。このテストケースにテスト実施結果が記録されたものを「**テストログ**」と呼びます。テストケースとは別に管理されることもあります。

テストログには以下の項目を記載し、テスト実施当時の条件を後から確認したり、再現したりできるようにしておきます。

- テスト実施結果(判定欄の記入)
- テスト実施時のテスト環境の情報
- テスト対象ソフトウェアのバージョン

- テストで使用したソフトウェアのビルド番号
- 実施担当者名および実施日
- 使用したテストデータ

また、テスト実施結果が期待結果の通りにならず、欠陥と思われる現象に遭遇した場合はそのことを「不具合報告書」に記載しますが、この際、どのテストケースを実施してその不具合を発見したのかがわかるよう、テストログに不具合番号(No.)を記録しておきます。

テストログ①

テスト名称
テンポ自動変更機能

◆準備手順
・エアロバイクにイヤホンを接続し、耳に装着する。
・「ホームメニュー」で「音楽」ボタンを押下し、「音楽メニュー」を表示する。
・「テンポ」自動を押下する。

No.	操作	期待結果	判定	実施日	実施者	不具合No.	備考欄
1	再生停止中から、ペダル駆動速度を0km/hにする。	再生停止中のままである。	○	2月17日	鈴木		
2	再生停止中から、ペダル駆動速度を1～29km/hにする。	スローテンポ曲の再生を開始する。	○	2月17日	鈴木		
3	再生停止中から、ペダル駆動速度を30km/hにする。	スローテンポ曲の再生を開始する。	○	2月17日	鈴木		
4	・ペダル駆動速度を1～29km/hにし、スローテンポ曲の再生状態にする。 ・ペダル駆動状態を0km/hにする。	再生を停止する。	○	2月18日	中村		
5	・ペダル駆動速度を1～29km/hにし、スローテンポ曲の再生状態にする。 ・ペダル駆動状態を1～29km/hを維持する。	スローテンポ曲の再生状態のままである。	○	2月18日	中村		
6	・ペダル駆動速度を1～29km/hにし、スローテンポ曲の再生状態にする。 ・ペダル駆動状態を30km/hにする。	再生曲がアップテンポ曲に切り替わる。	○	2月18日	中村		
7	・ペダル駆動速度を30km/h以上にし、アップテンポ曲の再生状態にする。 ・ペダル駆動状態を0km/hにする。	再生を停止する。	○	2月18日	中村		
8	・ペダル駆動速度を30km/h以上にし、アップテンポ曲の再生状態にする。 ・ペダル駆動状態を1～29km/hにする。	再生曲がスローテンポ曲に切り替わる。	×	2月18日	中村	6	
9	・ペダル駆動速度を30km/h以上にし、アップテンポ曲の再生状態にする。 ・ペダル駆動状態を30km/hにする。	アップテンポ曲の再生状態のままである。	×	2月18日	中村	7	

テストログ②

テスト名称
音楽メニュー組合せ

◆準備手順
・エアロバイクにイヤホンを接続し、耳に装着する。
・「ホームメニュー」で「音楽」ボタンを押下し、「音楽メニュー」を表示する。

No.	組合せケース	音楽メニューの操作				操作	期待結果			判定	実施日	実施者	不具合No.	備考欄
		再生状態	音量設定	テンポ設定	ペダル状態		動作	言語表示	テンポ					
1	1	停止中	1	スロー	駆動中	PLAYボタンを押下する	再生を開始する	1	スロー	○	2月21日	中村		
2		停止中	1	スロー	駆動中	「+」ボタンを押下する	「再生」ボタンを押下すると、1段階上がった音量で再生を開始する	2	スロー	○	2月21日	中村		
3		停止中	1	スロー	駆動中	「アップ」ボタンを押下する	「再生」ボタンを押下すると、再生を開始する	1	アップ	○	2月21日	中村		
4		停止中	1	スロー	駆動中	「自動」ボタンを押下する	「再生」ボタンを押下すると、再生を開始する	1	スロー	○	2月21日	中村		
5		停止中	1	スロー	駆動中	ペダルの駆動を停止する	再生停止の状態を維持する	1	—	×	2月21日	中村	8	
6	2	再生中	1	アップ	停止中	「STOP」ボタンを押下する	再生を停止する	1	—	○	2月21日	鈴木		
7		再生中	1	アップ	停止中	「+」ボタンを押下する	音量が1段階上がる	2	アップ	○	2月21日	鈴木		
8		再生中		アップ	停止中	「スロー」ボタンを押下する	スローテンポ曲に切り替わる	1	スロー	○	2月21日	鈴木		
9		再生中	1	アップ	停止中	「自動」ボタンを押下する	20秒以内に再生を停止する	1	—	○	2月21日	鈴木		
10		再生中	1	アップ	停止中	ペダルの駆動を停止する	再生中の状態を維持する	1	アップ	○	2月21日	鈴木		
11	3	再生中	2〜9	スロー	駆動中	「STOP」ボタンを押下する	再生を停止する	操作前の音量と同じ	—	○	2月22日	鈴木		音量2
12		再生中	2〜9	スロー	駆動中	「+」ボタンを押下する	音量が1段階上がる	操作前の音量+1	スロー	○	2月22日	鈴木		音量2
13		再生中	2〜9	スロー	駆動中	「−」ボタンを押下する	音量が1段階下がる	操作前の音量—1	スロー	○	2月22日	鈴木		音量5
14		再生中	2〜9	スロー	駆動中	「アップ」ボタンを押下する	アップテンポ曲に切り替わる	操作前の音量と同じ	アップ	×	2月22日	鈴木	9	音量6
15		再生中	2〜9	スロー	駆動中	「自動」ボタンを押下する	再生中の状態を維持する(20秒以内にペダル駆動速度に応じたテンポに切り替わる)	操作前の音量と同じ	スロー	○	2月22日	鈴木		音量8
16		再生中	2〜9	スロー	駆動中	ペダルの駆動を停止する	再生中の状態を維持する	操作前の音量と同じ	スロー	○	2月22日	鈴木		音量9
⋮	⋮	⋮	⋮	⋮	⋮		⋮	⋮	⋮	⋮	⋮	⋮		⋮

テストログ③

テスト名称
音楽再生 PLAY/STOP 切替機能

◆準備手順
・エアロバイクにイヤホンを接続し、耳に装着する。
・「ホームメニュー」で「音楽」ボタンを押下し、「音楽メニュー」を表示する。

No.	操作				期待結果	判定	実施日	実施者	不具合No.	備考欄
	再生状態	ペダル状態	テンポ	再生イベント						
1	再生中	駆動中	スロー	「STOP」ボタンを押下	再生が停止する（音楽が鳴り止む）	○	2月14日	佐藤		
2	再生中	駆動中	アップ	「STOP」ボタンを押下	再生が停止する（音楽が鳴り止む）	○	2月14日	佐藤		
3	再生中	停止中	スロー	「STOP」ボタンを押下	再生が停止する（音楽が鳴り止む）	○	2月14日	佐藤		
4	再生中	停止中	アップ	ペダル駆動開始	再生が停止する（音楽が鳴り止む）	○	2月14日	佐藤		
5	再生中	停止中	スロー	ペダル駆動開始	再生し続ける（再生中のまま）	○	2月14日	佐藤		
6	再生中	停止中	アップ	「PLAY」ボタンを押下	再生し続ける（再生中のまま）	○	2月14日	佐藤		
7	停止中	駆動中	スロー	「PLAY」ボタンを押下	再生が開始する（音楽が鳴り始める）	○	2月14日	鈴木		
8	停止中	駆動中	アップ	「PLAY」ボタンを押下	再生が開始する（音楽が鳴り始める）	×	2月14日	鈴木	1	
9	停止中	停止中	スロー	「PLAY」ボタンを押下	再生が開始する（音楽が鳴り始める）	○	2月14日	鈴木		
10	停止中	停止中	アップ	「PLAY」ボタンを押下	再生が開始する（音楽が鳴り始める）	×	2月14日	鈴木	2	
11	停止中	停止中	自動	ペダル駆動開始	再生が開始する（音楽が鳴り始める）	○	2月14日	鈴木		

不具合報告書

不具合報告書は、テストの過程で検出された不具合を記載するドキュメントです。通常は、テスト実施中にテストケースの期待結果と一致しない事象が発生した場合に作成します。

また、テストケースに記載されていないものでも、**テスト実施者が問題であると判断した事象や調査や修正が必要であると判断した事象**が発生した場合にも不具合報告書を作成することがあります。

不具合報告書には、主に次の項目を記述します。

- 検出日
- 検出者名(不具合報告者名)
- 検出された環境・手順
- 再現性
- ランク(影響の大きさ、重大度)

不具合報告書が作成されると、開発エンジニアはその内容を調査し、必要であれば対処します。不具合の修正後には、開発エンジニアによって以下の項目が記載されます。

- 不具合の分類(ソフトウェアの欠陥、開発仕様書の誤り、テストの誤りなど)
- 不具合の原因
- 影響範囲
- 修正の対応状況
- どのように修正したのか

その後、その欠陥を検出したテスト担当者が再度動作を確認し、正しく修正されていることを確認し、NG(または×)になっているテストケースのテスト実施結果(判定)欄を、OK(または○)に更新します。実際には、一度NGと判定された項目であることがわかるように、NGを残したままOKを追記します。

なお、調査の結果、不具合報告書の内容が**開発仕様書の記述誤り**や、**テストケースまたはテストデータの誤り**、**テスト実施の操作誤り**といった、ソフトウェアの欠陥ではない場合もあります。そのため、不具合の原因が確定し、ソフトウェアの欠陥として認められるまでは、その事象は欠陥ではなく**不具合**として取り扱われます。

不具合報告書

不具合No.	1	2		6	7	8
状態	完了	完了	…	完了	完了	完了
報告者名	鈴木	鈴木	…	中村	中村	中村
報告日	2月14日	2月14日	…	2月18日	2月18日	2月21日
検出日	2月14日	2月14日	…	2月18日	2月18日	2月21日
検出H/W環境	試作機A	試作機A	…	試作機C	試作機C	試作機B
検出S/W Ver.	0.8.2	0.8.2	…	0.8.5	0.8.5	0.8.6
テストの種類	音楽再生PLAY/STOP切替機能	音楽再生PLAY/STOP切替機能	…	テンポ自動変更機能	テンポ自動変更機能	音楽メニュー組合せ
テストケースNo.	8	10	…	9	9	5
ランク	B	B	…	B	B	C
タイトル	「PLAY」ボタンを押下しても再生されない	「PLAY」ボタンを押下しても再生されない	…	テンポ「自動」で再生中に、ペダル駆動速度を30km/h以上から29km/h以下に減速すると再生が停止してしまう	テンポ「自動」で再生中に、ペダル駆動速度を30km/h以上を維持しているのに、スローテンポ曲に切り替わってしまう	再生停止中にペダルの駆動を停止すると、画面が一瞬フラッシュしてしまう
詳細	次の状態で「PLAY」ボタンを押下しても再生が開始されない。 ・再生状態：停止中 ・ペダル駆動状態：駆動中 ・テンポ：アップ 不具合No. 2と同様の現象	次の状態で「PLAY」ボタンを押下しても再生が開始されない。 ・再生状態：停止中 ・ペダル駆動状態：停止中 ・テンポ：アップ 不具合No. 1と同様の現象	…	1）テンポ「自動」に設定し、ペダルを駆動する。 →スローテンポ曲が再生される。 2）ペダルの駆動速度を30km/h以上にする →20秒経過後、アップテンポ曲に切り替えられる。 3）ペダル駆動速度を29km/h以下に減速する。 →20秒経過後、スローテンポ曲に切り替えられるはずが、再生が停止してしまう。	1）テンポ「自動」に設定し、ペダルを駆動する。 →スローテンポ曲が再生される。 2）ペダルの駆動速度を30km/h以上にする →20秒経過後、アップテンポ曲に切り替えられる。 3）ペダル駆動速度を30km/h以上で20秒以上維持する →3)の後、20秒経過後、アップテンポ曲の再生を継続するはずが、スローテンポ曲に切り替わってしまう。	次の状態でペダルの駆動を停止すると、画面が一瞬フラッシュする（真っ黒になった後、元の表示に戻る） ・再生状態：停止中 ・音量設定：1 ・テンポ：スロー ・ペダル状態：駆動中 類似した（音量設定、テンポが異なるだけ）テストケースNo.27、43では発生しない。
回避方法	「スロー」ボタンを押下し、「PLAY」ボタンを押下する。	「スロー」ボタンを押下し、「PLAY」ボタンを押下する。	…	手動（「スロー」「アップ」ボタン押下）で再生曲のテンポ切り替える。	手動（「スロー」「アップ」ボタン押下）で再生曲のテンポ切り替える。	なし。
再現率	毎回	毎回	…	毎回	毎回	テスト実施10回中4回発生
参照資料	なし	なし	…	なし	なし	なし

MEMO

最近は、不具合を管理する際に、上記のような不具合報告書ではなく、「Redmine」や「JIRA」「Backlog」などの**バグ管理システム**（Bug Tracking System）を利用している人も増えています。バグ管理システムを利用すれば、バグや不具合の修正状況などを簡単に管理したり、共有したりできるので便利です。

なお、不具合報告書を利用する場合であっても、バグ管理システムを利用する場合であっても**「不具合を適切に管理する」**という目的は同じですし、記載する項目も同じです。どの方法で不具合を管理するかについては、事前に開発担当者やテスト担当者の間で検討してください。

進捗管理表

進捗管理表は、テスト設計、テストケース作成、テスト実施といったテストフェーズの各作業が、テスト計画で定めた予定に対して、どの程度進捗しているかを管理するために作成するドキュメントです。テスト実施中の進捗管理では、予定期日までにテスト実施を完了できるかどうかを管理し、遅れているのであれば、どのような対策を講じるのかを考えます。

具体的には次の項目を記述し、進捗管理を行います。

- テスト計画で定めた実施予定のテストケース総数に対する実施済みテストケース数の割合
- 合格(判定＝OK)項目数
- 不合格(判定＝NG)項目数
- 実施不可能な項目数

進捗管理表からは、テストケースの数だけでなく、発見された不具合をもとにして**品質状況**も把握します。具体的には発見された不具合について以下のような視点で確認を行います。

- 想定した不具合数に対して実際の不具合数が多いのか、少ないのか
- 不具合が発見された時期に問題ないか
- テスト対象ソフトウェアに大きな影響を与える不具合が多く発見されていないか
- 前の個別のテスト工程で発見されているべき不具合が検出されていないか

確認した結果、実際の状況がテスト計画で予想した状況と異なる場合は、テスト計画の見直しや、プロジェクトマネージャや開発チームとの調整が必要になる場合があります。そうした事態になる兆候をいち早く察知するためにも、進捗管理をしっかりと行うことが必要となるのです。

進捗管理表

音楽自動切替機能付きエアロバイク機能テスト
進捗報告書
3月度
報告日　202X年3月10日(木)
報告者　山田太郎

1. スケジュール

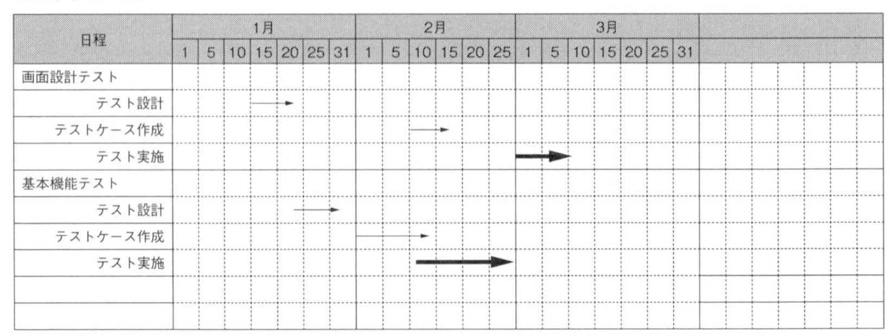

日程	1月							2月						3月													
	1	5	10	15	20	25	31	1	5	10	15	20	25	1	5	10	15	20	25	31							
画面設計テスト																											
テスト設計																											
テストケース作成																											
テスト実施																											
基本機能テスト																											
テスト設計																											
テストケース作成																											
テスト実施																											

2. 報告書

テスト日程状況			
	テスト開始日	202×年1月12日	
	テスト終了日	202×年3月9日	
	テスト期間稼働日	40	日
	残稼働日数	0	日

●テスト実施(評価)

総項目数	141	項目
有効項目数	140	項目
OK件数	127	項目
NG件数	13	項目
QA（質問）件数	0	項目
保留件数	0	項目
テスト不要件数	1	項目
消化件数	140	項目
未実施件数	0	項目
実施進捗率	100.0	%
目標進捗率	100.0	%
達成率(進捗率/目標進捗率)	100.0	%

NG報告件数(内訳)

有効不具合	13	件
ランクA	2	件
ランクB	6	件
ランクC	5	件
		件
		件
		件
		件
QA		件
合計	13	件

テストシート	総項目数	有効項目数	OK	NG	QA	保留	不要	未実施	目標進捗
音楽再生PLAY/STOP切替機能	11	11	9	2	0	0	0	0	100.0%
音量調節機能	12	12	10	2	0	0	0	0	100.0%
再生テンポ変更機能	6	5	4	1	0	0	1	0	100.0%
テンポ自動変更機能	9	9	7	2	0	0	0	0	100.0%
音楽メニュー組合せ	54	54	52	2	0	0	0	0	100.0%
画面遷移	16	16	15	1	0	0	0	0	100.0%
画面デザイン	33	33	30	3	0	0	0	0	100.0%
合計	141	140	127	13	0	0	1	0	100.0%

テストサマリレポート

テストサマリレポートは、テスト結果を要約したドキュメントです。テスト計画に沿って設計されたテストを実施した結果として得られた進捗情報や不具合情報に基づいて、**考察**や**提案**を記述します。具体的には以下の項目を記述します。

- 総合評価(テスト計画で設定した合否基準を満たしているか)
- 進捗管理表に記載されている各種データ(実施項目数、テスト消化率、実施工数など)
- 不具合データ(検出不具合件数、重大度別の不具合件数など)の集計データ
- テスト対象ソフトウェアのリリース後に懸念されるリスク
- 次期プロジェクトで計画通りにテストを遂行したり、効率化を図ったりするための推奨事項

テストサマリレポート

音楽自動切替機能付きエアロバイクの
機能テスト
サマリレポート

1. 総合評価（A：達成、B：条件付き達成、C：未達成）
   (1) 不具合評価：B
   ・検出数と修正
   計画通りの不具合を検出し、一部の妥当な根拠のある不具合を除き、修正が完了している。
   計画と差異があるテストについては、原因を分析し、差異の理由が確認できている。
   ・検出時期
   ・テスト期間の中盤で不具合が検出されない時期が続いていた
   ・テスト終了間近でランクAの不具合を検出している
   ・検出された不具合について、デグレードを起こす修正がなされていないことを、再度確認することを条件に達成とする

   (2) 進捗評価：A
   十分な品質のテスト設計、テストケースに基づき、計画通りにテスト実施を開始し、終了している。

総合評価：B

上記「(1) 検出時期」とも関連するが、テスト終盤で不具合が検出されたため、不具合が検出されないことを確認する期間が不十分である。既存の「基本機能テスト」のテストケースを利用して再度テスト実施し、不具合が検出されない時期が今後2日間（すでに2日間検出されていないので計4日間）以上継続することを条件に達成とする。

2. テスト結果の要約
   2. 1　不具合データの要約
   (1) テスト項目数と不具合数

テストの種類	有効なテスト項目数	OK	NG（不具合数）	修正済不具合数	未修正不具合数
音楽再生PLAY/STOP切替機能	11	9	2	2	0
音量調節機能	12	10	2	2	0
再生テンポ変更機能	5	4	1	1	0
テンポ自動変更機能	9	7	2	2	0
音楽メニュー組合せ	54	52	2	1	1
画面遷移	16	15	1	1	0
画面デザイン	33	30	3	3	0
合計	140	127	13	12	1

NG（不具合数）について
140項目のテストケースを実施し、13件の不具合を検出した。不具合は1件を除いてすべて修正済みである。未修正の1件（不具合No.8）の不具合ランクはCであり、実用上支障をきたさない不具合である。また利用者が不具合に遭遇する確率も低いため、修正しなくとも機能テストの終了条件を妨げるものではなく、次期製品での修正対応で問題ないと考える。

(2) 不具合検出率

テストの種類	有効なテスト項目数	NG（不具合数）	不具合検出率	予想検出率
音楽再生PLAY/STOP切替機能	11	2	18.2%	15.0%
音量調節機能	12	2	16.7%	15.0%
再生テンポ変更機能	5	1	20.0%	20.0%
テンポ自動変更機能	9	2	22.2%	20.0%
音楽メニュー組合せ	54	2	3.7%	5.0%
画面遷移	16	1	6.3%	5.0%
画面デザイン	33	3	9.1%	10.0%
合計	140	13	9.3%	15.0%

「音楽メニュー組合せ」「画面デザイン」を除き、予想検出率を大幅に超過することのない範囲で検出できているため、テストは有効である。予想を下回っているテストに関しても、以下の理由から有効である。

- 音楽メニュー組合せ
  - 組合せテスト自体が稀な条件で生じる不具合を検出する目的で行われるテストであること
  - 検出された 2 件の不具合は、この組合せテストでしか検出できない不具合であること
- 画面デザイン
  - 予想検出率にきわめて近似値であること
  - 予想検出率を満たすのに足りない不具合数は 1 件であること

(3) 不具合ランク別分類

テストの種類	NG（不具合数）	ランクA	ランクB	ランクC
音楽再生PLAY ／ STOP切り替え機能	2		2	
音量調節機能	2		1	1
再生テンポ変更機能	1		1	
テンポ自動変更機能	2		2	
音楽メニュー組合せ	2	1		1
画面遷移	1	1		
画面デザイン	3			3
合計	13	2	6	5

ランクごとの検出不具合数に偏りは見られない。「音楽再生 PLAY ／ STOP 切り替え機能」、「音量調節機能」、「再生テンポ変更機能」、「テンポ自動変更機能」については、ごく基本的な機能確認テストであるため、ランク A が検出されていなくても問題ない。また、「画面デザイン」については、誤字脱字など、利用上の品質に大きく影響しない不具合の検出が基本となるため、ランク C のみの検出で問題ない。

(4) 日別検出不具合数グラフと不具合検出数累積グラフ

■日別検出不具合数グラフ

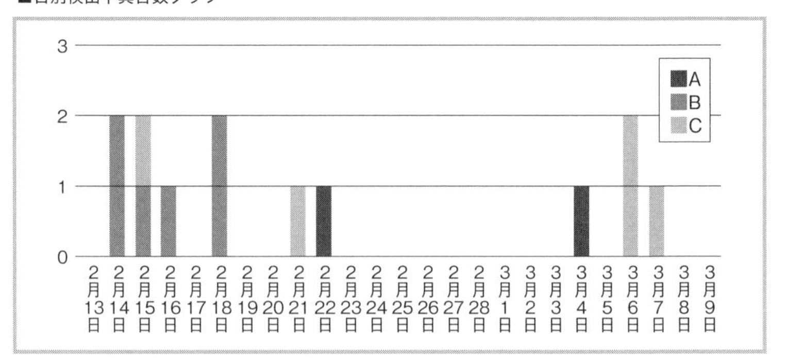

・ランク A の不具合は、中盤、終盤で検出されている
・ランク B の不具合は、初期で検出されている
・ランク C の不具合は、初期、中盤、終盤で検出されている

■不具合検出数累積グラフ

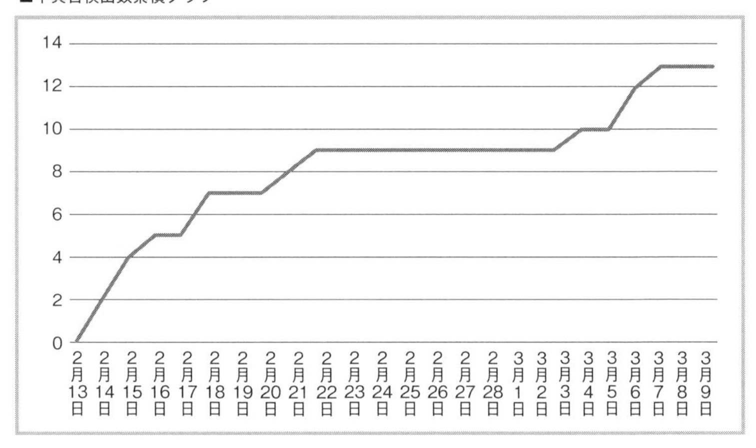

・2 月 23 日～ 3 月 3 日の間、不具合は検出されていない時期がある

不具合が検出されていない時期に実施していたテストは、「音楽メニュー組合せテスト」、「画面遷移テスト」である。それらのテストは予想検出率の低いテストであり、その後に実施した「画面デザインテスト」はそれらよりも予想検出率が高いテストである。
テスト実施の順番としては、「画面デザインテスト」、「画面遷移テスト」、「音楽メニュー組合せテスト」の順に実施すべきであった。そうすることで 3 月 4 日に検出されているランク A の不具合が、早い時期（中期）に検出されることになり、より品質リスクを低減することが可能になる。しかしながら、不具合一件一件について、内容を精査したところ、両グラフのテスト結果は特に大きな品質リスクとはならないと考えられる。

2. 2　進捗データの要約

(1) 作業日程

テストの種類	1月	2月	3月
画面設計テスト			
計画	テスト設計	テストケース作成	テスト実施
実績	1/12　1/19	2/5　2/12	3/1　3/9
基本機能テスト			
計画	テスト設計	テストケース作成　テスト実施	
実績	1/20　1/27	2/1　2/12 2/13　2/28	

画面設計テスト、基本機能テストともにテスト設計の開始日、終了日に遅延が発生した。理由は開発ドキュメントのリリースが遅れたためである。その後のテストケース作成、テスト実施は計画通りに進捗した。また、各工程に要する所要日数は計画通りであった。このことから、リソースの調達、配分、能力は適切であった。

3. リスクの状況

(1) 実利用環境との差異

テスト計画「リスク」の項では、テスト担当者の疲労を考慮し、手回しでのエアロバイク動作を想定していたが、今回の機能テストの実施は、すべて実利用環境（エアロバイクに騎乗し、足でペダルを漕ぐ運動動作）と同じ状況で実施された。

(2) 音楽データの選定

再生される音楽の楽曲は機能テストの対象外であるが、「テスト対象製品が、ユーザーの期待する要求を満たすことを確認する」というシステムテストレベルの不具合の早期発見に努めた。

テスト担当者の偏りがなく、1つのテストの種類を複数のテスト担当者にテストケースを割り振って、テストを実施した。また、同じテストの種類のなかでは同一条件で同一の楽曲が再生されるようテストを実施した。結果3名のテスト担当者が機能テストの実施を担当したが、機能テストの範囲においては、要求事項に関する問題は検出されなかった。

4. 次期プロジェクトの推奨事項

機能テストの結果より、テストの種類の実施順序について、次期プロジェクトでは再度検討すること。テスト実施中でも、不具合が検出されない期間が2日以上継続した場合は、その時点でテストプロジェクトマネージャがテストの実施に問題ないかを確認し、問題があればテスト計画を見直すこと。

以上

ISO/IEC/IEEE 29119のテストドキュメント項目

ここまで、各テストドキュメントの役割を説明してきました。また、エアロバイクのサンプルドキュメントを例に用いて、各ドキュメントの具体的な記述内容例を掲載してきました。

ここでは、**ISO/IEC/IEEE 29119**[*2]で紹介されているテストドキュメントの項目を一部抜粋して紹介します。これらを参考にして各ドキュメントを作成してもよいと思います。なお、項目名称が本書で用いたものと異なる場合は名称末尾の( )内に本書で採用した名称を記しています。

MEMO

ISO/IEC/IEEE 29119では、各ドキュメントの「共通記載項目」として、以下の項目が提示されています。

・概要　　：背景や沿革など
・識別番号：各ドキュメントを識別する番号
・発行組織：発行組織および作成者
・承認権限：レビューア及び承認者
・変更履歴：変更日と変更内容、変更者
・はじめに
　ー対象範囲：ドキュメントの対象範囲と非対象範囲
　ー参照　　：(例)開発仕様書、法令規格書など
　ー用語　　：プロジェクト共通で使用される用語など

表9-2 ● テスト計画書(個別のテスト計画)の概要

項目番号	内容
1	共通記載項目
2	テストの状況
2.1	テスト計画書のタイプ
2.2	テストアイテム
2.3	テスト対象範囲
2.4	前提条件と制限事項
2.5	ステークホルダ
3	テストコミュニケーションライン
4	リスク登録簿
5	テスト戦略
5.1	テストサブプロセス
5.2	テスト成果物
5.3	テスト設計技法
5.4	テスト終了基準
5.5	収集するメトリクス
5.6	テスト成果物
5.7	テストデータ要件
5.8	テスト環境要件
5.9	再テストとリグレッションテスト
5.10	中断基準と再開基準
5.11	組織のテスト戦略からの逸脱
6	テストアクティビティと見積り
7	スケジュール
8	人員配置
8.1	役割、タスク、責任
8.2	必要なトレーニング
8.3	必要な雇用

＊2　ISO/IEC/IEEE 29119のテストドキュメントに関する規格については、以下を参照してください。
ISO/IEC/IEEE 29119Software Testing Standards
URL https://www.iso.org/search.html?q=29119

表9-3 ● テスト設計仕様書の概要

項目番号	内容
1	共通記載項目
2	フィーチャーセット
2.1	概要
2.2	識別番号
2.3	目的
2.4	優先度
2.5	具体的な戦略
2.6	トレーサビリティ

項目番号	内容
3.	テスト条件
3.1	概要
3.2	識別番号
3.3	説明
3.4	優先度
3.5	トレーサビリティ

本書では、ISO/IEC/IEEE 29119で定められているテストケース仕様書、テスト手順仕様書について紹介します。

表9-4 ● テストケース仕様書（テストケース）の概要

項目番号	内容
1	共通記載項目
2	テストカバレッジアイテム
2.1	概要
2.2	識別番号
2.3	説明
2.4	優先度
2.5	トレーサビリティ
3	テストケース
3.1	概要

項目番号	内容
3.2	識別番号
3.3	目的
3.4	優先度
3.5	トレーサビリティ
3.6	前提条件
3.7	インプット
3.8	期待結果
3.9	実際の結果

表9-5 ● テスト手順仕様書（テストケース）の概要

項目番号	内容
1	共通記載項目
2	テストセット
2.1	概要
2.2	識別番号
2.3	目的
2.4	優先度
2.5	テストケース

項目番号	内容
3	テスト手順
3.1	概要
3.2	識別番号
3.3	目的
3.4	優先度
3.5	開始
3.6	テストケース
3.7	他の手順との関係
3.8	停止と終了

MEMO

多くの場合、テスト手順仕様書のフォームには「テストの実施結果」とOK/NG判定の「テスト結果」が含まれます。

表9-6●インシデントレポート（不具合報告書）の概要

項目番号	内容
1	共通記載項目
2.1	概要
2.2	タイミング情報
2.3	作成者
2.4	状況
2.5	インシデントの説明
2.6	作成者による重要度の評価
2.7	作成者による優先度の評価
2.8	リスク
2.9	インシデントのステータス（open, fixed など）

表9-7●テスト完了報告書（サマリレポート）の概要

項目番号	内容
1	共通記載項目
2.1	スコープ
2.2	実施したテスト
2.3	計画からのかい離
2.4	テスト完了の評価
2.5	進捗阻害要因
2.6	テスト測定
2.7	残存リスク
2.8	テスト成果物
2.9	再利用可能なテスト資産
2.10	教訓

テストプロジェクトにおける役割分担

ここまで解説した各種テストドキュメントは、**すべてテスト担当者が作成します**。しかし、一口にテスト担当者といっても、プロジェクトチームの組織体系のなかでの役割はさまざまです。そこで、ここでは一般的な役割分担やテストプロジェクトチームの構成例を紹介します。

図9-6 ● テストプロジェクトチームの構成例

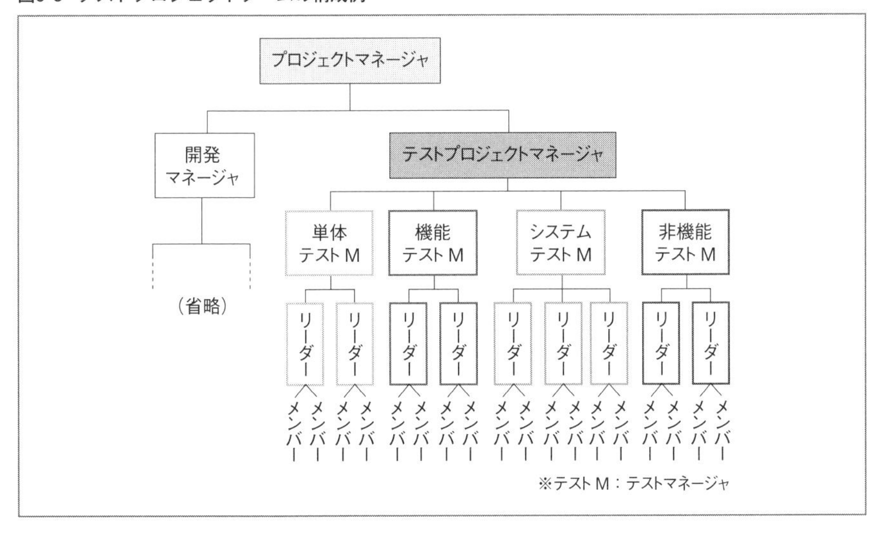

表9-8 ● テスト実施における役割分担

役割	説明
プロジェクトマネージャ（PM）	開発工程からテスト工程までプロジェクト全体を統括し、開発されるソフトウェアの品質について責任を負う
テストプロジェクトマネージャ（TPM）	テストプロジェクト全体に関わることを判断する。テスト工程を構成する個別のテストのTMを管理する
テストマネージャ（TM）	個別のテストの範囲内に関わることを判断する。個別のテストを遂行するために構成されたテストチームのTLを管理する
テストリーダー（TL）	テストチーム内のテストメンバーへ作業指示を出したり、管理したりしながら、テストチームに割り当てられたテストを遂行する
テストメンバー	テストリーダーの指示の下、テスト業務を行う

ここでは、組織を理解しやすくするために大きなプロジェクトを例にしているため、4種類の管理職とメンバーによるテストプロジェクトチームの構成となっていますが、中規模、小規模のプロジェクトでは、PMとTPMが兼任になったり、TMとTLが兼任になったりすることがあります。他にも、機能テストのTMが機能テストの終了後に、そのままシステムテストのTMに着任するというように複数工程を兼任する場合もあります。

また単体テストは、テストとしてはTPMの管轄に含まれますが、実際の作業は開発マネージャの管理のもとで開発エンジニアが行います。

各管理職の工程別作業とドキュメント

テストの計画・設計・実行における各管理職とメンバーが受け持つ作業と担当するドキュメントを下図にまとめます。

図9-7●テストドキュメントの作成分担

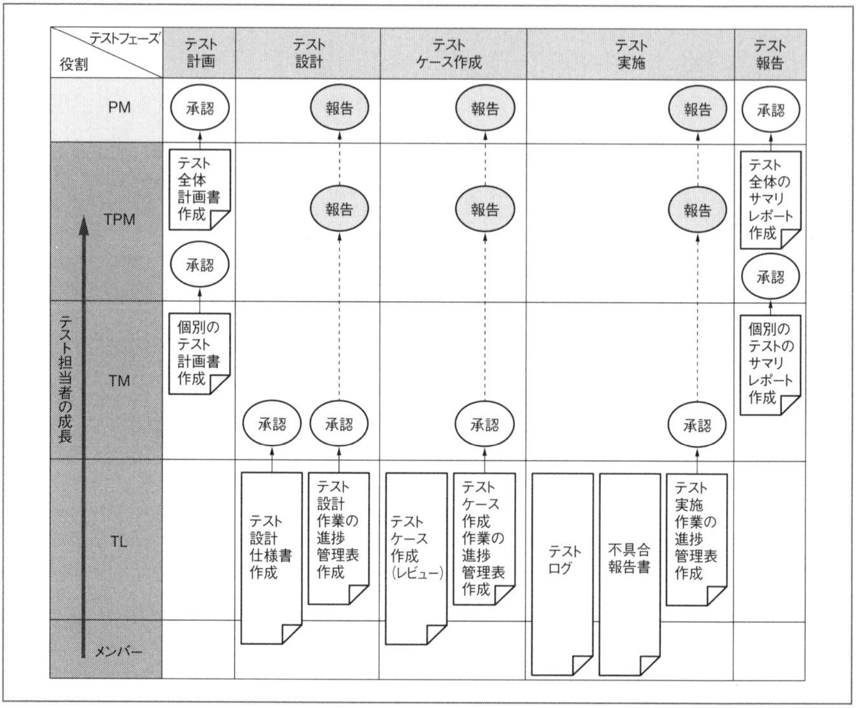

役割＼テストフェーズ	テスト計画	テスト設計	テストケース作成	テスト実施	テスト報告
PM	承認	報告	報告	報告	承認
TPM	テスト全体計画書作成 承認	報告	報告	報告	テスト全体のサマリレポート作成 承認
TM	個別のテスト計画書作成	承認 承認	承認	承認	個別のテストのサマリレポート作成
TL		テスト設計仕様書作成 テスト設計作業の進捗管理表作成	テストケース作成（レビュー） テストケース作成作業の進捗管理表作成	テストログ 不具合報告書 テスト実施作業の進捗管理表作成	
メンバー					

テスト担当者の成長

なお、図内の役割分担は「**主に作成を担当する**」という意味であり、記載のないテストドキュメントをまったく作成しない、あるいは作成してはいけないというわけではありません。プロジェクトの規模や構成に応じて適宜役割分担を行ってください。

テスト計画

テスト全体計画書はTPMが立案・作成し、PMが承認します。また、個別のテスト計画書は、担当する各TMが作成し、TPMが承認します。

テスト設計

テスト設計仕様書は、TLを中心にテスト設計ができるメンバーが作成し、TMが承認します。TMは承認だけでなく、TLが作成するテスト設計作業の進捗管理表で、自身が策定した個別のテスト計画書の予定と実績に差異が生じていないかを確認します。進捗管理表は各段階で集計されながら、TMからTPMへ、TPMからPMへと報告され、テスト全体の進捗管理に利用されます。

テストケース作成

テストケースはTLとメンバーが作成します。なお、実際のテストの現場では、テスト設計仕様書まではプロジェクトとしての公式な承認プロセスを踏みますが、承認されたテスト設計仕様書に基づいて作成されるテストケースに対しては承認を行わない場合があります(上図でもテストケースに対する承認は明記していません)。これは、テストケースにはテスト実施手順を細かく記述する必要があるために、その分量が多くなるからです。この場合、テストケースの品質は確認(レビュー)によって担保されます。

また、テスト設計と同様に、TLによってテストケース作成作業の進捗管理表が作成され、TMに提出されます。TMは自身が策定した個別のテスト計画書の予定と実績に差異が生じていないかを確認します。進捗管理表は各段階で集計されながら、TMからTPMへ、TPMからPMへと報告され、テスト全体の進捗管理に利用されます。

テスト実施

テストを実施するのはTLとメンバーです。テストケースにしたがってテストを実施します。テストの実施結果はテストログとなります。また、テスト実施中に不具合を発見した場合は不具合報告書を作成します。報告された不具合が欠陥と認められ、ソフトウェアが修正された場合は、その不具合を報告した人が適切に修正されたことを確認し、そのことを不具合報告書に追記します。

テスト設計フェーズと同様に、TLによってテスト実施作業の進捗管理表が作成され、TMに提出されます。TMは自身が策定した個別のテスト計画書の予定と実績に差異が生じていないかを確認します。進捗管理表は各段階で集計されながら、TMからTPMへ、TPMからPMへと報告され、テスト全体の進捗管理やテスト対象の品質状況の把握に利用されます。

テスト報告

個別のテストのサマリレポートは、担当する各TMが作成し、TPMが承認します。また、テスト全体のサマリレポートは、TPMが作成し、PMが承認します。

なお、どちらのテストサマリレポートにも、進捗情報や不具合の件数情報として、各テストフェーズで作成される進捗管理表の集計結果を記載する必要があります。そのため、各テストフェーズの進捗管理表にはテストサマリレポートに必要な情報を記載しておく必要があります。

Chapter 10 テストドキュメントの正しい書き方

本章では、ソフトウェアテストにおいて、多く作成することになる「**テスト設計仕様書**」と「**テストケース**」、そして「**不具合報告書**」について、それぞれの悪い例と改善例を示しながら、これらのドキュメントを作成する際のポイントを解説します。

表10-1 ● テストドキュメントを作成する際に留意すべきポイント

ドキュメントの種類	留意すべきポイント
テスト設計仕様書	・追跡性・関連性(p.243) ・定義の理由(p.248) ・記述の粒度(p.252) ・規模(p.255)
テストケース	・追跡性・関連性(p.258) ・テスト実施のしやすさ(p.261) ・記述の粒度(p.263) ・フォーマット(p.267)

テスト設計仕様書：追跡性・関連性

テスト設計仕様書を作成する際は、**追跡性・関連性**に留意する必要があります。テスト設計仕様書における追跡性・関連性とは、テスト設計仕様書を見ることで、作成時に前提となった開発仕様書や上位ドキュメント(テスト計画書など)、また、作成時に参照した関連ドキュメント(類似機能の別のテスト設計仕様書など)がどのドキュメントなのかを識別できることです。

どのテストドキュメントも単独では存在しません。テスト設計仕様書の上位にはテスト計画書があります*1。また、一定規模以上のソフトウェアになると、機

*1 テスト設計仕様書は、テスト計画書の内容に沿って作成されます。そのため、テスト計画書のほうがテスト設計仕様書よりも上位にあるといえます。

能テストやシステムテストといったテスト工程ごとや、性能テストやユーザビリティテストといったテストの種類ごとに、複数のテスト設計仕様書が作成されます。このように1つのプロジェクト内に複数のテスト設計仕様書や関連ドキュメントが存在するため、テスト設計仕様書を作成する際は以下の手順にしたがって情報を追加し、追跡性・関連性を持たせる必要があります。

(1)各ドキュメントに識別番号を付与する

まず、各ドキュメントにそれぞれを容易に識別できる**ユニークな(唯一の)ドキュメント名称**や**ドキュメントID**を付与し、記載します。IDを付与するのは、よく似た名称のドキュメントと混同しないようにするためです。

また、一種類のテスト設計仕様書でも、時間の経過とともに変更が加えられるため、ドキュメントが作成された時期を識別できるようにするためにバージョン番号も付与します。

(2)関連性のあるドキュメントの情報を記載する

次に、各テスト設計仕様書に「**関連性のあるドキュメント**」の情報(ドキュメント名称やドキュメントIDなど)を記載します。関連性のあるドキュメントとは、上位ドキュメントであるテスト計画書や、テスト対象の開発仕様書、類似機能を持つ他のテスト設計仕様書などです。

この手順によってテスト設計仕様書に追跡性・関連性を持たせることができ、このドキュメントを使用する人が関連する別のテストドキュメントを参照しやすくなります。

例えば、テスト設計仕様書のレビュー中にテスト設計の内容がテストの目的に沿っているかを確認したくなった場合は、テスト設計仕様書に記載されているテスト計画書の識別情報を見ることで、すぐに参照すべきドキュメントを見つけることができます。

図10-1 ● ドキュメントの関連性・追跡性

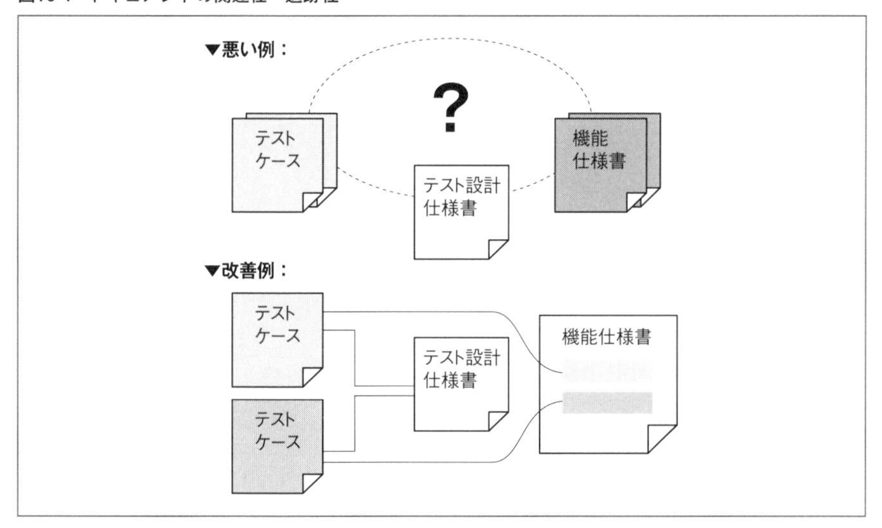

なお、このことは**他のテストドキュメントにおいても同様**です。ここではテスト設計仕様書を対象に説明していますが、テスト計画書やテストケースにもそれぞれの関連ドキュメントを記載しましょう。各テストドキュメントに追跡性・関連性を持たせると、ドキュメント作成者以外の人でも比較的容易に関連ドキュメントを確認できるため、全体の作業効率が向上します。また、誤ったドキュメントを参照したり、使用したりすることが抑制されます。

「追跡性・関連性」に関する具体例

以下に関連性の記載が不十分なテスト設計仕様書と、その改善例を示します。次のテスト設計仕様書の問題点は主に以下の2点です。

- 「音楽自動切替機能付きエアロバイクの機能テスト設計書」としか書かれておらず、このドキュメントを識別するIDやバージョンが記載されていない
- 「3. 参照資料」にも関連ドキュメントのIDやバージョンが記載されていない

テスト設計仕様書（悪い例）

音楽自動切替機能付きエアロバイクの
機能テスト設計仕様書

ドキュメントIDやバージョンが記載されていない

1. テスト名称
   テンポ自動変更機能テスト

2. テストの目的
   テンポ「自動」の際にペダルを漕ぐ速度によって自動的に再生曲のテンポが切り替わるかを確認する。

3. 参照資料
   ・エアロバイクテスト計画書
   ・エアロバイク仕様書

ドキュメントIDやバージョンが記載されていない

4. テストの方法
   状態遷移図、状態遷移表に表された遷移の通りに機能することを確認する。
   【前提条件】
   ・テンポ「自動」であること
   ・速度の自動検知は再生開始から 20 秒周期で行われる（イベントは 20 秒周期で自動的に発生する）

（省略）

これらの問題点を解決するために以下の点を改善しました。

- テスト設計仕様書にIDとバージョンを付与する
- 「3. 参照資料」にはドキュメント名に加え、ドキュメントのIDとバージョンも記載する

テスト設計仕様書（改善後）

音楽自動切替機能付きエアロバイクの
機能テスト設計仕様書
ID：AERO1_FT_SPEC_ATCHG_01 (Ver.1.0.0)

ドキュメントIDとバージョンを記載する

1. テスト名称
   テンポ自動変更機能テスト

2. テストの目的
   テンポ「自動」の際にペダルを漕ぐ速度によって自動的に再生曲のテンポが切り替わるかを確認する。

3. 参照資料
   ・エアロバイクテスト計画書　ID：AERO1_TPLAN (Ver.2.0.3)
   ・エアロバイク仕様書　ID：AERO1_SPEC (Ver.1.0.2)

ドキュメントIDとバージョンを記載する

4. テストの方法
   状態遷移図、状態遷移表に表された遷移の通りに機能することを確認する。
   【前提条件】
   ・テンポ「自動」であること
   ・速度の自動検知は再生開始から 20 秒周期で行われる（イベントは 20 秒周期で自動的に発生する）

（省略）

このようにドキュメントIDやバージョンを明記することで、誰でも確実に関連資料を見つけ出せるようになります。その他、テスト設計仕様書の「追跡性・関連性」に関する注意点を以下にまとめます。

正しいドキュメントIDやバージョンを記載する

関連ドキュメントの識別情報を記載する際、間違ったドキュメントIDやバージョンを記載しないようにしましょう。記号や数字の入力間違いは気づきにくく、一字の記載誤りでまったく異なるドキュメントを指し示すことになります。

最新のドキュメントを参照する

作成後に修正が加えられてドキュメントのバージョンが変わっているかもしれません。**参照時には、記載されているバージョンよりも新しいドキュメントが存在しないかを確認しましょう**。たいていの場合は、参照ドキュメントのバージョンが変わると、同時に影響のある関連ドキュメントも更新されますが、更新による影響がない場合は参照ドキュメントのバージョン情報が更新されない場合もあります。

正確な識別情報を記載する

上記の例ではドキュメント単位で識別情報を記載していますが、**ドキュメント内の特定箇所**を参照部分として明示する場合は、そのドキュメント内のどの部分であるかが特定できるような識別情報を記載しましょう。例えば、**章節番号**や**図表番号**などを記述します。

なお、**ページ番号**はドキュメント修正時に変わる可能性があるので識別情報には向いていません。また、同じ理由でドキュメントを修正する場合は、元の章節番号や図表番号が変わらないようにしましょう。

識別情報の表記方法を統一する

ドキュメントの識別情報の**表記方法**を統一しましょう。テストドキュメントに限らず、プロジェクトの初期段階で開発プロジェクト全体のドキュメントの体系や構成を定めておくことが重要です。

テスト設計仕様書：定義の理由

テスト設計仕様書には、テストに関するさまざまな事項の**定義**を記載します。この際、各定義に必ず「**なぜそのように定義したのか**」の理由を記載するようにしてください。テスト設計仕様書に定義の理由を記載すると以下のようなメリットがあります。

理由を考えることが習慣になる

定義の理由を記載するようにすると、テスト設計仕様書に何かを書こうとするたびにその理由を考えなければならなくなるため、**理由を考えること**が習慣になります。理由を考えるようになると、これまでは無意識のうちに当たり前だと思っていた定義の内容が、思いのほか曖昧だったり、明確でなかったりすることに気づくことがあります。このような曖昧さに、テスト設計仕様書を作成する段階で気づくことができれば、具体的な理由を記述するための情報収集や合意形成といったアクションを自発的に取れるようになります。

テスト設計仕様書の内容を理解できるようになる

定義の理由を記載しておくと、テスト設計仕様書の作成者だけでなく、開発エンジニアやテストケースの作成者といった第三者もその内容をより深く理解できるようになります。テストケースの作成者が仕様をより深く理解することができれば、適切なテストケースを作成することにつながります。それればかりか、古い情報に基づいた定義であったり、定義に誤りがあったりした場合に、テストケースの作成者がその誤りに気づくこともできます。

また、作成者自身のための備忘録にもなります。たとえ作成者であっても、大量に作成されるテストドキュメントのすべての定義とその理由を記憶しておくことは不可能です。定義を書いた時点では明確な理由があっても、数十日、数カ月後に読み返すと、作成者自身でさえ、なぜこの定義にしたのか忘れてしまっていることがあります。定義の理由を記述しておけば、このような事態を防ぐことができます。

レビューを効率的に行うことができる

理由が記載されていないテスト設計仕様書のレビューでは、その定義に至った理由や、その条件を選んだ理由などを問う質問が多数上がってしまい、本来レビューで行うべき指摘に至らないことがあります。一方、理由が記載されていれば、質問・回答のやり取りを軽減できるため、効率的にレビューを行うことができます。

また、定義の理由が明記されているドキュメントをレビューする場合は、指摘する側も指摘理由を明記する傾向にあるため、より根拠が明確なレビューを行うことができます。

テストを効率的に行うことができる

テスト担当者がテストケースに関する疑問を抱いた場合、まずテストケースの基となったテスト設計仕様書を参照して疑問を解決しようとします。この際、参照したテスト設計仕様書に定義の理由が記載されていれば、多くの場合で疑問は解決されます。

一方、理由が記載されていない場合は、テストケースの作成者やテスト設計仕様書の作成者に問い合わせることになるため、お互いの手間が増え、貴重な時間を浪費することになります。

「定義の理由」に関する具体例

以下に定義の理由が不明確なテスト設計仕様書と、その改善例を示します。次のテスト設計仕様書の問題点は主に以下の点です。

- テストケース作成のもとになる音楽メニュー項目(組合せ表の操作前状態)の抽出方法が不明確。各項目が選択された理由が記載されていないため、組合せ表の妥当性を判断することができない

テスト設計仕様書（悪い例）

（省略）

4．テストの方法

・音楽メニューの組合せ表のすべてのケースの操作前状態から、組合せ表の「操作」を行い、適切に動作することを確認する

・操作ごとに動作を確認する。操作は連続して行わず、例えば“再生”操作を行ったら、一度操作前状態に戻した後で“音量”などその他の操作を行う

> 組合せ表にある音楽メニュー項目の抽出方法や設定値の選択方法が記載されていない

5．音楽メニューの組合せ表

音楽メニュー項目の組合せ（All-Pairs 法）と操作の一覧。

ケース	音楽メニュー項目の組合せ（操作前状態）				操作						
	再生状態	音量設定	テンポ設定	ペダル状態	再生	音量		テンポ			ペダル
1	停止中	1	スロー	駆動中	PLAY	＋			アップ	自動	駆動停止
2	再生中	1	アップ	停止中	STOP	＋		スロー		自動	駆動開始
3	再生中	2～9	スロー	駆動中	STOP	＋	−		アップ	自動	駆動停止
4	停止中	2～9	アップ	停止中	PLAY	＋	−	スロー		自動	駆動開始

（省略）

これらの問題点を解決するために、以下の点を改善しました。

- 組合せを行う「因子水準表」を記載する
- 水準に設定した値の選択理由を記載する

テスト設計仕様書（改善後）

（省略）

4．テストの方法

・音楽メニューの組合せ表のすべてのケースの操作前状態から、組合せ表の「操作」を行い、適切に動作することを確認する

・操作ごとに動作を確認する。操作は連続して行わず、例えば“再生”操作を行ったら、一度操作前状態に戻した後で“音量”などその他の操作を行う

> 因子水準表を記載する

5．音楽メニューの因子水準表

因子	再生状態	音量設定	テンポ設定	運動状態
水準	停止中	1	スロー	ペダル駆動中
	再生中	2～9	アップ	ペダル停止中
		10	自動	

※各因子における水準の選択理由

再生状態　：選択可能な設定をすべて選択

音量設定　：選択可能な設定から最小、中間、最大の観点から 3 つを選択

テンポ設定：選択可能な設定をすべて選択

運動状態　：選択可能な設定をすべて選択

> 水準に設定した値の選択理由を記載する

6. 音楽メニューの組合せ表
音楽メニュー項目の組合せ（All-Pairs 法）と操作の一覧。

ケース	音楽メニュー項目の組合せ（操作前状態）				操作						
	再生状態	音量設定	テンポ設定	ペダル状態	再生	音量		テンポ			ペダル
1	停止中	1	スロー	駆動中	PLAY	＋			アップ	自動	駆動停止
2	再生中	1	アップ	停止中	STOP	＋		スロー		自動	駆動開始
3	再生中	2～9	スロー	駆動中	STOP	＋	－		アップ	自動	駆動停止
4	停止中	2～9	アップ	停止中	PLAY	＋	－	スロー		自動	駆動開始

（省略）

このように各定義に対して理由を明記することで、適切なテストを行うことが可能になります。その他、テスト設計仕様書の「**定義の理由**」に関する注意点を以下にまとめます。

作成方法や流用元の情報も記載する

理由の記述を補うために、**作成方法**や**流用元**の情報も記載しましょう。これらの情報が記載されていれば、作成したテスト設計仕様書に不備や不足があった際に、テスト設計の考え方に問題があったのか、そもそもの作成方法や流用元に問題があったのかを判断できます。

例えば、テスト対象の**機能一覧表**を作成する場合に、他のドキュメントに掲載されている機能一覧を流用することがありますが、機能一覧はさまざまなドキュメントで使用されており、かつその内容（対象機能数や分類方法など）はドキュメントごとに少しずつ異なります。そのため、**どのドキュメントの機能一覧を流用したのかを記載しておくことが重要**になります。流用元の識別情報が記載してあれば、何らかの不備や不足が発覚した場合でもすぐに流用元のドキュメントを確認できるので手間を省くことができます。

テスト対象外とする項目の情報も明記する

テスト設計仕様書には、テスト対象の情報だけでなく、**テスト対象外とする項目の情報**（項目の内容や対象外とする理由）も記載しましょう。テスト設計仕様書にテスト対象の情報しか記載されていない場合、それですべてなのか、一部の項目のみ抽出してテストを行おうとしているのかがわかりません。対象外にする項目がある場合は、理由を付けて明記することをお勧めします。

テスト対象外にする理由には「**別のテスト工程で行うため**」「**予算やスケジュールの関係上**」「**品質上問題がないことが確認できているため**」などが挙げられます。それらをテスト設計仕様書に記載しておき、レビュー時に対象外とした判断が適切かを確認します。

また、対象外とするテストがない場合でも必ず機能一覧表の形式で表しましょう。機能一覧表を用いず「**すべての機能**」とだけ記載してしまうと、新規に追加された機能すべてなのか、既存機能を含むすべての機能なのかがわかりにくく、解釈によってテストの範囲が大きく変わってしまいます。範囲を指し示す言葉では誤解が生じやすいので明確に記載することが重要です。

テスト設計仕様書：記述の粒度

テスト設計仕様書を記述する際は「**記述の粒度**」に配慮する必要があります。粒度とは、**記述内容の詳しさ、細かさ**のことです。テスト設計仕様書はテストケースの作成者をはじめさまざまな人に参照されます。このとき、あまりに簡略化した抽象的な記述だと、読み手によってさまざまな解釈ができるため誤解が生じる危険性が高まります。また反対に、多くの読み手がすでに知っていることを詳細に記述しすぎると、必要な情報を読み取るのに時間がかかってしまいます。**ドキュメントは詳しく書いてあるほどよいと思われがちですが、そういうわけではありません**。適切な記述の粒度を見極め、文書に起こすことが求められます。

また、適切な粒度で記述することはテスト工程の効率化にもつながります。テスト工程にはさまざまなドキュメントを作成したり、読んだりする作業が多く含まれています。一般的に、記述する粒度を細かくすると記述量が増えるため、テスト設計仕様書の作成やレビューに要する工数が増加します。

反対に、記述する粒度を粗くすると記述量が減るため作成に要する工数は減少します。求められる粒度と決められた工数のなかでバランスを取りながら最適な粒度を見つけましょう。

なお、求められる記述の粒度は対象とするエンジニアの経験や知識の深さによって変わるため、一概に「**このように書けばよい**」と述べることはできません。プロジェクトごと、メンバーごとに最適な記述の粒度は異なります。

「記述の粒度」に関する具体例

以下に記述の粒度が不適切なテスト設計仕様書と、その改善例を示します。次のテスト設計仕様書の問題点は主に以下の点です。

- 「テストの目的」や「テストの方法」の記述内容が抽象的なため、テストケースを作成することが難しい

テスト設計仕様書（悪い例）

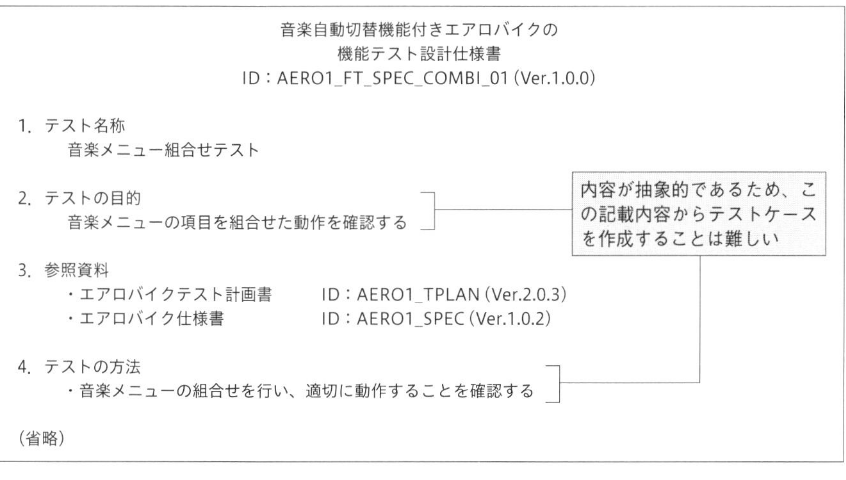
音楽自動切替機能付きエアロバイクの
機能テスト設計仕様書
ID：AERO1_FT_SPEC_COMBI_01（Ver.1.0.0）

1. テスト名称
音楽メニュー組合せテスト

2. テストの目的
音楽メニューの項目を組合せた動作を確認する

3. 参照資料
・エアロバイクテスト計画書　ID：AERO1_TPLAN（Ver.2.0.3）
・エアロバイク仕様書　ID：AERO1_SPEC（Ver.1.0.2）

4. テストの方法
・音楽メニューの組合せを行い、適切に動作することを確認する

（省略）

これらの問題点を解決するために以下の点を改善しました。

- 「テストの目的」と「テストの方法」の記述の粒度を細かくする

テスト設計仕様書（改善後）

音楽自動切替機能付きエアロバイクの
機能テスト設計仕様書
ID：AERO1_FT_SPEC_COMBI_01（Ver.1.0.0）

1. テスト名称
音楽メニュー組合せテスト

2. テストの目的
　　音楽メニューの項目を組合せ、さまざまな操作を行ったとき、適切に動作することを確認する

3. 参照資料
　　・エアロバイクテスト計画書　ID：AERO1_TPLAN (Ver.2.0.3)
　　・エアロバイク仕様書　ID：AERO1_SPEC (Ver.1.0.2)

記述の粒度を細かくし、
適切な内容に更新する

4. テストの方法
　　・音楽メニューの組合せ表のすべてのケースの操作前状態から、組合せ表の「操作」を行い、適切に動作することを確認する
　　・操作ごとに動作を確認する。操作は連続して行わず、例えば“再生”操作を行ったら、一度操作前状態に戻した後で“音量”などその他の操作を行う
（省略）

このように適切な粒度で記述すると、テストで確認すべき内容がより明確になります。その他、テスト設計仕様書の「記述の粒度」に関する注意点を以下にまとめます。

読み手が理解できる粒度を意識する

適切な記述粒度を考える際は「**読み手が理解できる粒度**」を意識するとよいでしょう。読み手にとってあまりに粗い粒度の記述だとわかりにくく、書かれていない事柄について考えたり、調べたりする時間がかかります。

また、調べてもわからない場合は作成者に対する質問が生じるため、読み手が質問を書く時間や作成者がそれに回答する時間など、さらに時間を要してしまいます。

さまざまな読み手を考慮して粒度を検討する

小規模なソフトウェア開発の場合、自分で作成したドキュメントを自分で利用して作業を進めることがあります。例えば、テスト設計とテストケース作成を同一のエンジニアが担当しているような場合です。

この場合でも、ドキュメントを読むのが自分だからといって粒度を粗くしてもよいというわけではありません。なぜなら、テスト設計仕様書をレビューする人も読み手の１人ですし、他のドキュメントから参照されたり、次のプロジェクトで流用されたりする場合など、**間接的にそのドキュメントを読む人**が数多く存在し得るからです。そのようなさまざまな読み手を考慮して、記述する粒度を検討してください。

テスト設計仕様書：規模

テスト設計仕様書には、テストの目的やテスト観点、使用するテスト技法といったテストの内容だけでなく、以下のような「**テストの規模(量)**」を判断するための情報も記載しましょう。

表10-2 ● テストの規模を判断するための情報

種類	内容
テストの量	予想されるテストケース数
テストの準備時間	テスト実施前に必要な環境構築などの準備時間
テストの実施時間	期待結果の確認までに必要な時間(大量データの処理にかかる時間、連続動作時間など)

テストの規模がわかると、スケジュールの立案や工数の見積もりが可能になります。また、仮にテストにかけるリソースが不足した場合でも、品質にできるだけ影響のない形で適切に調整することが可能になります。

また、そのような規模になった理由を考えることで、テスト設計の意図やテストの特徴を知る助けにもなります。例えば、テストの規模が予想よりも大きい場合に、以下の例のように、その理由を知ることができます。

- 単に関係する因子や水準の数が多いから
- テストケースは少ないが一つひとつのテスト実施に時間がかかるから
- 重要なテストだから規模を大きくしているから

「規模」に関する具体例

以下に、テストの規模が記述されていないテスト設計仕様書と、その改善例を示します。次のテスト設計仕様書の問題点は主に以下の点です。

- テストの総項目数が記載されていないため、テストケースの作成やテスト実施の作業時間を見積もることができない

テスト設計仕様書（悪い例）

（省略）

4．テストの方法

・音楽メニューの組合せ表のすべてのケースの操作前状態から、組合せ表の「操作」を行い、適切に動作することを確認する

・操作ごとに動作を確認する。操作は連続して行わず、例えば“再生”操作を行ったら、一度操作前状態に戻した後で“音量”などその他の操作を行う

5．音楽メニューの因子水準表

因子	再生状態	音量設定	テンポ設定	運動状態
水準	停止中	1	スロー	ペダル駆動中
	再生中	2～9	アップ	ペダル停止中
		10	自動	

※各因子における水準の選択理由

再生状態　：選択可能な設定をすべて選択

音量設定　：選択可能な設定から最小、中間、最大の観点から3つを選択

テンポ設定：選択可能な設定をすべて選択

運動状態　：選択可能な設定をすべて選択

テストの総項目数が記載されていないため、テストケースの作成やテスト実施の作業時間を見積もることができない

（省略）

この問題点を解決するために以下の点を改善しました。

- 「音楽メニューの組合せ表」を記載し、組合せ数を確定する
- 組合せ表に基づいて作成されるテストケースの数の概算を追記する

テスト設計仕様書（良い例）

（省略）

4．テストの方法

・音楽メニューの組合せ表のすべてのケースの操作前状態から、組合せ表の「操作」を行い、適切に動作することを確認する

・操作ごとに動作を確認する。操作は連続して行わず、例えば“再生”操作を行ったら、一度操作前状態に戻した後で“音量”などその他の操作を行う

5．音楽メニューの因子水準表

因子	再生状態	音量設定	テンポ設定	運動状態
水準	停止中	1	スロー	ペダル駆動中
	再生中	2～9	アップ	ペダル停止中
		10	自動	

※各因子における水準の選択理由
　再生状態　：選択可能な設定をすべて選択
　音量設定　：選択可能な設定から最小、中間、最大の観点から3つを選択
　テンポ設定：選択可能な設定をすべて選択
　運動状態　：選択可能な設定をすべて選択

6. 音楽メニューの組合せ表 ―― 「音楽メニューの組合せ表」を記載する
音楽メニュー項目の組合せ（All-Pairs法）と操作の一覧。

ケース	音楽メニュー項目の組合せ（操作前状態）				操作						
	再生状態	音量設定	テンポ設定	ペダル状態	再生	音量		テンポ			ペダル
1	停止中	1	スロー	駆動中	PLAY	＋			アップ	自動	駆動停止
2	再生中	1	アップ	停止中	STOP	＋		スロー		自動	駆動開始
3	再生中	2～9	スロー	駆動中	STOP	＋	－		アップ	自動	駆動停止
4	停止中	2～9	アップ	停止中	PLAY	＋	－	スロー		自動	駆動開始
5	停止中	10	自動	駆動中	PLAY		－	スロー	アップ		駆動停止
6	再生中	10	スロー	停止中	STOP		－		アップ	自動	駆動開始
7	再生中	1	自動	停止中	STOP	＋		スロー	アップ		駆動開始
8	停止中	2～9	アップ	駆動中	PLAY	＋	－	スロー		自動	駆動停止
9	再生中	2～9	自動	駆動中	PLAY	＋	－	スロー	アップ		駆動停止
10	停止中	10	アップ	停止中	STOP		－	スロー		自動	駆動開始

・概算テスト項目数：上記組合せ表記載　10項目 ―― テストケースに数の概算を追記する

（省略）

このようにテストの規模に関する情報を記載することで、今後のテストに必要な工数などを把握することができます。その他、テスト設計仕様書の「**規模**」に関する注意点を以下にまとめます。

規模の算定に注力しすぎないようにする

規模の記述をする際に、詳しく算定しすぎないようにしましょう。テスト設計仕様書はあくまでテストのアプローチを示すドキュメントです。テストの規模やテストの工数を見積もるために余分な時間をかける必要はありません。

独断で判断しない

テストの規模を算出した結果、到底実施できそうにない規模になったとしても、テスト設計仕様書の作成者が独断でテスト対象を減らしたり、省略するテストを選択したりしないようにしましょう。関係者が協議したうえで、テスト対象

外や省略の判断をすることはありますが、この判断はテスト設計仕様書の作成時点では行いません。**この時点では、実現性についての判断はせず、テスト設計において望ましいと考えられる規模で記述します**。

ただし、算出した規模が想定を著しく上回る場合には、先にテスト対象を絞り込むこともあります。そうしておけば、適切な粒度でテスト設計仕様書を記述することができるので、テスト設計仕様書の作成工数を無駄にしなくて済みます。

テストケース：追跡性・関連性

テストケースにも、テスト設計仕様書と同様に**追跡性・関連性**が求められます。テストは主にテストケースに基づいて実施されますが、テストケースだけあればよいというわけではありません。テストケースの記述がわかりにくい場合などは、関連するドキュメントを参照することもあります。テストケースに関連ドキュメントの記載があると、テストの実施効率を落とすことなく、必要なドキュメントを参照できます。

テストケースの主な関連ドキュメントは、テストケースの上位のドキュメントである**テスト設計仕様書**や**テスト計画書**です。テストケースを作成する際に参照したこれらのドキュメントの情報は必ず明記するようにしてください。記載方法は基本的にはテスト設計仕様書の場合と同様です。各テストケースに識別番号を付与し、関連ドキュメントの情報も記載します(p.244)。

「追跡性・関連性」に関する具体例

以下に関連性の記載が不十分なテストケースと、その改善例を示します。次のテストケースの問題点は主に以下の点です。

- 開発仕様書(機能仕様書)との関連がわかりにくい

テストケース(悪い例)

テスト名称
音楽再生 PLAY/STOP 切替機能

開発仕様書(機能仕様書)との関連がわかりにくい

◆準備手順
・エアロバイクにイヤホンを接続し、耳に装着する。
・「ホームメニュー」で「音楽」ボタンを押下し、「音楽メニュー」を表示する。

No.	条件				期待結果	判定	実施日	実施者	不具合No.	備考欄
	再生状態	ペダル駆動中	テンポ	再生イベント						
1	再生中	駆動中	スロー	「STOP」ボタン押下	再生が停止する（音楽が鳴り止む）	○	2月14日	佐藤		
2	再生中	駆動中	アップ	「STOP」ボタン押下	再生が停止する（音楽が鳴り止む）	○	2月14日	佐藤		
3	再生中	停止中	スロー	「STOP」ボタン押下	再生が停止する（音楽が鳴り止む）	○	2月14日	佐藤		
4	再生中	停止中	アップ	「STOP」ボタン押下	再生が停止する（音楽が鳴り止む）	○	2月14日	佐藤		

（省略）

この問題点を解決するために以下の点を改善しました。

- テストケースに、関連するテスト設計仕様書と機能仕様書の識別情報を記載する

テストケース（改善後）

テスト名称
音楽再生 PLAY/STOP 切替機能

テストケースに、関連テスト設計仕様書名、関連機能仕様書名を記載する

◇参考資料
・エアロバイク仕様書 Ver 1.0.2.docx（202X 年 12 月 10 日）
ID：AERO1_SPEC_（Ver.1.0.2）
・エアロバイクテスト設計仕様書 Ver.1.0.0.docx（202X 年 12 月 30 日）
ID：AERO1_FT_SPEC_COMBI_01（Ver.1.0.0）

◆準備手順
・エアロバイクにイヤホンを接続し、耳に装着する。
・「ホームメニュー」で「音楽」ボタンを押下し、「音楽メニュー」を表示する。

No.	条件				期待結果	判定	実施日	実施者	不具合No.	備考欄
	再生状態	ペダル駆動中	テンポ	再生イベント						
1	再生中	駆動中	スロー	「STOP」ボタン押下	再生が停止する（音楽が鳴り止む）	○	2月14日	佐藤		
2	再生中	駆動中	アップ	「STOP」ボタン押下	再生が停止する（音楽が鳴り止む）	○	2月14日	佐藤		
3	再生中	停止中	スロー	「STOP」ボタン押下	再生が停止する（音楽が鳴り止む）	○	2月14日	佐藤		
4	再生中	停止中	アップ	「STOP」ボタン押下	再生が停止する（音楽が鳴り止む）	○	2月14日	佐藤		

（省略）

なお、上記の改善例には記載していませんが、関連ドキュメント内の特定箇所を示す情報を記載しておくと検索性はさらに高まります。その他、テストケースの「追跡性・関連性」に関する注意点を以下にまとめます。

確認するテスト観点を明確にする

複数のテスト観点を同時に確認するテストケースを作成する場合は、**どの項目**が**どのテスト観点**を確認しようとしているのか識別できるようにしましょう。テスト計画書やテスト設計仕様書に記載するテスト観点にIDなどの識別情報を付与しておき、テストケースにそのIDを記載します。そうすることで、テストケースをテスト観点ごとに並べ替えてレビューしたり、テスト観点ごとの欠陥数の集計値をテストサマリレポートに掲載したりすることができます。

また、発見した不具合を報告する際にどのような観点のテストで発見されたのかを記載しておけば、開発エンジニアが不具合の内容を正しく理解できるようになるため、より適切に修正対応を進めることができます。

MEMO

テスト観点ごとにテストケースを作成し、効率的なテスト実施順にテストケースを並べ替えたテスト手順書を別途作成する方法もあります。

正しいドキュメントIDやバージョンを記載する

関連ドキュメントの識別情報を記載する際、間違ったドキュメントIDやバージョンを記載しないようにしましょう。記号や数字の入力間違いは気づきにくく、1字の記載誤りでまったく異なるドキュメントを指し示すことになります。テストケースに誤った関連情報が記載されていると、間違った理解でテストを実施することにもなりかねません。

直接的に関連するドキュメントの識別情報のみ記載する

テストケースに記載するのは、直接的に関連するドキュメントの識別情報に限定しましょう。ソフトウェア開発で作成されるドキュメントはすべて何らかの形で関連していますが、そのすべてを記載すると膨大な量になり、目的のドキュメントを見つけることが困難になります。実際にテストケースを作成する際は、どの関連ドキュメントを記載するのか適宜判断することが必要になります。

例えば、**テストケースにテスト計画書の情報を記載すべきでしょうか**。テストケースの基になるのがテスト設計仕様書であり、その基になるのがテスト計画書です。つまり、テスト計画書はテストケースの関連ドキュメントといえます。しかし、このような場合に唯一の答えはありません。状況によって、記載すべきか否かが変わります。仮に、テスト計画書に機能一覧表が掲載されており、テスト設計仕様書にはその機能一覧表を基に作成した機能観点一覧表(機能一覧とテスト観点の組合せ表)が掲載されているとします。この場合において、テストケースが機能一覧だけを参照している場合は関連ドキュメントにテスト計画書の情報を記載します。

一方、機能一覧を含む機能観点一覧表を参照している場合はテスト計画書の情報を記載する必要はありません(テスト設計仕様書の情報のみ記載します)。

テストケース：テスト実施のしやすさ

テストケースは「**テストする条件や期待結果が正しく書かれていればよい**」というものではありません。テスト手順書が別途用意されていない場合は、テストケースが手順書の役割も果たすため、**テスト実施者にとってわかりやすく、テストを実施しやすい内容で記載する必要があります**。具体的には、ソフトウェアの品質特性にある「使用性(ユーザビリティ)」と同様のことをテストケースにも当てはめながら、テストの目的や前提条件、操作手順、期待結果などを明確に記述するように心がけましょう。内容が明確でわかりやすいテストケースを用いるとテスト実施の効率が向上します。

「テスト実施のしやすさ」に関する具体例

以下にテスト実施のしやすさが意識されていないテストケースと、その改善例を示します。次のテストケースの問題点は主に以下の２点です。

- テストの目的が記載されていない
- テストケースの全項目に共通する前提条件の記載がない

テストケース（悪い例）

テスト名称
音楽再生 PLAY/STOP 切替機能

テストの目的が記載されていない。また、テストケースの全項目に共通する前提条件の記載がない

No.	条件				期待結果	判定	実施日	実施者	不具合No.	備考欄
	再生状態	ペダル駆動中	テンポ	再生イベント						
1	再生中	駆動中	スロー	「STOP」ボタン押下	再生が停止する（音楽が鳴り止む）					
2	再生中	駆動中	アップ	「STOP」ボタン押下	再生が停止する（音楽が鳴り止む）					
3	再生中	停止中	スロー	「STOP」ボタン押下	再生が停止する（音楽が鳴り止む）					
4	再生中	停止中	アップ	「STOP」ボタン押下	再生が停止する（音楽が鳴り止む）					

（省略）

これらの問題点を解決するために以下の点を改善しました。

- テストの目的を記載する
- テストケースに前提条件として「準備手順」の項目を追加する

テストケース（改善後）

テスト名称
音楽再生 PLAY/STOP 切替機能

テストケースに、テストの目的と、前提条件として「準備手順」の項目を追加した

◆テストの目的
・再生機能ボタンの操作、ペダルの駆動時間によって、再生状態が適切に変化することを確認する。

◆準備手順
・エアロバイクにイヤホンを接続し、耳に装着する。
・「ホームメニュー」で「音楽」ボタンを押下し、「音楽メニュー」を表示する。

No.	条件				期待結果	判定	実施日	実施者	不具合No.	備考欄
	再生状態	ペダル駆動中	テンポ	再生イベント						
1	再生中	駆動中	スロー	「STOP」ボタン押下	再生が停止する（音楽が鳴り止む）					
2	再生中	駆動中	アップ	「STOP」ボタン押下	再生が停止する（音楽が鳴り止む）					
3	再生中	停止中	スロー	「STOP」ボタン押下	再生が停止する（音楽が鳴り止む）					
4	再生中	停止中	アップ	「STOP」ボタン押下	再生が停止する（音楽が鳴り止む）					

（省略）

こうすることによって、テストの目的に沿ってテストを実施することができるため、このテストで発見したい欠陥をより多く見つけ出すことができます。その他、テストケースの「テストのしやすさ」に関する注意点を以下にまとめます。

入力値の変わっている部分だけを強調する

テストケース作成の作業効率を優先するあまり、テスト実施者にとってわかりにくいテストケースになっていないか注意してください。テストで使用する入力値のように、**テスト条件の一部だけが変わるようなテストケースを複数作成する場合は、その個所を強調するなどの工夫が必要**です。変更個所が強調されているとテスト実施者はその内容を容易に確認できます。

単独のテストケースだけでも成立する記述を心掛ける

多くの場合、テストケースは一覧表形式で作成しますが、このとき、**一件一件のテストケースを単独で取り出した場合でも、その内容がわかるように記述しましょう**。一覧表で記述する際、上部にあるテストケースと変わらない個所を「**同上**」としたり、「〃」を用いて簡略化したりすることを思いつくかもしれません。しかし、テストケースは、実際の作業においては並べ替えたり、データベース化したりすることもあるため、記載内容が簡略化されすぎているとテストを実施する際にその実施内容がわからなくなる場合があります。単独のテストケースだけでも内容が成立するような記述を心掛けてください。

MEMO

テストケースの並べ替えやデータベース化は行わず、作成したテストケースを印刷してテストを実施することが運用で決まっていることがあります。項目数が多い場合は記述を簡略化して印刷しても問題ありません。

テストケース：記述の粒度

実際のテストはテストケースに基づいて実施されるため、テストケースの作成においても「**記述の粒度**」に留意する必要があります。テストケースの内容があまりにも簡略化された抽象的なものだと、テスト実施者が内容を勝手に解釈してしまうため、実施者ごとに実施されるテスト内容が変わってしまい、テストケース作成者の意図通りのテストが行われなくなってしまいます。

しかし、だからといって、細かい粒度で記載すればよいというものでもありません。テスト内容を過度に細かく指定し、テストすべき事柄を限定してしまうと、それ以外の内容が確認されなくなってしまいます。

適切な「記述の粒度」とは、**テストケース作成者の意図が明確で、かつテスト実施者がその意図をもとにして適切な条件や入力値を選択できるような記述**です。テスト実施者の経験やスキルをもとに、どの程度の粒度で記述すべきか判断することが必要です。

「記述の粒度」に関する具体例

以下に記述の粒度が不適切なテストケースと、その改善例を示します。次のテストケースの問題点は主に以下の点です。

- 「期待結果」の記述の粒度が粗いため、テスト実施者によって判定内容が変わる可能性がある

テストケース（悪い例）

テスト名称
音楽再生 PLAY/STOP 切替機能

期待結果の記述の粒度が粗いため、テスト実施者によって判定の内容が変わってしまう可能性がある

◆準備手順
・エアロバイクにイヤホンを接続し、耳に装着する。
・「ホームメニュー」で「音楽」ボタンを押下し、「音楽メニュー」を表示する。

No.	条件				期待結果	判定	実施日	実施者	不具合No.	備考欄
	再生状態	ペダル駆動中	テンポ	再生イベント						
1	再生中	駆動中	スロー	「STOP」ボタン押下	再生が停止する					
2	再生中	駆動中	アップ	「STOP」ボタン押下	再生が停止する					
3	再生中	停止中	スロー	「STOP」ボタン押下	再生が停止する					
4	再生中	停止中	アップ	「STOP」ボタン押下	再生が停止する					
5	再生中	停止中	スロー	ペダル駆動開始	再生し続ける					
6	再生中	停止中	アップ	ペダル駆動開始	再生し続ける					
7	停止中	駆動中	スロー	「PLAY」ボタン押下	再生を開始する					
8	停止中	駆動中	アップ	「PLAY」ボタン押下	再生を開始する					

9	停止中	停止中	スロー	「PLAY」ボタン押下	再生を開始する					
10	停止中	停止中	アップ	「PLAY」ボタン押下	再生を開始する					
11	停止中	停止中	自動	ペダル駆動開始	再生を開始する					

（省略）

この問題点を解決するために以下の点を改善しました。

- 「期待結果」の記述の粒度を細かくする

テストケース（改善後）

テスト名称
音楽再生 PLAY/STOP 切替機能

◆準備手順

・エアロバイクにイヤホンを接続し、耳に装着する。
・「ホームメニュー」で「音楽」ボタンを押下し、「音楽メニュー」を表示する。

期待結果の記述の粒度を細かくする

No.	条件				期待結果	判定	実施日	実施者	不具合No.	備考欄
	再生状態	ペダル駆動中	テンポ	再生イベント						
1	再生中	駆動中	スロー	「STOP」ボタン押下	再生が停止する（音楽が鳴り止む）					
2	再生中	駆動中	アップ	「STOP」ボタン押下	再生が停止する（音楽が鳴り止む）					
3	再生中	停止中	スロー	「STOP」ボタン押下	再生が停止する（音楽が鳴り止む）					
4	再生中	停止中	アップ	「STOP」ボタン押下	再生が停止する（音楽が鳴り止む）					
5	再生中	停止中	スロー	ペダル駆動開始	再生し続ける（再生中のまま）					
6	再生中	停止中	アップ	ペダル駆動開始	再生し続ける（再生中のまま）					
7	停止中	駆動中	スロー	「PLAY」ボタン押下	再生を開始する（音楽が鳴りはじめる）					
8	停止中	駆動中	アップ	「PLAY」ボタン押下	再生を開始する（音楽が鳴りはじめる）					
9	停止中	停止中	スロー	「PLAY」ボタン押下	再生を開始する（音楽が鳴りはじめる）					
10	停止中	停止中	アップ	「PLAY」ボタン押下	再生を開始する（音楽が鳴りはじめる）					
11	停止中	停止中	自動	ペダル駆動開始	再生を開始する（音楽が鳴りはじめる）					

（省略）

このように適切な粒度で記述すると、テストで確認すべき内容がより明確になるため、テスト実施者によって判定内容が異なるといったことを未然に防ぐことができます。その他、テストケースの「記述の粒度」に関する注意点を以下にまとめます。

文字量に注意する

テスト実施時に読む**文字量**が多くなりすぎないように注意しましょう。記述が詳細すぎたり、説明文が長すぎたりすると、テスト実施の効率が低下します。

またテストケースの全体像も把握しづらくなります。例えば、画面インタフェースのテストにおいて入力項目を変えながらテストする場合は、上記のテストケースにある条件欄のように、入力項目ごとに列を分割して、入力値だけを記述するなどの工夫をします。

作成時間と実施時間のバランスを取る

記述の粒度を細かくすると、テスト実施者は記述通りにテストを実施するだけでよくなるため、テストの実施時間は短縮されますが、テストケースの作成時間は粒度の細かさに比例して増加します。

一方、記述の粒度を粗くするとテストケースの作成時間は短くて済みますが、テスト実施者が判断すべきことが増えるため、その分だけ実施時間が長くかかります。特に、経験の浅いエンジニアに粒度の粗いテストケースを渡すと読解に時間がかかります。

テストケースを作成する際は、テスト実施者(テストを実施するエンジニア)の能力を考慮したうえで、**テストケースの作成時間と実施時間のバランスを取りながら記述の粒度を調整することが必要**です。

テストケース：フォーマット

テストケースは、実施するテストの手順が記載されているドキュメントであると同時に、テストの実施結果を記録するドキュメントでもあります。そのため、テストケースには、**テストを実施する際に必要になる項目**に加えて、**テスト結果を記録するための項目**も必要です。テスト結果を記録するのに必要な項目が何であるのかを十分に検討してください。

一般的には、テストの実施結果の記録用に以下の項目を用意しておきます。

表10-3 ● テストケースに必要な項目

項目	内容
判定結果	判定結果として、「OK」(合格、○印)、「NG」(不合格、×印)をはじめ、「NT」(テストしないこと)や、「N/A」(設計上、テストができないこと)などを記入する
テスト実施日	テストを実施した日時を記入する。欠陥があった場合などは再度テストを実施することもあるので、この欄は複数用意しておくことを推奨
テスト実施者	テストを実施したエンジニアの名前を記入する。欠陥があった場合などは再度テストを実施することもあるので、この欄は複数用意しておくことを推奨
不具合報告書の番号	判定結果がNGの場合に起票した不具合報告書の番号を記入する
データ名や入力値	テストで使用したデータ名や入力値を記入する。テストで使用するテストデータを実施者に委ねた場合に必要
バージョン	テストを実施したソフトウェアのバージョン(リリース番号)を記入する。テスト実施と不具合修正時でソフトウェアのバージョンが異なると、不具合を再現できなかったり、適切に不具合を修正できなかったりする場合がある
備考欄	判定結果の理由やテスト実施中に気になった点、補足情報、不具合を再現する際に必要になる情報などを記入する。備考欄があると、テストの状況をより細かく把握できる

「フォーマット」に関する具体例

以下にフォーマットが不十分なテストケースと、その改善例を示します。次のテストケースの問題点は主に以下の２点です。

- NT（テストしない)の理由を記載する欄がない
- テスト実施日、テスト実施者の記入欄が1つずつしかない

テストケース（悪い例）

テスト名称
音楽メニュー組合せ

◆準備手順
・エアロバイクにイヤホンを接続し、耳に装着する。
・「ホームメニュー」で「音楽」ボタンを押下し、「音楽メニュー」を表示する。

No.	組合せケース	音楽メニューの操作前				操作	期待結果（操作後の）			判定	実施日	実施者	不具合No.
		再生状態	音量設定	テンポ設定	ペダル状態		動作	言語表示	テンポ				
1	1	停止中	1	スロー	駆動中	PLAYボタンを押下する	再生を開始する	1	スロー	○	2月21日	中村	
2		停止中	1	スロー	駆動中	「＋」ボタンを押下する	「再生」ボタンを押下すると、1段階上がった音量で再生を開始する	2	スロー	○	2月21日	中村	
3		停止中	1	スロー	駆動中	「アップ」ボタンを押下する	「再生」ボタンを押下すると、再生を開始する	1	アップ	○	2月21日	中村	
4		停止中	1	スロー	駆動中	「自動」ボタンを押下する	「再生」ボタンを押下すると、再生を開始する	1	スロー	NT			
5		停止中	1	スロー	駆動中	ペダルの駆動を停止する	再生停止の状態を維持する	1	—	×	2月21日	中村	8
6	2	再生中	1	アップ	停止中	「STOP」ボタンを押下する	再生を停止する	1	—	○	2月21日	鈴木	
7		再生中	1	アップ	停止中	「＋」ボタンを押下する	音量が1段階上がる	2	アップ	○	2月21日	鈴木	
8		再生中		アップ	停止中	「スロー」ボタンを押下する	スローテンポ曲に切り替わる	1	スロー	○	2月21日	鈴木	
9		再生中	1	アップ	停止中	「自動」ボタンを押下する	20秒以内に再生を停止する	1	—	NT			
10		再生中	1	アップ	停止中	ペダルの駆動を停止する	再生中の状態を維持する	1	アップ	○	2月21日	鈴木	
11	3	再生中	2～9	スロー	駆動中	「STOP」ボタンを押下する	再生を停止する	操作前の音量と同じ	—	○	2月21日	鈴木	

（省略）

テスト実施日、実施者を記入する欄が1つずつしかない

NTやN/Aの理由を記載する欄がない

これらの問題点を解決するために以下の点を改善しました。

- 「備考欄」を設け、理由を記載できるようにする
- テスト実施日、テスト実施者の記入欄を複数設ける

テストケース(改善例)

テスト名称
音楽メニュー組合せ

テスト実施日、実施者を追加した

「備考欄」を設け、理由を記入できるようにした

◆準備手順
・エアロバイクにイヤホンを接続し、耳に装着する。
・「ホームメニュー」で「音楽」ボタンを押下し、「音楽メニュー」を表示する。

No.	組合せケース	音楽メニューの操作前				操作	期待結果(操作後の)			判定	実施日	実施者	実施日	実施者	不具合No.	備考欄
		再生状態	音量設定	テンポ設定	ペダル状態		動作	言語表示	テンポ							
1	1	停止中	1	スロー	駆動中	PLAYボタンを押下する	再生を開始する	1	スロー	○	2月21日	中村				
2		停止中	1	スロー	駆動中	「+」ボタンを押下する	「再生」ボタンを押下すると、1段階上がった音量で再生を開始する	2	スロー	○	2月21日	中村				
3		停止中	1	スロー	駆動中	「アップ」ボタンを押下する	「再生」ボタンを押下すると、再生を開始する	1	アップ	○	2月21日	中村				
4		停止中	1	スロー	駆動中	「自動」ボタンを押下する	「再生」ボタンを押下すると、再生を開始する	1	スロー	NT						「自動」機能のリリースが遅れたため未実装
5		停止中	1	スロー	駆動中	ペダルの駆動を停止する	再生停止の状態を維持する	1	—	×	2月21日	中村			8	
6	2	再生中	1	アップ	停止中	「STOP」ボタンを押下する	再生を停止する	1	—	○	2月21日	中村				
7		再生中	1	アップ	停止中	「+」ボタンを押下する	音量が1段階上がる	2	アップ	○	2月21日	中村				
8		再生中		アップ	停止中	「スロー」ボタンを押下する	スローテンポ曲に切り替わる	1	スロー	○	2月21日	鈴木				
9		再生中	1	アップ	停止中	「自動」ボタンを押下する	20秒以内に再生を停止する	1	—	NT						「自動」機能のリリースが遅れたため未実装
10		再生中	1	アップ	停止中	ペダルの駆動を停止する	再生中の状態を維持する	1	アップ	○	2月21日	鈴木				
11	3	再生中	2〜9	スロー	駆動中	「STOP」ボタンを押下する	再生を停止する	操作前の音量と同じ	—	○	2月21日	鈴木				

(省略)

このようにすることによってより詳しくテスト結果を残すことができます。その他、テストケースの「フォーマット」に関する注意点を以下にまとめます。

実施するテストケースと実施しないテストケースを分類する

同じテストを繰り返し実施する場合は、各回のテストで実施するテストケースと実施しないテストケースをあらかじめ分類しておきましょう。分類のための記号や重要度を表す記号が必要であれば、それをテストケースのフォーマットに加えておきます。また、分類する際は分類理由も記載しておきましょう。

表10-4 ● テスト実施対象の分類例

回数	実施するテスト
テスト1回目	テストケースA、B、C、Dを実施
テスト2回目	テストケースA、Eを実施
テスト3回目	すべてのテストケース(A ～ E)のうち、重要度【高】を実施

表10-5 ● テスト実施対象の分類の理由例

実施対象	選定理由
テスト1回目、2回目の選定理由	・テストケースEは、テストケースB、C、D が終了してから実施するため ・テストケースAは、テスト1回目では一部未完成のため、2回に分割
テスト3回目の選定理由	・テストの最終回(リリース直前のテスト)で、少なくとも重要度【高】のテストケースで不具合が生じないことを確認するため

手順を識別する情報の記述欄を設定する

1つのテストケースが、より詳細な複数のテスト手順や操作手順で構成されている場合は、各手順を識別する情報の記述欄を設けておきましょう。この欄があると、不具合報告書に欠陥と思われる現象が発生する手順を記述する際に、作業を効率的に行うことができます。

不要な項目は削除する

過去のテストケースや所定のテンプレートを流用したり再利用したりする場合は、流用元のテストケース内に、今回のテストでは不要な項目や情報がないかを確認しましょう。不要な項目があるフォーマットを使用すると、作業時間の浪費につながります。

不具合報告書

不具合報告書の良い例・悪い例

第９章でも書いたように、不具合を修正する際には不具合報告書を作成します。不具合報告書の目的は、「開発担当者に正しく不具合を修正してもらう」ことです。そのためには、不具合報告書はできるだけわかりやすく記載する必要があります。以下に悪い例と良い例を比較しながら解説します。

不具合報告書（悪い例）

不具合 No.：003
検出日：2021 年 4 月 19 日
発見者：バルテス太郎

不具合の概要：音楽再生機能の不具合

検出環境：テスト環境で発生

検出手順：音楽を再生中に、停止ボタンを何度か押下し、しばらく待つと画面の表示がおかしくなる。なぜこうなるのか理解できない。

期待結果：仕様どおりであること

再現性：50%

ランク：高

エビデンス：あり

上記の悪い例では、いくつかの問題があります。まず、**概要（またはタイトル）は、開発担当者が一目見ただけで不具合の内容がわかるような記載にする必要があります**。開発担当者は修正作業に向けて、発見された不具合の内容を確認する必要があります。件数が少なければ問題ありませんが、多くなってくると確認する内容が増え、全体の状況を把握することが難しくなります。そのため、多少文章が長くなっても一目でわかるように記載して内容を把握しやすくし、対応の優先度を判断しやすくします。

次に**検出環境**についてです。検出環境がわからないと、開発担当者が同じ不具合を再現できず、不具合かどうかを判断できないことがあります。そのため、誰でも不具合を再現できるように記載することが重要です。ソフトウェアのバージョンや、OS、ファームウェアのバージョン、テストで使用したテスト端末などを具体的に書くようにしてください。

次の**検出手順**は、わかりやすく箇条書きにしたほうが良いでしょう。悪い例のように、1つの文章で書かないほうがよいです。1手順1アクションを心掛け、人間の操作とソフトウェアや機械の反応を分けて書くようにします。なお、不具合報告書はあくまでも「報告」をするためのドキュメントなので、「理解できない」など、**感情的なことは書いてはいけません**。事実を淡々と書いてください。

期待結果には、テスト担当者が想定していた結果を書きます。何が問題で不具合を報告したのか、開発担当者に伝わるようにその正しい動きを記載します。そのため上記例のような「**仕様どおり**」ではよくわかりません。せめてどの仕様書を参照したのかは書くようにしましょう。

再現率は、%よりも**具体的な試行回数**を記載したほうがわかりやすいです。「毎回発生するのか、あるいは特殊な条件があるのか」など原因の推測に役立ちます。

ランクについては、慎重に記載してください。発見した不具合のすべてを「高」にする必要はありません。ランクの設定基準は事前に決めておき、その基準に基づいて設定していきます

エビデンスとは、不具合の現象を証拠として残したものです。具体的には、

- 不具合が発生したときの画面のキャプチャ
- 不具合が発生する手順を撮影した動画

などがあります。エビデンスの取得ルールについては、間違いがないように事前に確認しておいてください。上記例では、ただ「あり」と書いてあるだけで、どのようなエビデンスがあるのかがわかりません。**ファイル名など**を具体的に書くようにしてください。

上記を踏まえて、不具合報告書を修正しました。

不具合報告書(改善例)

```
不具合 No.：　003
検出日：2021 年 4 月 19 日
発見者：バルテス太郎

不具合の概要：音楽再生中に停止ボタン連続押下で、警告 LED が点灯する
検出環境：ファーム ver.x-2.2.1　テスト機 No.004
検出手順：1．エアロバイクを操作し、音楽を再生する
　　　　　2．再生中に停止ボタンを 2 回連続で押下する
　　　　　3．音楽が停止する
　　　　　4．2 秒ほど待つと警告 LED が点灯する

期待結果：停止ボタンを 2 回押下しても警告 LED は点灯しない

再現性：10 回中 5 回

ランク：中

エビデンス：\ 動画フォルダ \ rec_007.mp4
```

Chapter

11 テスト実施のモニタリング

テスト担当者は、**ただテストを実施すればよいわけではありません**。テスト実施中はテスト状況をモニタリングし、テストが順調に進行しているのかを確認する必要があります。もしモニタリングをしなければ、決められた納期までにテスト実施が終わらなかったり、品質の悪い状況が共有されずに対処が間に合わなかったりします。本章では主に、発見された不具合の件数や内容から**テスト実施の状況をモニタリングする方法**を解説します。

テスト実施のモニタリングとは「**テスト実施中に収集されるさまざまなデータを元にして状況把握を行うこと**」です。テスト計画時やテスト設計時、開発工程などで収集しておいたデータと比較分析することもあります。

把握したい状況の内容によってモニタリングする情報はさまざまですが、本章では「**時間経過にともなう状況変化の把握**」と「**不具合の分類による状況の把握**」という2つのポイントを解説します。

不具合の解決と欠陥の修正手順

モニタリング方法を解説する前に、本章で使用する用語を定義しておきます。

テストを実施することによって発見され、報告されるものを本章では「**不具合**」と呼びます。不具合が発見された場合は次ページの「**図11-1** 不具合の発見から解決までの手順」に示す手順にしたがって対応を進めます。なお、以下に記載の本文中の丸数字はこの図内の各番号と対応しています。

不具合が発見されて報告されると(①)、まず不具合の調査を行います(②)。調査の結果、テスト実施時の手順の誤りやエンジニアの勘違いであることが判明した不具合は、誤報告として(③)、不具合の解決となります(⑤)。また、テストケースやテストデータの誤りによる誤報告であった場合はそれらを修正します。

一方、ソフトウェアや開発ドキュメントの修正が必要であると判断された不具合は、**欠陥**として(**④**)、修正が進められます。欠陥は次の手順で修正します。

④－(1) 修正方法の決定
④－(2) 修正作業の実行
④－(3) 不具合の発見者による修正の確認

最終的に、適切に修正されたことが確認できたら不具合の解決となります(**⑤**)。

図11-1 ● 不具合の発見から解決までの手順

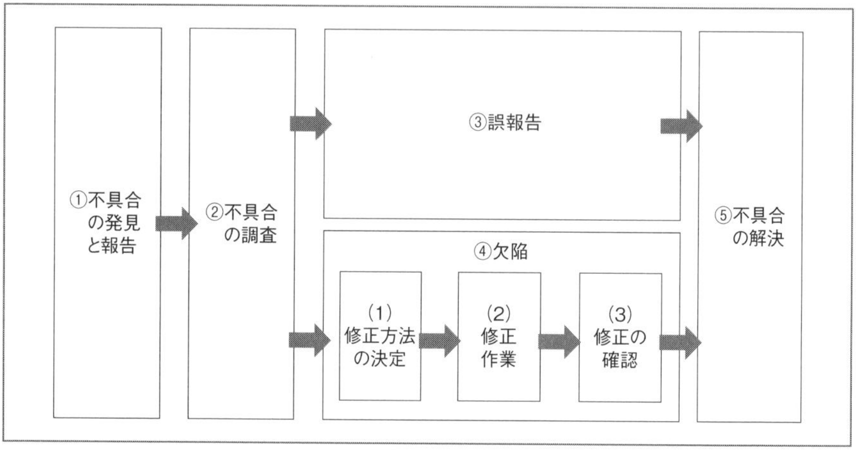

時間経過にともなう状況変化の把握

テスト実施のモニタリング方法の１つに、**時間の経過にともなって変化する状況**をモニタリングする方法があります。このモニタリングは、ある一定期間、同じような作業が継続する場合に有効です。

時間経過にともなって変化する状況をモニタリングする場合は、横軸に**時間**、縦軸に**任意の情報**を置いてグラフを描きます。グラフ線の傾きの向きによって増加・減少・停滞(収束)などの傾向がわかり、傾きの角度によって変化の傾向がわかります。また、グラフ線の向きの転換（ある一点から傾きが変わっていること）によって急激な変化を把握できます。

図11-2 ● 傾向把握グラフの特徴

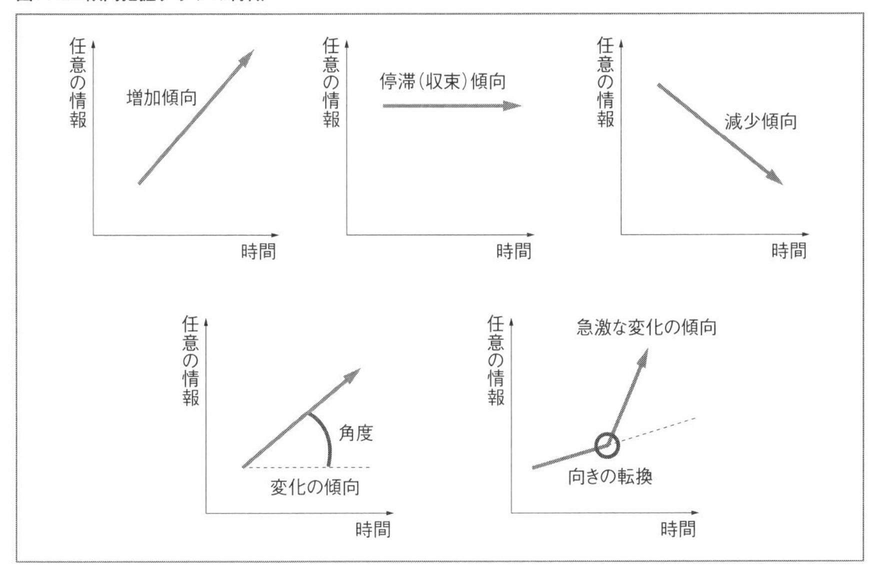

以降、時間の経過にともなって変化する状況をモニタリングする際に利用する代表的なグラフをいくつか紹介します。

信頼度成長曲線

信頼度成長曲線は、**不具合の発見状況**を表すグラフです。縦軸に「**発見された不具合の累積件数**」を置きます。このグラフによって、テスト実施期間における、不具合の増加傾向や収束傾向をモニタリングできます。

実施済みテストの不具合の発見状況を数学的なモデルに当てはめて曲線を描くことで、不具合収束までの期間や、残不具合件数の予測を行うこともあります*1。ただし、**信頼度成長曲線の形状だけで潜在する不具合を見極められるわけではあり**

*1　不具合の発見状況を元にして不具合収束までの期間や残不具合件数を予測する際に用いられる数学的なモデルには「ゴンペルツ関数」や「ロジスティック関数」などの決定論的モデルや「ポアソン分布」などの確率モデルがあります。

ません。グラフ上、不具合件数が収束していても、ソフトウェアのリリース後に大きな不具合が発見されてしまうことがあります。信頼度成長曲線についてはp.285以降で詳しく解説します。

図11-3 ● 信頼度成長曲線

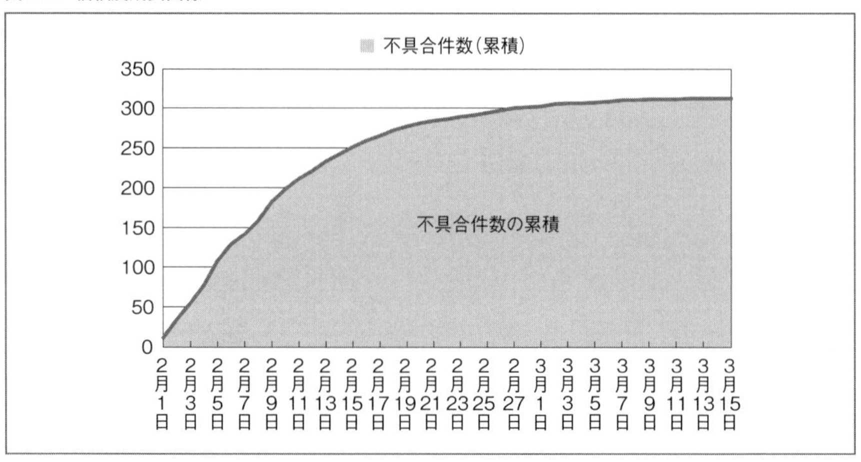

解決済み不具合累積数の推移グラフ

解決済み不具合累積数の推移グラフは、**解決(修正)した不具合の状況**を表すグラフです。縦軸に「**解決した不具合の累積数**」を置きます。このグラフによって、

図11-4 ● 解決済み不具合累積数の推移グラフ

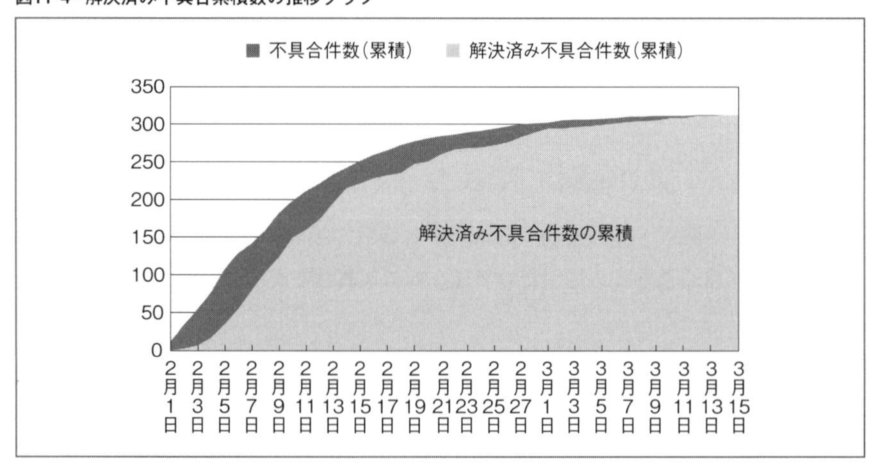

発見された不具合の解決が進んでいるのか、停滞しているのかをモニタリングできます。このグラフと上記の**信頼度成長曲線**を重ね合わせて不具合の発見件数を比較し（グラフ線の開きを確認し）、テスト実施の状況を把握することもあります。

実施済みテストケース累積数の推移グラフ

実施済みテストケース累積数の推移グラフは、**テスト済みのテストケースの状況**を表すグラフです。縦軸に「**テストケースの実施数**」を置きます。このグラフは一般的に、当初はゆるやかに増加し、日を追うごとに増加傾向が強くなります。これは、テスト実施フェーズの開始直後はテスト担当者が操作に慣れていないなどの理由によって一日当たりに実行できるテストケース数が少なく、テスト実施が進むにつれてテスト担当者が作業に慣れたり、テスト対象ソフトウェアの品質が安定したりするためです。

信頼度成長曲線が横ばいで不具合の発生が収束しているように見えても、このグラフも横ばいであるならば、**単にテストが実施されていないだけ**であることがわかります。逆に、このグラフが増加しているのに信頼度成長曲線が横ばいであるなら、不具合の発生が収束しているか、不具合を発見できていないと考えることができます。

図11-5●実施済みテストケース累積数の推移グラフ

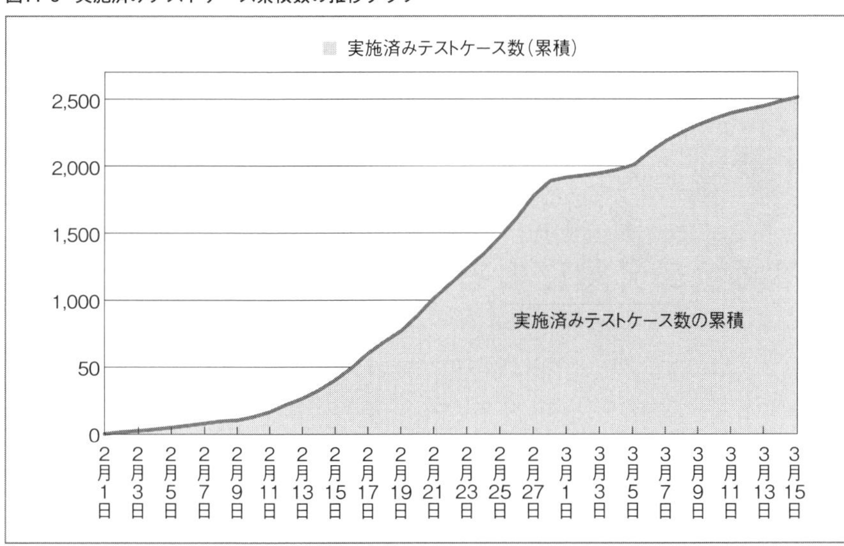

不具合が解決されるまでの平均日数の推移グラフ

不具合が解決されるまでの平均日数の推移グラフは、**不具合の解決に要した期間**を表します。縦軸に「**不具合の発見から解決までに要した日数**」を置き、横軸上の該当日に解決された全不具合の平均解決日数をプロットしていきます。

このグラフを見ることで、**不具合件数や修正に時間がかかる重大な欠陥の増減傾向など**を確認します。通常はテストが進むにつれて発見される不具合の総数や重大度の高い不具合の数は減少するので、日を追うごとに不具合の解決日数が減少傾向になることが望まれます。

図11-6 • 不具合が解決されるまでの平均日数の推移グラフ

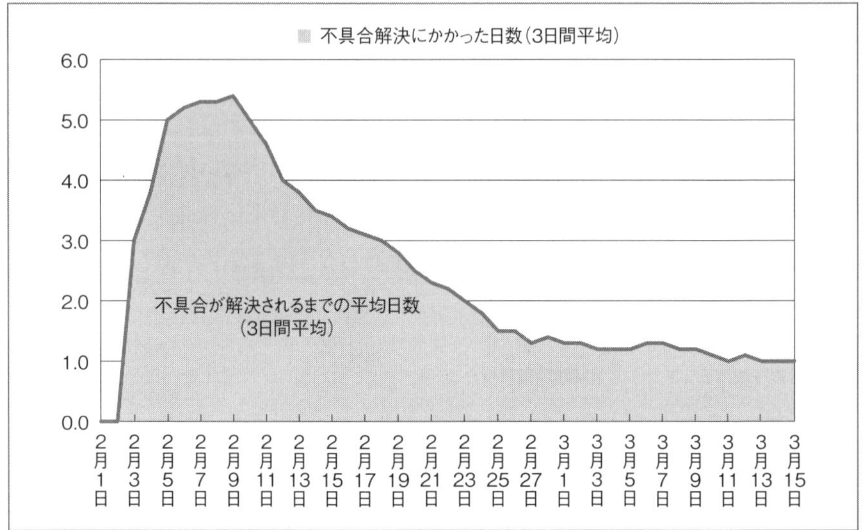

不具合の分類による傾向の把握

テスト実施のモニタリング方法には、発見された不具合をさまざまな方法で分類することで不具合の傾向をモニタリングする方法もあります。この方法を用いると、現在の品質状況やテスト状況を把握できます。

ここでは「**不具合報告書の項目**」「**ソフトウェアの作り方**」「**テストの方法**」という３つの分類方法について説明します。

不具合報告書の項目による分類

不具合報告書に記載する項目別に不具合を分類します。主な分類に「**ランク別**」「**原因別**」「**現象別**」などがあります。

ランク別

ランク別では、発見された欠陥を「**ユーザーの満足度にどの程度影響を与えるか**」によって3～5段階程度のランクに分けて、ランクごとに集計します。この集計によって**欠陥の検出時期や検出数**をランク別で視覚的に捉えることができます。例えば、集計の結果として、テスト実施期間の終盤になってランクの高い欠陥が頻発していることが判明した場合は、テスト実施の延長も含めた、スケジュールの見直しなどの対策を検討します。また、テスト実施の初期段階においてランクの低い欠陥しか発見できていないことが判明した場合は、しかるべき対策（テスト観点の見直しなど）を早い段階で講じることもできます。

図11-7 ● 日毎のランク別不具合件数のイメージ

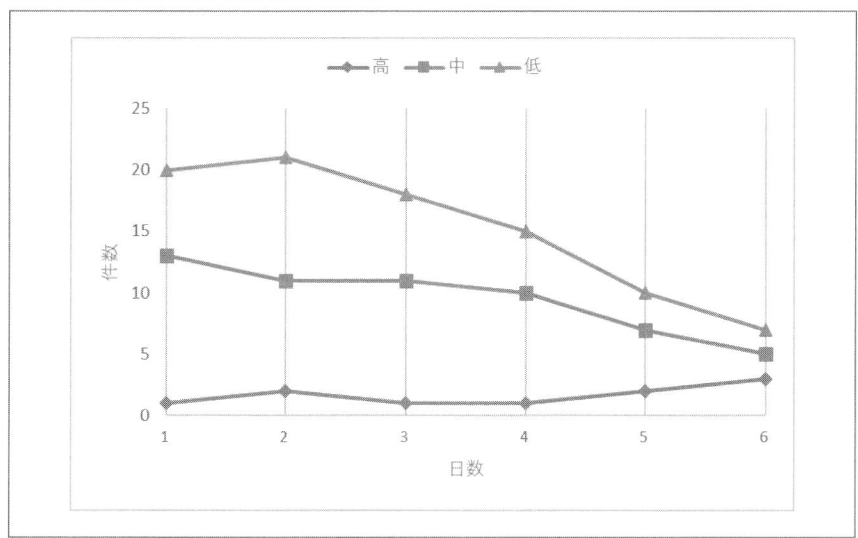

ランクの例（高／中／低）

高：システム全体に影響を与えるもの（システムエラー、ハングアップなど）
中：特定の機能に影響を与えるもの（登録変更ができない、ダウンロードができないなど）
低：システムの使用に影響しないもの（画面の表示項目誤り、誤字脱字など）

原因別

原因別では、以下のような「**不具合の原因**」ごとに不具合を集計します。

- 開発者の勘違いによる開発ドキュメントの誤り
- 開発ドキュメントの記述の曖昧(あいまい)さ
- コーディング時のタイプミス

この集計によって、発見された欠陥の特徴を把握することができます。例えば、レビュー段階で気づくべき開発ドキュメントの不備に気づくことができずにテスト実施まで進んでしまっていたり、コーディング時のタイプミスといった単体テストで発見されるべき欠陥がシステムテストで多く検出されていたりする場合は、レビューやテストのやり方、次のテスト行程への移行判断方法などを見直すことが必要になります。

現象別

現象別では、以下のような「**不具合の現象**」ごとに不具合を集計します。

- ソフトウェアが無反応な状態に陥る
- 処理に時間がかかる
- 画面に誤ったデータが表示される
- 入力エラーチェックの条件に不備がある
- 間違ったデータを使用して処理を行う

この集計によって、**欠陥が潜在している可能性が高い個所**をある程度推測することができます。例えば「画面に誤った値が表示される」という欠陥が多い場合は、すべての画面のデータ項目を洗い出し、テストを実施します。

ソフトウェアの作り方による分類

ソフトウェアの作り方ごとに不具合を分類します。主な分類に「**ユーザーの要求事項別**」「**サブシステム別・機能別**」「**ソフトウェアの処理分類別**」「**データ項目別**」などがあります。

ユーザーの要求事項別

不具合を「不具合が影響を与えるユーザーの要求事項別」に集計します。ユーザーの要求事項とは「**効率よく操作ができること**」(操作数が少なく、反応速度が速い)や「**間違いなくデータを入力できること**」といったことです。特定の要求事項に不具合が集中している場合は、その要求事項についての重点的なテストを実施することを検討します。逆に特定の要求事項についての不具合が発見されていない場合は、その要求事項に関するテストが不足していないか、または誤ったテストを実施していないかを確認します。

サブシステム別・機能別

不具合を「不具合が生じたサブシステム別・機能別」に集計します。ユーザーの要求事項別と同様に、特定のサブシステムや機能で不具合が多く(少なく)発見されていないか確認します。

ソフトウェアの処理分類別

不具合を、画面処理やデータ変換処理、通信処理といった「不具合の要因となったソフトウェアの処理分類別」に集計します。この分類は、不具合報告書の現象別の集計(p.280)と類似していますが、不具合の要因となっているソフトウェアの処理と、それがソフトウェアのユーザーによって認識される現象は異なります。現象別の分類とは別に、現象を引き起こすソフトウェアの誤動作がどの処理分類にあったのかを確認します。

データ項目別

不具合を「不具合が影響を及ぼしている、あるいは不具合の要因となっているデータ項目別」に集計します。特定のデータ項目に関連する不具合件数が多い場合は、そのデータ項目に関連する機能やモジュールを洗い出して確認します。

データ項目には以下のような分類が考えられます。

(A)ソフトウェアの欠陥によって、誤った値が出力されたデータ項目
(B)別のソフトウェアの不具合によって、誤ったデータが入力されたデータ項目
(C)誤った入力値を使用して処理した結果として、誤ったデータが出力されたデータ項目

図11-8 • データ項目別の分類

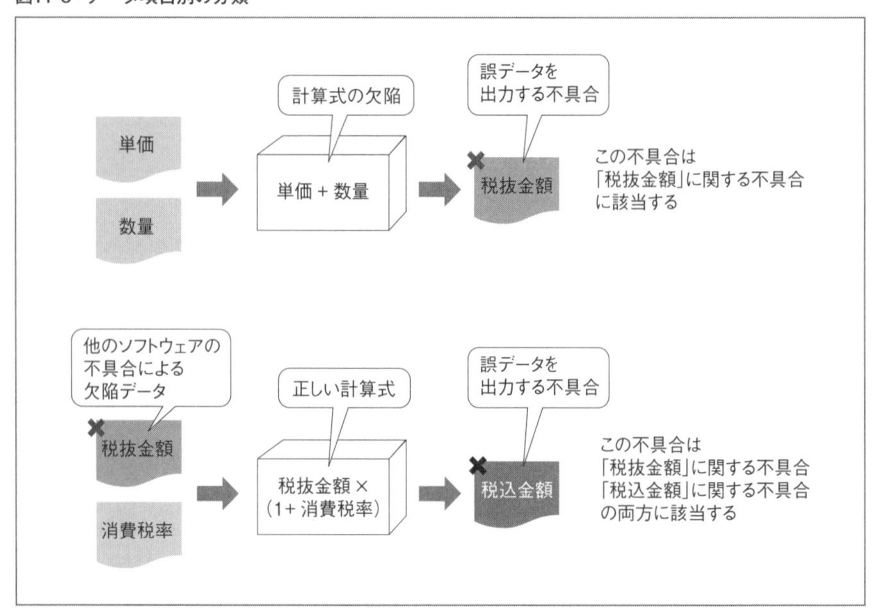

テストの方法による分類

テストの方法ごとに不具合を分類します。主な分類に「**テスト工程別**」「**テストの種類別**」「**テスト観点別**」などがあります。

テスト工程別

不具合を、結合テストや機能テスト、システムテストといった「テスト工程別」に集計します*2。いずれかのテスト工程でのみ著しく不具合が多い場合には、追加テストや、開発工程の品質について検討します。また、著しく不具合が少ない場合は、テストの作業品質について検討します。

テストの種類別

不具合を、状態遷移テストや構成テスト、負荷テスト、アドホックテストといった、「テストの種類別」に集計します*3。この分類の場合も、テスト工程別

*2　各テスト工程の詳細については第2章を参照してください。
*3　テストの種類の詳細については第2章を参照してください。

の分類と同様に、いずれかの種類でのみ著しく不具合が多い場合には、追加テストや、開発工程の品質について検討し、著しく不具合が少ない場合は、テストの作業品質について検討します。

テスト観点別

不具合を、基本機能動作や設定変更、エラー検知、割込動作、連続動作といった「テスト観点別」に集計します*4。この分類の場合も、テスト工程別の分類と同様に、いずれかのテスト観点でのみ著しく不具合が多い場合には、追加テストや、開発工程の品質について検討し、著しく不具合が少ない場合は、テストの作業品質について検討します。

column | その他のモニタリングの方法

テストの実施状況をモニタリングする方法には、上記の「時間経過にともなう変化状況の把握」や「不具合の分類による状況の把握」以外にも、次のような方法があります。ここでは各モニタリング方法の特徴と概要を簡単に紹介します。把握したい事柄に応じて各モニタリング方法を選択したり、組合せたりしてください。また、状況を把握するための実用的な指標例をp.292に一覧表で紹介しています。併せて確認してください。

網羅率(カバレッジ)

網羅率を求めると、**実施すべき全テストにおける実施済みのテストの割合など**を把握できます。例えば、全10機能のうち、8つ機能テストが終わっているのであれば、機能テストの機能網羅率は80%になります。網羅率は画面数や遷移数を対象にしても有効です。

$$網羅率 = \frac{網羅を確認したい対象の実施数}{網羅を確認したい対象の総数}$$

密度

密度を求めると、開発規模に対する準備済みのテストケースの割合や、割り

*4　テストの観点の詳細については第2章を参照してください。

当てられているテスト実施時間などを把握できます。また、レビュー工数を把握することもできます。

$$密度 = \frac{密度を確認したい対象の数量}{開発規模}$$

開発規模を表す数値には以下のものがあります。

- ソフトウェアのソースコード行数
- ファンクションポイント（FP：機能数や複雑さを元に重みづけし、規模を点数化したもの）
- 開発仕様書のページ数
- 作成工数（時間）など

割合

開発規模が異なる分類を比較して割合を求めると、**全体の傾向**を把握できます。本章で解説してきた開発規模の異なる集計分類の件数を割合に変換するモニタリングの方法です。

$$割合 = \frac{割合を確認したい対象の実数}{割合を確認したい対象の総数}$$

発見率

発見率を求めると、**全テストケース数における不具合件数の割合**を把握できます。不具合を多く発見することが目的のテストの場合は、発見率が高いほどよいテストといえます。

$$発見率 = \frac{不具合件数}{テストケース数}$$

効率

効率を求めると、実施テストケース1件当たり、または不具合1件当たりに要した時間を把握できます。

$$効率 = \frac{時間}{件数}$$

信頼度成長曲線を用いたモニタリング

ここからは、テスト実施の状況を把握する代表的なモニタリング方法である「**信頼度成長曲線**」について詳しく解説していきます。

信頼度成長曲線は、テストによって発見された**不具合の累積数**を**時系列**に書き表した折れ線グラフです。信頼度成長曲線を見ることで、**ソフトウェアの品質が改善して安定してきているのか、未だ多数の不具合が発見されているのか**を把握できます。また、修正済みの不具合件数を表したグラフと重ね合わせることで、修正作業の進捗状況を把握することもできます。

図11-9 ● 信頼度成長曲線

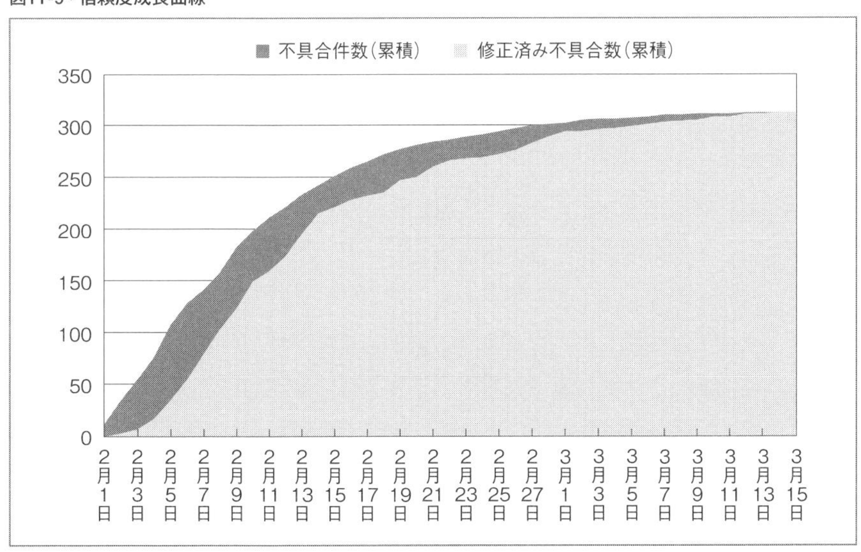

上図を見ると、日を追うごとに曲線が緩やかになっていることがわかります。テストの初期段階で多くの不具合が発見され、徐々に不具合が減っています。このことからテスト後半においてはソフトウェアの品質が安定していると判断できます。詳しくは後述しますが、上記の信頼度成長曲線は**テスト実施における理想的な曲線**といえます。実際のテストでは、1日に実施するテストの件数や、テスト実施者の経験やスキル(不具合を発見する能力)にばらつきがあるため、この

ようなきれいな曲線が描かれることは稀です。

理想的な信頼度成長曲線を描くためのポイント

信頼度成長曲線は、テスト前は「**目指すべきもの**」であり、テスト実施中は「**状況をコントロールするための目安**」となります。つまり、開発工程やテスト計画段階では、不具合の発見過程が上記のような信頼度成長曲線になることを目指してソフトウェアを開発したり、テスト計画を策定したりします。

またテスト実施中は、上記のような信頼度成長曲線になるように実施計画を立てて、テストを行います。仮に実施結果が理想からかけ離れていくようであれば、何らかの対策(テスト対象の変更するなど)が必要になります。信頼度成長曲線が理想的な曲線になるようなテストを実施するポイントは次の4つです。

(1)テスト実施の序盤はグラフの角度をできるだけ大きくする

理想的な信頼度成長曲線に近づけるには、**グラフの立ち上がり角度を大きくする必要があります**。つまり、できるだけ多くの不具合を発見する必要があります。

そのため、テストを**不具合の多そうな箇所**から開始します。不具合の多そうな個所を推測できない場合は、全機能を満遍なく少しずつテストして、不具合が多そうな個所にあたりをつけるとよいでしょう。

また、テストを実施してみて不具合があまり発見されない場合は、別の不具合の多そうな個所にテスト対象を変更するなどの対応も必要です。

(2)テスト実施の中盤はグラフの角度をできるだけ早く小さくする

テスト実施の中盤は、序盤に立ち上がったグラフの角度を**“寝かせる”**ことを目指します。そのためには、できるだけ早く不具合を発見し尽くすことが必要です。

また、この時期は、**序盤に発見した欠陥が修正される時期**でもあります。テストケースを実施することばかりに気をとられず、修正確認も行います。日々グラフを更新して、これら不具合の発見数と解決数のバランスがとれているかを確認してください。欠陥の修正作業が遅れているようなら催促することも必要です。

(3)テスト実施の終盤は、グラフを水平に保つ

テスト実施の終盤は、グラフを水平に保つこと、つまり、不具合が発見されな

いことを確認する作業がメインになります。ただし、テストを実施しないことで不具合の発見数を減らしては意味がありません。あくまでも、不具合を発見するつもりでテストし、それでも不具合が出ないことが求められます。グラフが水平になるということは、ソフトウェアの品質が安定しているということの証です。

加えて、不具合が多かった個所や、不具合が出ると困るような重要な個所について再度テストを行います。

(4)不具合の発見数と解決済み件数の開きをできるだけ小さくする

テスト実施においては、不具合の発見数と解決済み件数の開きをできるだけ小さくするように努めることも重要です。つまり、**発見された不具合をできるだけ早く修正すること**が求められます。不具合は、発見されただけではソフトウェアの品質に何の貢献もしません。適切に修正されたことが確認されてはじめて品質がよくなったといえます。

図11-10◉理想的な信頼度成長曲線を描くためのポイント

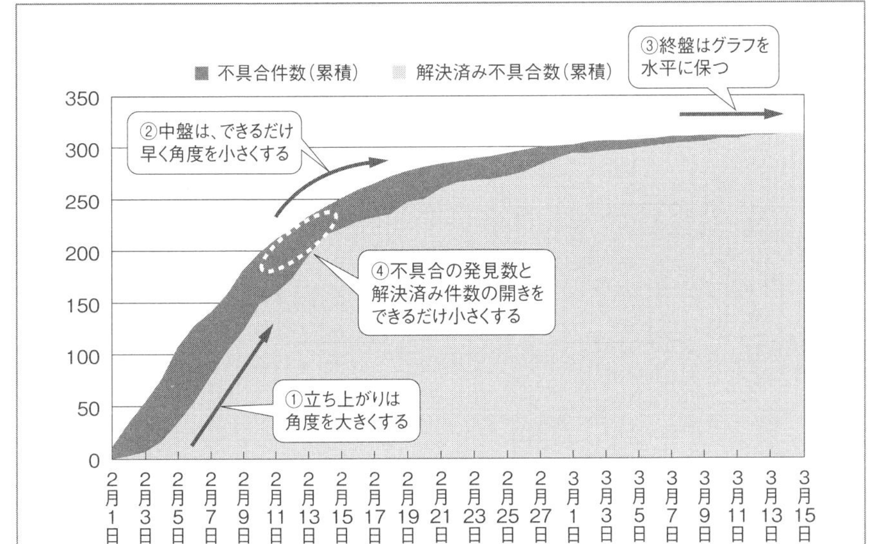

テスト実施に関係する各担当者は、上記のポイントを踏まえ、次の3ステップを常に意識しながら作業を進めることが必要です。

①テスト担当者は、不具合を早く多く発見する
②開発者は、見つかった不具合を早く修正する
③テスト担当者は、修正された不具合をすぐに確認する

MEMO

ソフトウェアの性質上、不具合を修正するためにソフトウェアを変更すると、その変更によって新たな不具合が作り込まれてしまう可能性があり、その可能性をなくすことはできません。不具合の修正によって、合格（OK）だった別のテストケースが不合格（NG）に転じてしまうこともあります。そのため、ソフトウェアテストにおいては、未修正の不具合が少ない状態でテストを進めることが望ましいです。

よくある状況と対策

これまでは「理想的な信頼度成長曲線」を用いて解説を進めてきましたが、先述したとおり、**実際のテストではこのようなきれいな曲線が描かれることは稀です**。そこで、実際のテストにおいてよく起こる状況とその対策をいくつか紹介します。

(1)不具合の発見数と解決済み件数の差が広がっていく場合

発見した不具合の修正に時間がかかっている場合は、テスト実施の中盤あたりから不具合の発見数と解決済み件数の差が広がっていき、次ページのようなグラフになります。

このようなグラフになった場合、**不具合の修正よりもテスト実施のほうが先行している状況**といえます。テスト実施は順調に進捗しているため、テスト工程だけを管理していると問題に気づかないことが多いので注意が必要です。テスト実施の後半で**デグレード**（修正に起因する不具合）が多発すると、すでに実施済みのテストケースを実施し直す必要が生じます。その結果、工数の無駄が多くなるので、気づいた時点でテスト実施の計画を見直すなどの対策を立てましょう。

図11-11 ● 不具合の発見数と解決済み件数の差が広がっていく場合

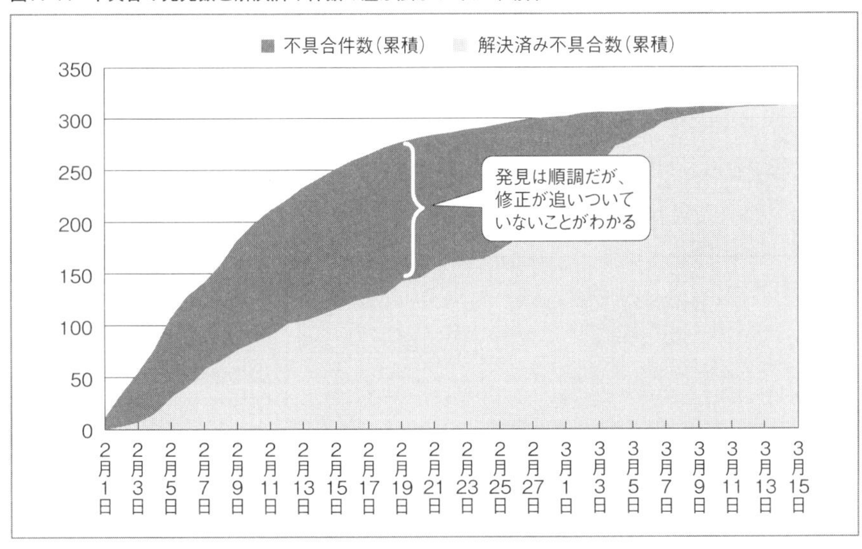

(2)不具合の発見数が一度減少して、再度増加する場合

不具合の発見数が一度減少した後で、再度増加しはじめた場合は、以下のようなグラフになります。

図11-12 ● 不具合数が一度減少して、再度増加する場合

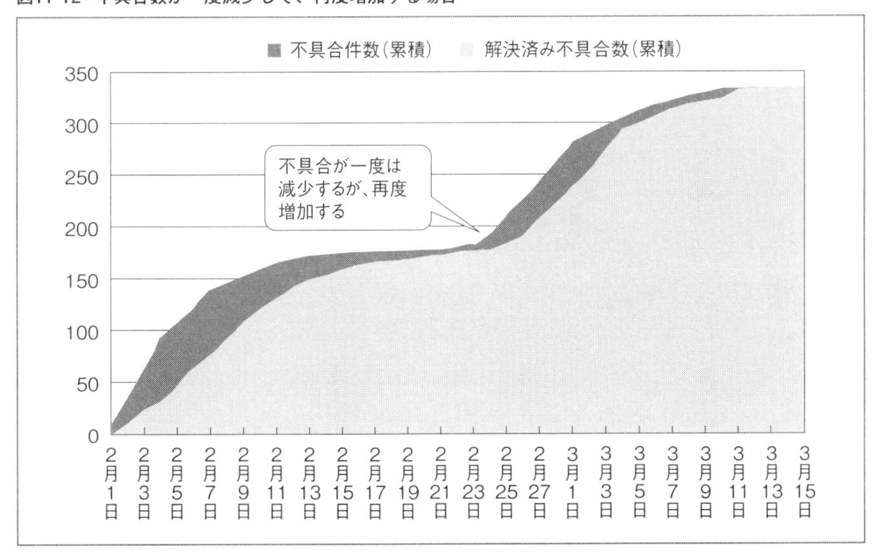

テスト対象全体の不具合数の予測ができていない場合に陥りやすい状況です。最悪の状況は、一度目の不具合の収束時にテスト実施を終了してしまうことです。

この状況を回避するには、**テスト計画の段階で機能ごとに発見すべき不具合の数をある程度推測しておく必要があります**。しかし、はじめてテストするソフトウェアでは不具合数の推測は困難です。類似ソフトウェアの過去の不具合情報などを収集し、推測の確度を高めましょう。少なくとも、テスト未実施の個所がある場合は、グラフ線が寝てきた(収束してきた)からといって安心しないようにしましょう。

(3)不具合が一定量で増加

不具合の発見数が一定量で増加しつづけている場合は、以下のような右肩上がりのグラフになります。テストを実施した分だけ不具合が発見されているので、順調にテストが進行していると思いがちな状況です。テストケースをただ順番に消化しているだけの場合に、このようなグラフになる可能性があります。

図11-13●不具合が一定量で増加

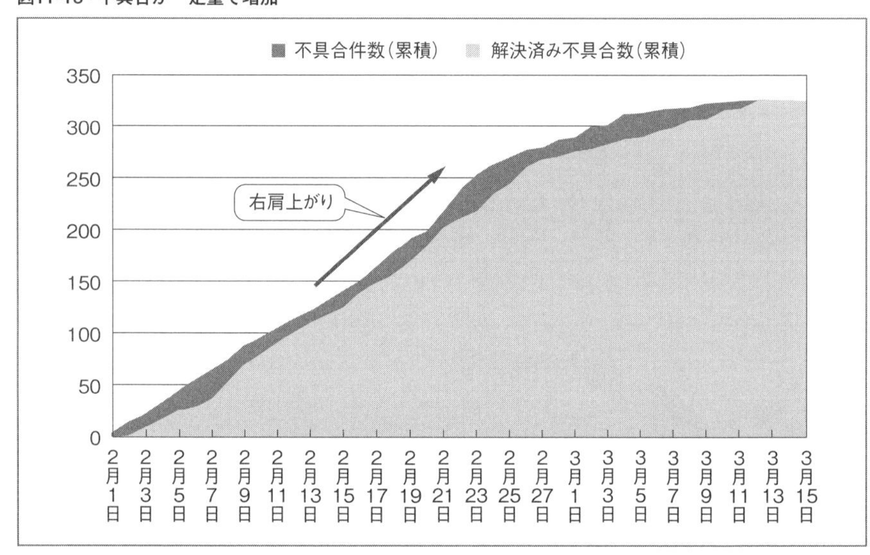

不具合の多そうな個所からテストを実施しているにも関わらずこのようなグラフになる場合は、他にもっと不具合が存在する個所が存在しないか確認し、テスト実施の順番を変更することも考えましょう。

また、デグレード(修正に起因する不具合)が発生している場合も上記のようなグラフになります。デグレードが原因であると判明した場合は、リグレッションテストで確認する範囲を広げたり、安易な修正作業が行われていないかを確認したりするなどして、デグレードの早期発見に努めましょう。

次ページの表に、テストの状況やソフトウェアの品質状況を把握する際に使用する主な指標をまとめます。なお、表内の「**望ましい数値**」列の欄内に記述されている《適切な数値》は、みなさん自身が過去の類似するソフトウェア開発時のデータなどから求めてください。参考となるデータが存在しない場合は、今後みなさんが実施するテストのなかからデータを集積し、最適な値を見つけてください。

column | 不具合予測値

不具合予測値は以下の式で求めることができます。

不具合予測値 = 標準不具合数 × 開発規模 × 予測係数

各変数は以下のとおりです。

表11-2 ● 不具合予測値を求める変数

変数	説明
標準不具合数	開発規模当たりの不具合数。これまでの実績や、独立行政法人 情報処理推進機構(IPA)が発行している「ソフトウェア開発データ白書」から算出する
開発規模	ソースコードの行数やファンクションポイント(FP)など
予測係数	開発難易度、開発工数、開発能力、使用プログラミング言語など

表11-1 ● テストの状況を把握するための指標一覧

No.	指標名称	算出方法
レビュー		
1	レビュー密度	レビュー回数÷レビュー対象規模 または レビュー工数÷レビュー対象規模
2	レビュー指摘率	レビュー指摘件数÷レビュー対象規模
3	レビュー指摘効率	レビュー工数÷レビュー指摘件数
4	機能別レビュー 指摘割合	機能ごとのレビュー指摘件数÷レビュー指摘件数総数
5	重要度別レビュー 指摘割合	重要度ごとのレビュー指摘件数÷レビュー指摘件数総数
6	レビュー指摘 解決率	解決済レビュー指摘件数÷レビュー指摘件数総数
7	レビュー指摘 未解決率	未解決レビュー指摘件数÷レビュー指摘件数総数
テスト設計		
1	テストケース密度	テストケース総数÷開発規模
2	要求カバレッジ	テスト実施済みの要求項目数÷要求項目総数
3	ユースケースカバレッジ	テスト実施済みのユースケース数÷ユースケース総数
4	状態遷移カバレッジ	テスト実施済みの状態遷移数÷状態遷移総数
5	機能カバレッジ	テスト実施済みの機能項目数÷機能項目総数
6	画面カバレッジ	テスト実施済みの画面数÷画面総数
7	データ項目カバレッジ	テスト実施済みのデータ項目数÷データ項目総数
8	モジュールカバレッジ	テスト実施済みのモジュール数÷モジュール総数
テスト実施状況		
1	テストケース消化率	実施済みテストケース数÷テストケース総数
2	テスト実施効率	テスト実施時間÷実施済みテストケース数
3	リグレッション テスト工数	不具合対応の確認テスト工数÷確認した不具合数 または スモークテスト工数÷実施したスモークテストのテストケース数
不具合発見状況		
1	テストケース不合格率	実施済みテストケースの判定欄のNG数÷テストケース総数
2	不具合発見率	発見済み不具合総数÷テストケース総数

	指標の意味・目的・何がわかるか	望ましい数値	表現方法の例
	レビュー対象規模あたりのレビュー回数、レビュー工数 (仕様書1ページあたりのレビュー工数など)	適切な数値	数値表
	レビュー対象規模あたりのレビュー指摘件数 (仕様書1ページあたりのレビュー指摘件数など)	適切な数値	数値表
	レビュー指摘1件を発見するのに要したレビュー工数	適切な数値	数値表
	機能ごとのレビュー指摘の偏在状況	適切な数値	割合グラフ
	重要度ごとのレビュー指摘の偏在状況	適切な数値	割合グラフ
	レビュー指摘事項のうちの、解決済みの割合。レビュー対象ドキュメントなど、さらに細かく分類してもよい	100%	数値表 割合グラフ
	レビュー指摘事項のうちの、未解決の割合。レビュー対象ドキュメントなど、さらに細かく分類してもよい	0%	数値表 割合グラフ
	開発規模あたりのテストケース数	適切な数値	数値表
	各要求に関連するテストケースが存在するか、実施しているか	100%	数値表
	ユースケーステストのテストケースが存在するか、実施しているか	100%	数値表
	状態遷移テストのテストケースが存在するか、実施しているか	100%	数値表
	各機能に関連するテストケースが存在するか、実施しているか	100%	数値表
	各画面に関連するテストケースが存在するか、実施しているか	100%	数値表
	各データ項目に関連するテストケースが存在するか、実施しているか	100%	数値表
	各モジュールに関連するテストケースが存在するか、実施しているか	100%	数値表
	用意したテストケースをすべて実施しているか。実施忘れの発見や実施できないものもチェック、実施しないことにしたテストケースの確認など	100%(テストケースの実施優先度を定めている場合は、優先度の基準による)	時間経過グラフ
	1件あたりのテスト実施時間	小さいほどよい	数値表 (機能別の比較など)
	スケジュールに表れにくいテスト実施工数の確認。不具合1件あたりの再テスト工数またはスモークテスト1回あたりの再テスト工数。	適切な数値	数値表
	テストケースが適切な割合(予定の割合)でNGとなっているか。テストケース判定欄の分類ごとの集計表でもよい。テストサイクルがあれば、テストサイクルを重ねるごとにNG率が下がることを確認する	適切な数値	数値表
	用意したテストケースにより不具合を発見できているか(不具合件数予測値による)	適切な数値	数値表

No.	指標名称	算出方法	
3	機能別不具合割合	機能ごとの発見済み不具合数÷発見済み不具合総数	
4	機能別不具合発見率	機能ごとの発見済み不具合数÷テストケース総数 または 機能ごとの発見済み不具合数÷機能別テストケース数	
5	重要度別不具合割合	重要度ごとの発見済み不具合数÷発見済不具合総数	
6	重要度別不具合発見率	重要度ごとの発見済み不具合数÷テストケース総数	
7	不具合発見効率	テスト実施時間÷発見済み不具合総数	
8	不具合収束状況	期間内の発見済み不具合数÷期間内のテスト実施時間 または 期間内の発見済み不具合数÷期間内に実施したテストケース数	
9	不具合目標達成率	発見済み不具合総数÷不具合予測値総数＊5	
10	不具合密度	発見済み不具合総数÷開発規模	
不具合対応状況			
1	平均不具合対応日数	不具合発見から不具合対応完了までにかかった日数の合計÷発見済み不具合総数	
2	不具合除去率	対応完了不具合数÷発見済み不具合総数	
3	未対応不具合率	未対応不具合数÷発見済み不具合総数	
4	不具合対応誤り率	不具合対応時の誤りによって新たに発見された不具合数÷発見済み不具合総数（または対応した不具合数）	
5	残存不具合予測	発見済み不具合件数＋（未実施テスト件数×不具合発見率）－修正済不具合件数	
不具合分析			
1	原因別不具合割合	原因ごとの発見済み不具合数÷発見済み不具合総数	
2	原因別不具合発見率	原因ごとの発見済み不具合数÷テストケース総数	
3	不具合の混入から発見までの平均時間	原因発生日から発見日までの経過日数の合計÷発見済み不具合総数	
4	不具合の混入から発見までの平均経過工程数	原因発生工程から発見工程までの経過工数の合計÷発見済み不具合総数	
5	不具合の発見が期待されるテスト工程から実際の発見工程までの経過工程数	発見されるべきテスト工程から発見されたテスト工程までの経過工程数の合計÷発見済み不具合総数	

＊5　不具合予測値についてはp.291のコラムを参照してください。

	指標の意味・目的・何がわかるか	望ましい数値	表現方法の例
	機能ごとの不具合の偏在状況。不具合が著しく多い／少ない機能については、問題がないかを確認する	適切な数値	割合グラフ
	機能別不具合割合と同じ	適切な数値	割合グラフ
	重要度ごとの不具合の偏在状況。重要度の低い不具合ばかり発見していないかなどを確認する	適切な数値	割合グラフ
	重要度別不具合割合と同じ	適切な数値	割合グラフ
	不具合1件を発見するのにかかっている時間	テスト工程初期は小さく、後期は大きくなる	数値表 時間経過グラフ
	テスト期間を一定期間に区切り、期間ごとに発見した不具合数の発見率を確認する。分母をテストケースにする場合は、テストサイクルなど継続的に一定数のテストケースを消化し続けている場合に限る	テスト工程初期は小さく、後期は大きくなる	時間経過グラフ
	当初予測した不具合数に達しているか。機能別、テスト工程別に確認するとよい	バグ予測値の精度が高ければ、100%前後	数値表 割合グラフ
	開発規模あたりの不具合数	適切な数値	数値表
	一定の日数内で不具合対応が完了しているか。 不具合修正に日数がかかりすぎているとデグレードなどの要因になるため。 最短、最長日数や3日以内、10日以内、3週間以内など分類ごとの集計表でもよい。	小さいほどよい	数値表
	発見した不具合のうち、対応完了となっている不具合の割合。重要度など、さらに細かく分類してもよい	100%	数値表 割合グラフ
	発見した不具合のうち、対応完了となっていない不具合の割合。重要度など、さらに細かく分類してもよい	0%	数値表 割合グラフ
	不具合対応が適切に行えているか	小さいほどよい	数値表
	信頼度成長曲線のセオリーに沿って不具合発見ができているか。不具合対応が滞りなく進んでいるか。両方がわかる	小さいほどよい	数値表
	原因ごとの不具合の偏在状況	適切な数値	割合グラフ
	原因別不具合割合と同じ	適切な数値	割合グラフ
	不具合の混入から発見までの平均時間	小さいほどよい	数値表
	不具合の混入から発見までの平均経過工程数。ただし、開発工程に対応するテスト工程で発見しても経過工程として単純評価	小さいほどよい	数値表
	結合テストで発見すべき不具合が結合テストで発見できているかの確認。もし見過ごされシステムテストで発見されたなら、経過工数が大きくなり望ましくない	小さいほどよい	数値表

Part 4

次のステップへ

ここまでPart 1 〜3を通して、ソフトウェアテストの基本を学習してきました。Part 4では、さらに一歩を進めて、昨今よく聞かれる「アジャイル」や「テスト駆動型開発」「テストの自動化」について、触れたいと思います。ソフトウェアテストはスポーツと同じで、応用的なことほど、基礎力が活きてきます。次のステップに進むにあたって、これまでに学んできたPart 1 〜3が、どのように使えるのか、また、どこが重要なのかを改めて考えてみてください。

Chapter 12 アジャイル開発とテスト

本章ではアジャイル開発にフォーカスしていきます。**これまで本書で学んできた内容が、アジャイル開発ではどのように活かされるのか**、という視点で話を進めていきます。

アジャイル開発の概要

まずはアジャイル開発がどのようなものなのかを説明していきます。ただし、紙幅の関係上、詳細な説明はできません。それらは専門書などに譲ります。

アジャイル開発の大まかな流れは以下のとおりです。

（1）リリース計画の立案
（2）ユーザーストーリーと受け入れ基準の作成
（3）イテレーション計画の立案とイテレーションの実行
（4）何度かのイテレーションを繰り返して、製品完成

イテレーションとは「**反復**」という意味であり、アジャイル開発の典型的な用語です。短い期間の中で「**要求分析⇒設計⇒テスト⇒リリース可能な成果物の作成**」を行います。アジャイル開発ではこのイテレーションを繰り返しながら製品を仕上げていきます。上記の流れについて個別に見ていきましょう。

（1）リリース計画の立案

リリース計画とは、開発プロセスにおいて、**全体としてどのように開発していくかを定めたもの**です。具体的には、イテレーションの期間やイテレーションで作成する機能（要求）、イテレーションのタイミング、最終的なリリースのタイ

ミングなどを策定します。

(2)ユーザーストーリーと受け入れ基準の作成

ユーザーストーリーとは、**ユーザーの要求を示したもの**です。受け入れ基準(合格基準や品質目標)と合わせて事前に考えます。ユーザーストーリーや受入れ基準は、イテレーションがはじまる前にできるだけ洗い出したほうが良いのですが、イテレーションの合間でも追加や変更、ユーザーストーリーの詳細化を行います。

(3)イテレーション計画の立案とイテレーションの実行

ユーザーストーリーを洗い出したら、イテレーションを開始します。ここでいう**イテレーション計画**は、1回のイテレーションでどのユーザーストーリーに対応し、いつリリースするのかを定めるものです。すでに複数回のイテレーションが実行された後であれば、残課題の取り込みや、仕様変更などに対応するかも判断します。

イテレーション計画が策定されたら、計画にしたがってイテレーションを実行していきます。ユーザーストーリーを分析して受け入れ基準をパスできるように開発を行います。実装段階では「**テスト駆動型開発**」といわれるテスト自動化ツールを使って、テスト用のコードを先に作成しながらコーディングを行う手法がとられることが多いです。テスト担当者は受け入れ基準と照らし合わせて、テストを検討し、手動のテストを実施します。

この後のウォーターフォールモデルとの違いでも述べますが、**イテレーションの期間はとにかく短い**です。数週間から1カ月程度のものが多いようです。よって形式的なドキュメントを作成せずに各作業が実行されることがあります。

1回のイテレーションの最終段階としては、開発対象の一部分ができ上がり、リリース可能な成果物が作成されます。この「**リリース可能**」であることが重要です。つまり、開発の途中段階ではあるものの、「動く」ソフトウェアが作られます。そして「動く」ソフトウェアをユーザーや顧客が受け入れテストをして合格すれば、1つのイテレーションが完了します。

(4)何度かのイテレーションを繰り返して、製品完成

(3)で示したイテレーションを繰り返して、徐々に「動く」部分を増やしていきます。最終的に**(2)**で定めたユーザーストーリーをすべて満たしたときに、製品として完成します。なお、プロジェクトの状況次第では、アジャイル開発で完成したソフトウェアに対して、ウォーターフォールモデルでいうシステムテストや、ユーザー受け入れテストを実行する場合もあります。

図12-1 ● アジャイル開発のイメージ

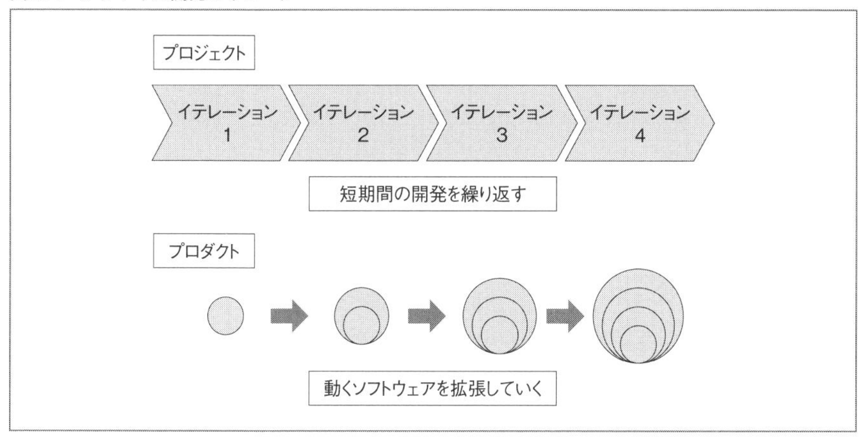

左から右に向かって開発が進んでいき、部分ごとに成果物を作成していきます。プロダクトの円形部分が作成した範囲です。

ウォーターフォールモデルとの違い

ウォーターフォールモデルとアジャイル開発の「**同じ部分**」と「**異なる部分**」について説明していきます。

(1)ユーザーの要求を考える部分は「同じ」

開発する立場ではなく、製品を使う、または納品してもらう立場で考えてみてください。ユーザーの立場としては、**自分たちの要求・要望を出して、その要求を**

満たした製品がリリースされれば問題はありません。つまり、製品の作り方がウォーターフォールモデルなのか、アジャイル開発なのかは関係ありません。そのため、まずは「ユーザーの要求は何か」「何ができればよいのか」を正しく分析したうえで開発をする必要があります。この点は、ウォーターフォールモデルでもアジャイル開発でも同じです。第1章で解説した「狩野モデル」や「Never・Must・Want」などを使って、要求の分析を行うことは重要です。

(2)要求のまとめ方は「異なる」

ウォーターフォールモデルの場合、ユーザーからの要求は「**要求定義**」フェーズ、または「**要件定義**」フェーズで取りまとめます。そして、それ以降の開発はこれらのフェーズでまとめられたものをベースにして行っていきます。極端な言い方をすると、これ以降のフェーズでは要求の分析は行いません。

一方のアジャイル開発では、最初のリリース計画において、ユーザーの要求を「**ユーザーストーリー**」として分析します。同時に「**受け入れ基準**」を定めます。そうして、ユーザーストーリーをもとにして開発し、受け入れ基準にしたがってテストを行います。このとき、開発対象となるユーザーストーリーは、最初に分析した要求のすべてではありません。リリース計画で定めた優先度にしたがってイテレーションごとに部分的に開発していきます。さらに、イテレーションの開始時点でユーザーストーリーの分析を行い、過不足や優先度の変更がないかユーザーや顧客に確認する作業を設けています。つまり、**イテレーションごとに要求分析を行います**。

アジャイル開発のメリットとして「**イテレーションと次のイテレーションの間で、要求の追加や仕様変更に対応しやすい**」ということが挙げられます。これはイテレーションごとに要求分析を行うので追加・変更に対応しやすいことと、部分的に完成させていくので、ウォーターフォールモデルよりも全体への影響が少ないことが理由として考えられます。

(3)開発の進め方は「異なる」

ウォーターフォールモデルでは、要件定義の後、基本設計(外部設計)から詳細設計(内部設計)へと進みます。要求を実現するために、段階的に詳細化と具体化が進み、コーディングまで行われます。基本設計と詳細設計のそれぞれで作り込みが行われ、レビューを経て次のフェーズに行きます。つまり、**各フェーズでの作業をやり切ってから次に進みます**。

一方、アジャイル開発ではイテレーションの中で、要求分析、設計、コーディング、その後のテスト、リリース可能な成果物の作成まで行います。そしてイテレーションを繰り返していきます。つまり、**イテレーションごとに開発プロセスを行い、製品を仕上げていきます**。

（4）テストの全体計画は「同じ」

テストの全体計画については、ウォーターフォールモデルとアジャイル開発で大きな違いはありません。

ウォーターフォールモデルでは、テストフェーズ単位でテストの内容と目的が定められ、アジャイル開発では、開発全体とイテレーショごとにテストの内容と目的が定められます。しかし、**開発全体として、どのようなテストを行うのかを考えるという点は同じ**です。

（5）テストの設計は「同じ」

ウォーターフォールモデルでもアジャイル開発でも「**ユーザーの要求に対して何ができればOKかを考える**」という点は同じです。アジャイル開発では受け入れ基準を明確に定めていますし、ウォーターフォールモデルでも品質目標という形で合否基準を考えます。

また、どちらの場合でもテストに抜け漏れがあってはいけません。そのためにも**テスト設計の技術**は必要不可欠です。第３章のホワイトボックステスト、および第４章から第７章のブラックボックステストの技法は役に立ちます。**特にアジャイル開発においては「どのようなテストをするのか」「それで抜け漏れがないか」を押さえることが重要**なので、第５章のデシジョンテーブルや第６章の状態遷移テストの考え方はより一層、重要度を増します。さらに、第７章の組合せテスト技法の適用は、抜け漏れなく、かつ効率的に実施するうえで非常に重要になります。

（6）テスト実施方法は「異なる」

ウォーターフォールモデルでは、フェーズごとにテストケースを作成し、それに従ってテストを行います。テストケースだけではなく、仕様整理や画面遷移などをまとめた中間資料も作成されます。

アジャイル開発におけるテストでは、イテレーションの期間が極めて短いため、**テストケースなどをドキュメント化する時間が取れません**。よって、すべてをドキュメント化することはせず、情報を絞ってテストを行います。ただし、**(5)**で書いたとおり、テスト設計は行います。ドキュメントがないからといって、やみくもにランダムテストをするわけではありません。この点には注意してください。

(7)テストの自動化の導入度合いが「違う」

アジャイル開発では、**単体テストはテスト自動化ツールで行うことが前提**です。このとき、無駄なテストケースを実施しないためにも、第4章で解説した**同値分割**や**境界値分析**の考え方は必須です(テストの自動化については次章で解説します)。

また、**テスト駆動型開発**などもプラクティスとして取り入れられており、自動化ツールを使ってテストコードを作成しながらコーディングを行っていきます(テスト駆動型開発については、p.307のコラムを参照)。

回帰テストについても自動化が進められています。イテレーションごとに製品ができ上がっていく中で、回帰テストの範囲が徐々に広がっていきます。ある程度でき上がってくると、短いイテレーションの中では手動で回帰テストを行うことが難しくなります。また、回帰テストとして同じ手順のテストを繰り返し行うことになり、テスト自動化との相性も良いです。よって、アジャイル開発ではテスト自動化が進められています。

(8)テスト担当者の役割は「同じ」

アジャイル開発では、イテレーションの中のテストが注目されがちですが、第2章で取り上げた**その他のテスト(特にセキュリティに関するテスト)**は別途行う必要があります。

また、**性能テスト**もイテレーションとは関係のないタイミングで行われることが多いです。つまり、テスト担当者は開発全体の中で、どのテストが必要であるかを考えることが必要です。そして、テスト計画(どのテストを、どのタイミングで行うのか)を立てる必要があります。これはウォーターフォールモデルでもアジャイル開発でも変わりはありません。

(9)リリースのタイミングは「異なる」

ウォーターフォールモデルでは、開発フェーズが進み、テストが終わった時点でリリースになります。その後で、ユーザーや顧客に受け入れテストを実施してもらうことが多いです。

アジャイル開発ではイテレーションごとにリリース可能な成果物の作成が行われ、ある程度動作するものを作る必要があります。そしてイテレーションごとにユーザーや顧客に確認してもらう必要があります。そのため、アジャイル開発のほうが小まめにユーザーに協力してもらう必要があります。

(10)不具合の管理方法が「違う」

ウォーターフォールモデルでは、不具合が発見されると、第9章で解説したような「**不具合報告書**」を作成して、管理します(p.226)。問題点としては、不具合の件数が多くなると、不具合報告書の作成数が増えて、テスト実施の作業時間を圧迫するようになるという点が挙げられます。

アジャイル開発では、不具合発生時にも、詳細な不具合報告書は残さず、口頭でのコミュニケーションで修正することがあります。不具合報告書を作成する時間すらも効率化の対象となっているわけです。**ただし、分析のために必要な項目(どのような不具合があったのかなど)は、アジャイル開発であっても残しておくべき**です。

またイテレーションをまたいで不具合を修正することとも考えられます。その際はしっかりとドキュメント化するべきです。イテレーションをまたぐと細かい情報を伝えることが困難となります。そのような状況で、もし対応が漏れてしまうとデグレードにつながることもあります。**効率化を求めるアジャイル開発で最も気をつけるべき観点の1つ**です。

ここまで読み進めていただければわかるように、アジャイル開発とウォーターフォールモデルでは、ソフトウェアの開発工程やリリースに対する概念など、大きく異なるものがたくさんあります。

ただし、あらゆるものが異なるというわけでもありません。同じように考えなければならないものや、考え方が近いものもあります。特に**品質に関する考え方**は同じです。ユーザーの要求を把握し、それを実現することが、ソフトウエア開発のゴールであることは、いずれの開発モデルの場合も同じです。そのため、今後、みなさんが何らかのプロジェクトにアサインされた際は、そこで採用されている開発モデルの種類にかかわらず、本章で取り上げた内容を確認していただき、冷静に対応してください。

column | テスト駆動型開発（Test-Driven Development：TDD）

アジャイル開発関連の資料を確認すると、ほぼ必ず「テスト駆動型開発」という用語を目にします（以降、TDDと記載）。

TDDは、**コーディングを行う際の開発手法**です。具体的には、単体テストの自動化ツールを使い、テストケースを先に作成し、テストがPassed（成功）になるようにコーディングを行っていきます。

図12-2はTDDの具体的なイメージです。この図から「**テストを先に作って、後から本番コードを書いていく**」というイメージは伝わるでしょうか（テストコードの書き方や本番コードの書き方は、使用するプログラミング言語や、テストツールによって異なります）。

図12-2 ● TDDの具体的なイメージ

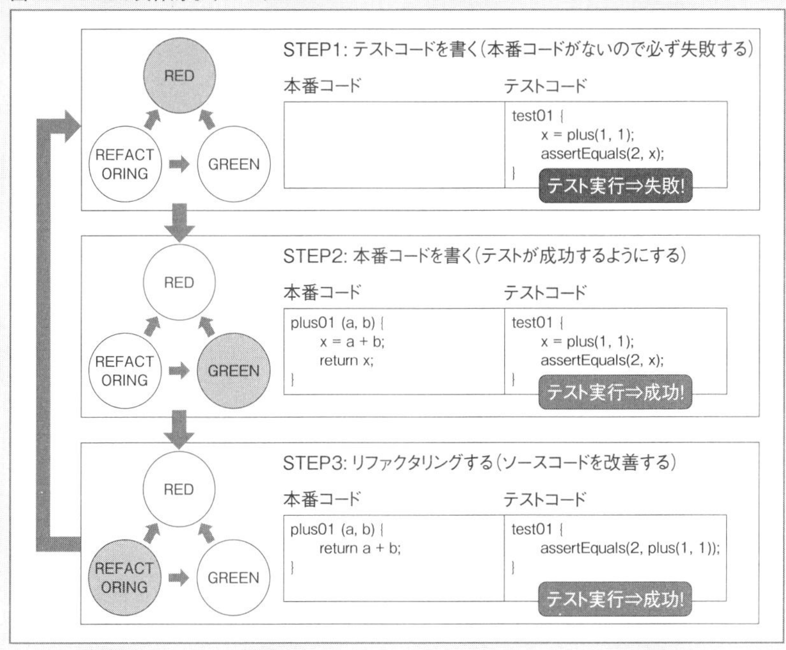

上図の左側に「RED」「GREEN」「REFACTORING」と書かれた円があります。これはTDDの進行ステータスを表すもので、TDDでは一般的に使われています。「RED」はまだテストに合格していない状態、「GREEN」はソースコードがテストに合格した状態です。ただし、適切なソースコードになっていない場合があ

ります。「REFACTORING」は「GREEN」のソースコードに対して、最適化を行った状態（つまり、より良い状態に改善した状態）です。

ちなみに「RED」や「GREEN」といった名称表記は、テストツール上での表記が元になっています。テストツール上で、不合格であれば赤い文字で「Failed」が表示され、合格すると緑の文字で「Passed」が表示されますが、ここで使われている色が、そのままTDDに採用されているのです。

Chapter 13 テスト自動化

ソフトウェアテストでは、さまざまなツールを使用します。例えば、テスト設計を支援するもの、テスト実施を支援するもの、テスト管理を支援するものなどがあります。本章では、そういったツールの1つである「**テスト自動化を支援するツール**」について考えていきます。

テスト自動化とは

テスト自動化とは、**人間が手作業で行っているソフトウェアテストを、コンピュータに実行させること**です。また、テストの自動化を行うツールのことを「**テスト自動化ツール**」と呼びます。

なお、一口に「テスト自動化ツール」といった場合でも、実際にはさまざまな種類があります。例えば、近年では、単体テストを行う「**xUnit**」が有名です。xUnitは、テストコードを作成し、入力値や期待結果を定義してテストを自動的に行ってくれるツールです(このツールは、前章で紹介したテスト駆動型開発でも使われます)。

他にも、「UI自動化ツール」と呼ばれるツールもあります。このツールは、Web画面上のボタン操作などを、人間が行うように操作してくれます。

テスト自動化を導入する目的

テスト自動化の導入方法について解説する前に「**そもそも、なぜテスト自動化を導入するのか**」を考えてみましょう。

おそらく、多くの人は「**テスト実施工数の削減**」が目的でしょう。単純に考えれば、テストを自動化すれば、人間がやっている作業をコンピュータが自動的に実行するようになるので、工数を大幅に削減できます。

ただし、**テストを自動化することによって得られるメリットは「工数の削減」だけではありません**。例えば「開発全体のスピードアップとそれに伴う工数削減」が挙げられます。テストを自動化すれば、テスト工程そのもののスピードが上がり、それによって、開発全体のスピードも向上しますし、これは開発工数の削減につながります。さらにその結果として、リリースタイミングが早まるので、リリース後のフィードバックをより早く得ることができ、ソフトウェアやシステムの品質を向上させることができます。

つまり、**テストを自動化することよって、ソフトウェアやシステムの品質が向上し、競争力も高くなる**ということです。単純な工数の削減だけではなく、その先の競争力の強化までを見据えて、テスト自動化ツールの導入を検討するとよいでしょう。

テストの自動化が失敗する理由

ここまでの解説を読み進めてくると、テストの自動化にはメリットしか存在しないように思えますが、話はそう簡単ではありません。実際、これまでに多くの企業やプロジェクトがテストの自動化を試みてきましたが「テスト自動化ツールの導入に失敗した」という話を多く耳にします。

それでは、**なぜテストの自動化に失敗してしまうのでしょうか**。失敗したときによく聞く声は以下のようなものです。

- 思ったよりも工数の削減効果がなかった
- テスト自動化ツールの運用開始までに時間がかかってしまった
- 導入したテスト自動化ツールではやりたいことを実現できなかった
- テスト自動化ツールを使用できる人が一人しかおらず、その人が辞めた時点で使えなくなった

これらのポイントをまとめると、テスト自動化ツールに失敗するケースには以下の理由があると考えられます。

- ツールに対して過度の期待をしてしまう

- 運用開始までの準備段階にかかる工数を考慮していない
- 運用開始後のメンテナンスにかかる工数を考慮していない
- ツールに対する調査が不足している
- ツール使用者に対する教育が不足している

それでは、テスト自動化ツールの導入に失敗しないためにはどのようにすればよいでしょうか。

テスト自動化ツールを導入する前に考えること

テスト自動化ツールの導入で失敗しないためには、導入前に以下について十分に検討することが必要です。

(1)ツールの選定

世の中には多数のツールがあります。どのツールを導入するのかについては十分に検討することが必要です。本章の章末にツールの特徴をいくつかまとめているので(p.323)、こちらを参照しながら、自社に適したツールを選定してください。

(2)本格導入前に小さなプロジェクトで導入実験をする

導入するツールをある程度絞り込めてきたら、まずは参加人数が少なく、テスト期間にも余裕があるような、**小さめのプロジェクトでツールの導入実験を行います**(こういった本格導入前の調査のことを「フィージビリティスタディ」といいます)。テスト自動化ツールの導入検討においては、この考え方は非常に有効です。大規模なプロジェクトや、期限が切迫しているようなプロジェクトに新しいツールを導入するのは失敗のもとです。

フィージビリティスタディを実施する目的は、大きく次の２つです。

どのくらい自動化できるのかを把握する

フィージビリティスタディでは、まず導入を検討しているツールが、**テスト対象に対して思い通りに動いてくれるかどうか**を確認します。うまく動作しないケースもあるので注意してください。

また、既存のテストをどの程度自動化できるのかを確認します。自動化の範囲が小さければ、導入しないという判断になることもあるでしょう。

さらに、ツールの保守やメンテナンスについても確認します。継続して運用を続けることができるかどうかを確認してください。

どれくらい効果があるかを把握する

ツールを導入することによってどの程度「テスト実施の工数」を削減できるのかを確認します。工数を削減できなければツールを導入するメリットはありません。

次に、運用や保守にかかるコストを確認します。運用・保守費はある程度の見込みで計算しておく必要があります。ケースバイケースなので一概にはいえませんが、運用・保守費としては**自動化の構築にかかったコストの数パーセント**を見込んでおくとよいでしょう。

上記のように、自動化の効果を事前に確認し、年間にどのくらい実行できるのかを予測してみましょう。当然、効果のある自動化を複数回実行できれば、本格的な導入へ向けて、検討を進めればよいということになります。

逆に、導入・構築や運用・保守に時間やコストがかかるわりに、あまり効果が出ないようであれば、導入について慎重にならざるを得ません。いずれの場合も、まずは「**ツールを導入したからといって、工数やコストがゼロになるわけではない**」ということを事前に把握しておくことが重要です。

(3)ツール利用に関する教育

テスト自動化ツールを効果的に使用するには、**ツールを使う人を教育・育成する時間**も必要です。この教育に関する工数は無視できません。ツールベンダーの事前研修などが必要になる場合もあります。ツールの使用に関しては属人化しやすいので、使用者が複数いる状態になるように教育計画を考えることが重要です。ツールに対する理解者が、プロジェクトメンバーに多ければ多いほど、導入後の失敗のリスクは低減されます。

ただし、教育にあまりに多くの時間とコストを割くわけにはいきません。バランスが重要です。まずは計画策定段階でツールの使用についてプロジェクトメンバー向けの教育・研修の時間を確保するようにしましょう。

テスト自動化におけるテスト設計のポイント

テスト自動化ツールを使用する場合の、**テスト設計に関するポイント**を説明します。なお、テストの自動化では、事前に用意しておいた「**期待結果**」と、テスト実行後の「**テスト結果**」を比較することでテストを実行します。そのため、テストの自動化においては比較の元となる期待結果が必要であるということを念頭に置いておいてください。

テスト自動化におけるテスト設計の流れ

それでは、テスト自動化における**テスト設計の流れ**を見ていきましょう。なお、ここでは、テストの対象となるソフトウェアやシステムがすでに存在している状態を想定しています。

図13-1 • テスト自動化におけるテスト設計の流れ

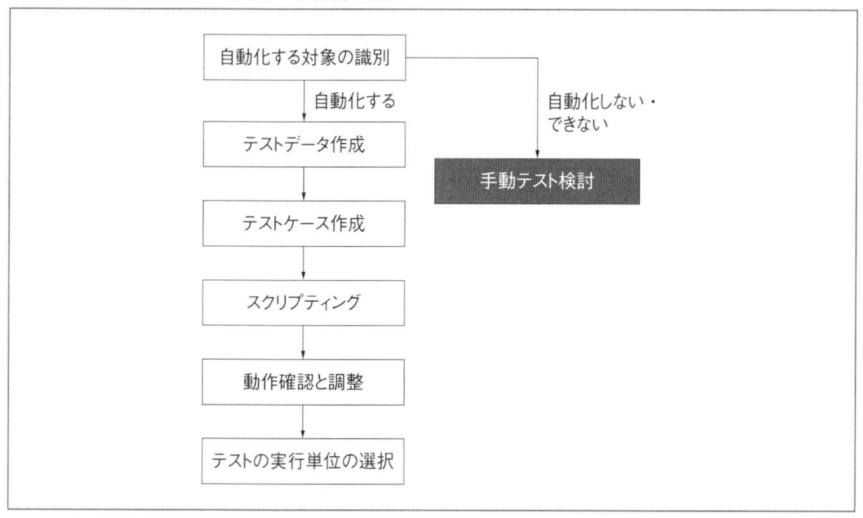

(1)自動化する対象の識別

テストを自動化する際の最初の作業は、各テスト対象に対して、**そのテストを自動化するか(できるか)、しないか(できないか)を識別して決定すること**です。

自動化するか、しないかを識別する際のポイントは次の2点です。

- 期待結果を定義できるか否か
- 自動化によって生産性の向上や、高い費用対効果を見込めるか否か

期待結果を定義できない場合や、定義できたとしても採用したツールがそれを認識したり、測定したりできない場合は自動化できません。また、中には多くの時間やコストをかければ自動化できるものもありますが、費用対効果が低い場合は自動化を見送ったほうがよいケースも多々あります。自動化による恩恵をきちんと見極めて、判断する必要があります。

なお、以下のようなケースは、期待結果との比較が容易であるため、テストの自動化に向いているといえます。

- 同じ作業の繰り返しで、データのパターンが複数あるようなテスト
- 何度実行しても同じ結果を返すような、検証よりも保証に近いテスト

MEMO

重要機能(料金計算などのお金が絡む機能など)では、生産性・費用対効果を度外視して、自動化を選択する場合もあります。それは、抜け漏れがないように、できるだけ多くの入力パターンに対してテストをするためです。

自動化しない(できない)テスト

すべてのテストを自動化できるわけではありません。中には自動化しないほうがよいものや、そもそも自動化できないものがあります。

まず考えられるのは「**人の感覚による判断が必要な機能**」です。例えば、

- 画面レイアウトの崩れ
- 文字の折り返し位置
- あいまいな文言や文章表現
- 画像の表示

などがあります。こういった内容は、例えば事前に画面レイアウトや文字の折り返し位置などを細かく定義しておけば自動化できる可能性はありますが、あまり現実的とはいえません。こういったケースについては、人の目で判断したほうが早く、正確です。

次に「**人の介入が必要なもの**」が挙げられます。よくあるケースとしては、**日時指定があるテスト**です。特定の日付のテストが必要な場合、まずシステム日付の変更がテスト環境として可能かどうかが問題になります。テストのタイミングが限られたものになると、スクリプトの安定性が確保できなくなる恐れがあります。加えて、日付指定となるとスクリプトの汎用性もが下がるので、自動化の効果が出ないことになります。

その他には「**システム外の認証システムを使用するもの**」です。例えばCAPTCHA認証では人の目による判断と操作が必要です。SMS認証ではスマーフォンや携帯電話にショートメッセージが届いたかどうかの確認と、そこに届いた番号の入力が必要になります。有償のライブラリを使用することで自動化することもできなくはないですが、実際には自動化しないことのほうが多いです。また、生体認証ではまさに「人」が必要になりますし、テストを実施する際にハードウェアの制限がある場合も自動化が難しくなります。

column | 手動テストとテストの実行タイミングが重複する場合

自動テストのタイミングが手動テストと重複する場合は、自動化するべきではありません。手動テスト中に、データやシステムの状態をテスト自動化ツールが勝手に変えてしまうと、テストの結果に影響が出ます。ルールがない状態で自動テストを実行するとトラブルのリスクが高くなるので、担当者は、自動テストを実行する前にメンバーに周知したり、手動テストと被らないように夜間に実行したり、テストデータを作るところからテストケースを作成したりするなど、トラブルを防ぐためのルール作りが必要です。

(2)テストデータの作成

テスト対象と自動化の範囲が明確になったら、次は**テストデータの作成**に入ります。自動テストで利用するテストデータを作成する際は以下の点に注意してください。

自動テストと手動テストで使用するものを分ける

テストデータを作成する際の前提として、自動テストで使用するものと、手動テストで使用するものを、完全に分けるようにしてください。これは、手動テストによる書き換えや、逆に手動テストのデータに影響を与えないようにするためです。また、テストで使用するアカウントやユーザーも自動テストと手動テストで分けるようにしてください。

システムを特定の状態に戻せるようにしておく

テストデータを作成する際のポイントには「システムを特定の状態に戻せるようにする」というものもあります。自動テストによってさまざまなデータが作成され、システム内が「汚れた」状態になります。そうなるとその後のテストがやりにくくなります。そのため、テストデータやシステムのデータベースのデータを元の状態に戻せる仕組みを構築しておくことが理想です。

大量のデータ登録を行っても問題ないかを確認しておく

自動テストを実行すると短期間で大量のデータが作成されます。そのため、システムとして、大量のデータ登録を行っても問題ないことを確認しておくことが必要です。さらに、手動テストで作成されたデータと区別するため、日付や番号を付与するなど、自動テストで作成されたデータであることがわかるようにしておくと、結果の確認がしやすくなります。

(3)テストケースの作成

テストデータに続いて、**テストケース**を作成します。ただし、この段階で作成するテストケースは、自動テストで使用するものではありません。テストの手順や内容を人間がわかるような形式と言語で作成します。つまり、手動のテストケースに近いものです。自動テストで使用するテストケースについては、次項の「スクリプティング」で説明します。

テストケースを作成する際は、**1つのテストケースにつき、期待結果も1つ**にします。1つのテストケースに対して複数の期待結果があると、いろいろな問題が起こります。例えば、複数の期待結果の中で1つでも自動テストできない場合、自動テストと手動テストに分ける必要があり、その分手間がかかります。

また、自動テストできない期待結果を無視して、自動テストが実行されることがよくあります。つまり無視された項目はテストされず、テストが終了してしまうのです。自動テストできない項目は、そのままテストの抜け漏れになります。こういったことを防ぐためにも、1つのケースに対して、期待結果は1つにすべきです。

(4)スクリプティング

スクリプティングとは、上記のテストケースをもとにしてテスト自動化ツールが動作するように命令文(スクリプト)を作成する作業です。自動テストで使用するテストケースは、操作手順、期待結果、テストデータなどを**漏れなく定義**する必要があります。人間のように行間を読んでテストを実施することはありません。

スクリプト作成時のポイントは、**共通操作部分をモジュール化(統一化)しておく**ことです。モジュール化することでコードの重複を減らすことができます。また共通化されているので、**メンテナンスも容易**になり、メンテナンス漏れの抑止にもつながります。

さらに、**再利用**が可能になり、モジュールの安定性が増します。いい換えると、何度も使用することによって不具合が取り除かれ、モジュールに問題が起こりにくくなっていきます。

他にも、スクリプト作成時には、テスト実行時のデータをレポートやログに出力するようにしておきます。そうしておけば、テスト実行時に「Failed」(失敗)が発生した場合に、バグなのか、テストデータの不備なのかなど、原因の切り分けがしやすくなります。また、手動テストでの再現確認も、どこでFailedが出ているのかがわかるので、実施しやすくなります。

column | UIテスト自動化におけるスクリプティングのポイント

UIテスト自動化においては、**UI要素の場所変更の影響を受けにくいようにスクリプトを作成する必要があります。**例えば、画面デザインの変更などによってUI要素の場所が変更されたとしましょう。そうすると、基本的には、毎回スクリプトのメンテナンスが発生します。よってメンテナンス頻度を少しでも減らす工夫が必要になってきます。具体的には、ソース側で固有のIDやname属性など、一意に特定できる属性が設定されていれば問題ありません。それらを頼りにデータの入力などを行います。しかし、そのような設定がなされていない場合はどうでしょうか。具体的には、変動するIDしか設定されていない（特定できる属性がない）場合などが考えられます。その場合は表示されているテキストやラベルを起点にして要素を特定します。

イメージとして、「住所」というラベルの横にあるテキストボックスは、住所を入力するところとしてテスト用のスクリプトを作成しますが、それでも対応が困難な場合があります。その場合は、場所の変更に弱い状態のままで自動化する、または自動化はせずに手動テストを行うなどの対応を考えます。このとき、自動化するコストと手動テストのコストを考慮して判断するとよいでしょう。

図13-2●UIテスト自動化のポイント

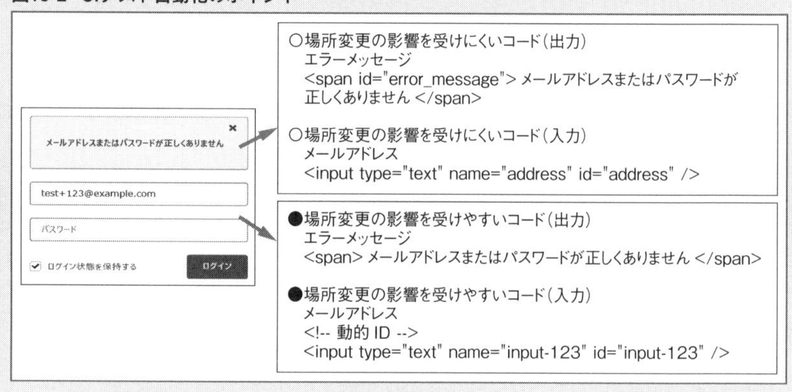

（5）動作確認と調整

ある程度スクリプトを作成したら、本格的に自動テストを実行する前に、**1ケースずつ動作確認**を行います。もし何らかの問題がある場合は、この段階で検出されます。

1ケースずつの動作確認で問題がなければ、今度は一連の流れでまとめて実行します。もし、この段階で問題が発生した場合は、個別のテストケースではなく、**テストケース間でのデータのつながり**がうまくいっていない可能性が高いです。例えば、最初に実行したテストケースによってデータの内容が変更されてしまい、次に実行するテストケースの期待結果と不一致になるケースなどが挙げられます。そういった不具合が確認された場合は、適切に調整することが必要です。

なお、本格的なテスト前のこの時点で不具合が発見された場合も、きちんと報告するようにしてください。

(6)テストの実行単位の選択

スクリプティングと動作確認が完了したら自動テストの**実行単位**を設定します。例えば、1ケース単位で実行するのか、機能単位で実行するのか、または、ユーザーシナリオテストやスモークテストなどテストのタイプに応じて実行するのかを設定します。実行単位はテスト計画やテスト設計に従うことが多いです。

また、**テストケース数が増えれば増えるほど、運用コストは増えていきます**。テスト設計の段階で実施量を調整できるようにしておきましょう。手動テストと同様に優先度をつけておくことも必要です。

自動テストの実行と運用のポイント

テストケースの作成やスクリプティングといった**テスト設計**が完了したら、いよいよテスト自動化ツールを実行します。ここでは、本格的に自動テストを行う際に生じうる各作業について解説していきます。

(1) Failedが表示された場合の原因の切り分け作業

自動テストを開始すると、テストの結果が出力されるようになります。主要なツールでは、テストが問題なく実行されると「**Passed(成功)**」が表示され、何らかの原因で失敗すると「**Failed(失敗)**」が表示されます。

テスト担当者は、最初の作業として、テスト結果にFailedが表示された場合に、ソフトウェアのバグかどうかの切り分けをします。この作業そのものは手動テストでも行っているものですが、自動テストと手動テストでは切り分けのタイミングが異なります。

手動テストの場合は**バグや不具合が発生した時点**で切り分け作業を行うことが多いです。一方、自動テストの場合は**スクリプト単位の自動実行が終了した時点**で切り分け作業を行うことが多いです。そのため、Failedが表示されてから時間が経った後に切り分けを行うことになるため、作業が難航することもあります。

column | 自動テストでFailedが表示される原因

自動テストでFailedが表示される原因について考えてみましょう。Failedが表示された原因が「ソフトウェアのバグや不具合」の場合は、手動テストの場合と同様にインシデントレポートで報告します。

一方で、以下のような「テスト環境が原因」で失敗する場合は、再度テスト環境を構築して再実行します。

- テスト環境がデプロイ中で接続できなかった
- 回線の影響でテスト環境に接続できなかった
- リリース作業のミス

また「テストデータに問題がある場合」は、主に人的要因によってデータ不整合が発生したことが原因となる場合が多いです。手動テストによって変更されてしまったり、調整した際にデータを戻し忘れたりすることも考えられます。テストデータが原因の場合、環境を元に戻すことが可能なのであれば元に戻したうえでツールを再実行します。一方、元に戻すことができない場合は、スクリプトのデータ部分の再設計などが必要になります。

システムの改良などによって失敗する場合もあります。このケースでは、自動テストで想定していた操作とUIの構成要素の追加・変更・削除によって操作が変わってしまった場合が考えられます。また対象システムのレスポンスや画面遷移にかかる時間など、システムの挙動が不安定になる場合も失敗すること

> があります。操作手順が変わった場合は、ツールを実行する前に手動テストで確認し、そのうえでスクリプトのメンテナンスを行います。また、レスポンスなどが問題の場合も手動テストで確認しつつ、挙動が安定するのを待って自動テストを実行します。

(2)スクリプトのメンテナンス

自動テストでは、**スクリプトのメンテナンス**が欠かせません。特にリリース作業が行われた後に、自動テストが問題なく再実行できるかを確認する必要があります。スクリプトやテストケースは必要なときに、必要な量の運用・保守ができるようにしておく必要があります。対応が遅れてしまうと、自動テストが動かなくなり、そのまま使われなくなる可能性があります。

なお、リリースのたびにテストケースを追加・修正すると、テストケースが増大していきます。そのため、**テストケースを追加するだけでなく、削除することも検討する必要があります**。例えば、過去に一度もFailedになっていないケースや、テストデータの組合せに無駄があるケースなど、削除を検討すべきものはいろいろあります。追加すべきケースとしては、新機能や不具合の再現確認やデグレードの確認などが考えられます。

さらに、スクリプトのみメンテナンスが進み、それに合わせたテストケースの修正が遅れることもよくあります。そうなると、スクリプトとテストケースの内容が乖離してしまい、機能追加に伴うテストケースの追加などが発生すると、どこを修正していいのかわからなくなります。通常のドキュメント管理と同様に**構成管理**を行い、常にテストケースとスクリプトの整合性が取れている状態にしましょう。

(3)メンテナンスの体制構築

上記に記載した通り、自動テストにおけるメンテナンスは重要です。しかし、メンテナンスを行うにも作業の工数はかかります。限られた工数の中で効率よくメンテナンスを行うには、**メンテナンスを実施できる体制**を構築しておくことが必要です。具体的には、テスト計画の段階からメンテナンスにかかる管理工数と作業に当たるメンバー選定をしておきます。

テスト自動化ツールの効果確認

ここまでも何度か書きましたが、**テスト自動化ツールのメンテナンスには工数がかかります**。そのため、一連のテストの自動実行が終わったタイミングで費用対効果が出ているかを確認する必要があります。テスト自動化によって削減されたコストと、運用・保守にかかるコストを比較します。そして1回のテストにかかるコストを正しく見積もる必要があります。

ツール導入に伴う効果は大きく分けて2つあります。

- テストの実施工数の削減効果
- 開発工数の削減効果

それぞれについて見ていきましょう。

テストの実施工数の削減効果

テストの自動化によって、**テストの実施速度そのもの**が速くなるわけではありません。人がテストを行う場合、単純な人員増加の場合は、仕様やテスト内容の理解などに時間がかかり、効果が出ない場合が多いです。しかし、自動テストはPCとスクリプトがあればよいので、PCの台数を増やした分だけ同じテストができます。つまり、PCを同時並行で実施することが可能なので、人がテストを行う場合と比べて、仕様理解などテストの最初にかかる工数が少なくなることが工数削減のポイントになります。また、**実施者による個人差やスキルの差もない**ので、属人化の影響を受けにくいといえます。

ただし、仮に自動テストによる工数削減が1人月だった場合に、新たな運用コストが1人月かかるようであれば、コストの削減効果はゼロです。さらに保守のコストまで考えればかえってマイナスになります。そのため、複数回テスト実施を行うことで投資したコストを回収していくことになります。多くの場合、1回実施しただけではツール導入コスト（初期投資コスト、ライセンス料、環境構築工数など）を回収することはできません。2回、3回と、自動テストを繰り返すことによってはじめて、手動テストよりもコストを下げていくことが可能になります。

開発工数の削減効果

自動テストの副次効果として、テストの工数だけではなく、**開発の工数も削減できます**。自動テストを実施し、短期間でテストを繰り返すことによってバグの混入をいち早く検知できるようになります。例えば、前回の自動テストの結果が「Passed」で、今回が「Failed」になったとします。そうすると、前回のテストと今回のテストの間に改修されたソースコードがFailedの原因である可能性が高いといえます。このように、自動テストを導入すると、不具合の原因を特定するための工数を短縮できる効果も期待できます。また、自動テストでは修正範囲とはまったく関係のない部分もテストするので、デグレードの早期発見にもつながります。

また、ツールの利用状況も確認するようにしましょう。せっかくツールを導入しても、使われていないのであれば意味がありません。使用率が低いのであればその原因を分析し、対策をとる必要があります。

また、ツールを使っている担当者へのヒアリングも行います。使っていく中で得た経験やコツなどを、ナレッジとして蓄積し、今後に役立てていきます。

テスト自動化ツールの選び方

世の中にはさまざまな自動化ツールがあります。ここではツールの選定時に注意すべきことや、有償ツールと無償ツールの違いなどを解説します。自動化ツールの導入を検討している人は参考にしてください。

ツールの選定時に注意すべきこと

すべての自動化ツールがみなさんのテスト環境で正しく動作するわけではありません。また、みなさんが望む処理を実行できるわけでもありません。そのため、ツールの選定時には次の点に注意することが必要です。

- 導入を検討しているツールは何ができるのか
- どのような事前準備が必要か

- ツールの実行環境

これらをきちんと確認しておかないと、購入後に「**手元のパソコンではツールがまったく動かない**」といった事態も起こりえます。

また、ツール導入の際にはトラブルがつきものです。その際に、電話やメールなどでサポートを受けられるかどうかがツール導入の成否にかかわります。そのため、以下の点も確認しておくことをお勧めします。

- ツールメーカーのサポート体制
- インターネット上の情報量

サポートが受けられない場合は、そのツールの導入には慎重になったほうがよいでしょう。

有償ツールと無償ツールの違い

有償ツールと無償ツールの最大の違いは、当たり前のことではありますが、**初期コストや維持コスト**（購入費用やライセンス費用）が必要か否かです。一般的に、有償ツールではこういった導入コストが発生しますが、その分、高機能であり、メンテナンス性も高いことが多いです。反対に、無償ツールでは導入コストは発生しませんが、その分、有償ツールと比べて機能性やメンテナンス性で劣ることが多いです。

テストの自動化ツールにおける、有償ツールと無償ツールの主な違いを**表13-1**にまとめます。

この表を見るとわかるように、総じて、有償ツールのほうがツールとしては優れており、非エンジニアでも容易に操作できるため、人件費の削減効果も高くなります。メンテナンス性も高いため、保守コストも少なくなる傾向にあります。一方で、**有償ツールの場合は、ツールによってできることとできないことがはっきりしています**。そのため、ツールの選定は慎重に行う必要があります。

無償ツールは、有償ツールに比べてメンテナンスの工数が大きくなる傾向にあるため、コストの削減幅が小さい場合は費用対効果が小さくなる可能性があります。また、自動テストの内容がスクリプト作成者のスキルに依存する場合が多

表13-1 ● 有償ツールと無償ツールの比較

	有償ツール	無償ツール
ライセンス料	有料(年額数十万円〜数百万円)	無料
メーカーサポート	あり	なし
環境構築	インストーラが用意されている場合が多い。マニュアルもある	インストーラは用意されていない場合が多い。ライブラリなどを、エンジニアが選択する必要がある
操作性	・エンジニアではない人でも操作が容易 ・ツールの習熟が必要	開発スキル(コーディング)が必要
テストフレームワーク	データ駆動、キーワード駆動の仕組みを搭載している	フレームワークの実装が必要
エラーの特定	エラーの特定が容易。レポートから不具合箇所に遷移できることが多い	仕組みの実装が必要。エラーコードの理解が必要
メンテナンス性	・ツールが認識している画面要素と実画面の画面要素の一致の確認が容易 ・保守性を高める仕組みがある(AIによるパスの補完、自動テストの実行途中でのメンテナンスが可能)	・ガイドラインが必要。きちんと用意しておかないと、最悪の場合、スクリプト作成者以外が利用できなくなる可能性もある ・エラーのたびに最初から再実行が必要
キャプチャ機能	実装されていることが多く、画面要素の自動化可否の判別が容易	実装されていないことが多く、画面要素の特定や自動化可否の判別を人の手で行う必要がある
レポート	出力されるレポートは見やすく、Failedの特定も容易	自前で実装する必要がある。ライブラリなどが用意されている場合は、それらを利用する

く、その人が別プロジェクトに異動すると、テストの自動化そのものが頓挫することもあります。そういった事態を未然に防ぐためにも、無償ツールを導入する際は、テスト自動化の計画段階で参加メンバーを十分に検討し、また、スクリプティングやメンテナンスに関する教育をしっかりと計画することが重要です。

MEMO

有償の自動化ツール「**Ranorex**」は、自動テストの実行中でもメンテナンスができ、そのまま続行して自動テストを進めることができます。そのため一度のテスト実行でほぼすべての調整やメンテナンスを終えることができます。

Ranorex

URL https://www.techmatrix.co.jp/product/ranorex/

あとがき

初版に新たな要素を加え増補改訂版を皆様にお届けしました。

今回はアジャイル開発やテスト自動化といった大きな追加、図表や文言の調整など様々なことを行いました。

逆にほぼ手を加えていないのは第３章のホワイトボックステストの手法です。現状のプログラム規模と、コンパイラを含む開発環境の進歩、テストの自動化などを鑑みるとひょっとすると今の開発現場にはそぐわないのではないか、とも考えました。しかしながら、プログラムの規模がどれだけ大きくなったとしても、プログラムが命令文や分岐、処理から成り立っていることに変わりはありません。おそらくホワイトボックステストの考え方は普遍的なものなので、章立てとして残すことにしました。また他書を見ても、詳しくホワイトボックステストの技法について触れているものが少ないことも残す決め手となりました。

ソフトウェア開発を取り巻く環境は日進月歩です。さらには2021年現在は新型コロナウィルスの流行によって今までにない様々な業務がシステム化されようとしています。そのような劇的な状況であっても、ソフトウェアテストの考え方はそうそう変わるものではないでしょう。本書を通して、多くの方にソフトウェアテストの技術を提供し、特に初学者の皆さんの助けとなれば幸いです。

増補改訂版出版にあたり、今回もSBクリエイティブ社の岡本晋吾氏に折に触れてアドバイスやご助言をいただきました。ありがとうございました。この場を借りてお礼を申し上げます。

最後に、旧著、および、本改訂版でご協力いただいた皆さんに改めて深くお礼申し上げます。

2021年7月　監修・著者一同

石原一宏　堀明広

布施昌弘　江添智之　三堀雅也　永井努

INDEX

■さ行

■た行

■や行

■ら行・わ行

監修者紹介

石原一宏（いしはら　かずひろ）

バルテス株式会社　テスト・アライアンス事業部　事業部長　兼 上席研究員
バルテス・モバイルテクノロジー株式会社　取締役
テスト技法の研究開発、社内・社外の技術研修・教育業務、プロセス改善コンサルティング業務に従事しつつ、ソフトウェア検証業務に携わる。セミナー講師として年間1,200名を超える開発エンジニアにテスト・品質を教える。開発物として大阪大学 土屋達弘教授とテストケース生成ツール『Qumias』を共同開発し、リリースを行っている。訳書に『ISO/IEC/IEEE 29119 ソフトウェアテスト規格の教科書』（バルテス、監訳）、著書は、「いちばんやさしいソフトウェアテスト」（技術評論社、共著）がある。JSTQB Advanced Levelテストマネージャ、プロジェクトマネジメントプロフェッショナル（PMP）、IEEE正会員。

堀明広（ほり　あきひろ）

バルテス株式会社 クロス・ファンクショナル事業部　R&C部　部長 兼 上席研究員
組込み系プログラマ、ソフトウェア品質管理を経て、現職。担当業務は社内人材育成、検証・分析の技術開発、標準化、セミナー講師。訳書は『ソフトウェアテスト293の鉄則』（日経BP、共訳）、『ISO/IEC/IEEE 29119 ソフトウェアテスト規格の教科書』（バルテス、監訳）。著書は『ソフトウェア見積りガイドブック』（オーム社、共著）、『続・定量的品質予測のススメ』（佐伯印刷、共著）、『IT業界の病理学』（技術評論社、共著）。得意分野はバグ分析。

著者紹介

布施昌弘（ふせ　まさひろ）

バルテス株式会社 クロス・ファンクショナル事業部　R&C部 副部長
様々なテスト対象（組込み系、Web系、金融系）の現場でテスト設計、テスト管理などを行う。現在は社内外のテスト関連教育セミナーの講師とコンテンツ制作、コンサルティングを担当する。著書は『いちばんやさしいソフトウェアテストの本 』(技評SE新書、共著)。JSTQB認定Advanced Levelテストマネージャ。

江添智之（えぞえ　ともゆき）

バルテス株式会社 クロス・ファンクショナル事業部 R&C部 マネージャ
WEB系、エンタープライズ系、医療系など様々な開発業務にプログラマ、システムエンジニア、プロジェクトリーダーとして携わった後、バルテスにてテストエンジニア・コンサルタント業務に従事。現職では主にテスト業務に関する研究開発および人材育成を担当。Scrum Alliance認定スクラムマスター、ディープラーニング検定（G資格）、ネットワークスペシャリスト、データベーススペシャリスト、JSTQB Advanced Level（テストマネージャ、テストアナリスト）など、ソフトウェアの開発およびテストに関する資格を多数取得。JaSST'20 Kansai 実行委員長。現在の関心は機械学習のテスト分野への応用と効率的なテスト自動化。

永井努(ながい　つとむ)

バルテス株式会社 クロス・ファンクショナル事業部 R&C部 リーダー
業務系、Web系、組込系など様々なテスト業務を経験し、現在は主にテストに関する研究開発(テストプロセス標準化など)および人材育成に従事。1～2か月のテスト研修を自社の新入社員に実施する他、企業の開発担当者や大学生などに対するテスト教育も実施している。
取得資格として、JSTQB Advanced Level(テストマネージャ、テストアナリスト)、IVEC IT検証技術者レベル4など。現在取り組んでいるのは、テストスキル習得の為のコンテンツ作成。

三堀雅也(みつほり　まさや)

バルテス株式会社 クロス・ファンクショナル事業部 R&C部 マネージャ
アプリ、Webサイト、ソーシャルゲームのテスト業務経験後、バルテスに入社。業務システムを中心にテスト業務全般(管理、計画、設計、実施)に従事。マネージャとして、オフショアブリッジ対応やテストプロセス構築支援なども担当。その後、テストに関する研究開発、人材育成を担うR&C部に異動し、従事する。取得資格はJSTQB Advanced Level(テストマネージャ、テストアナリスト)。

会社紹介

バルテス株式会社

バルテスは2004年創業以来、ソフトウェアテストサービスを主力にソフトウェア開発工程におけるテスト・品質向上を年間1,800件以上支援している。エンタープライズシステムや、エンターテインメント・組込IoTといった幅広い領域のお客様に対し、テスト委託はもちろんのこと、上流工程からの品質コンサルティングやエンジニアへの品質教育、セキュリティ診断サービスなどを提供している。

＜増補改訂版　執筆協力者(敬称略)＞

八ツ山金尚　村上崇　畠田健一郎　田所久志　笹雅明　堀川知子
岡橋紅子　江添志保

＜初版　執筆協力者(敬称略)＞

秋元重徳　池口昌志　石司洋一　井出京子　岩田高秀　大薗雅嗣
岡本竜太　荻巣健　小山内悠紀　角田誠　加東貞夫　菊地章仁
日下真介　黒木洋平　田中英和　千田享　西尾崇　西村祐一
二宮佳代　袴田泰宏　長谷川千夏　福元淳志　藤長洋治郎　前田虎志
安井崇朗　柳川克也　横田健治

▶ 本書のサポートページ

https://isbn2.sbcr.jp/08750/

- 本書をお読みいただいたご感想を上記ＵＲＬからお寄せください。
- 上記ＵＲＬに正誤情報、サンプルダウンロードなど、本書の関連情報を掲載しておりますので、あわせてご利用ください。

▶ 注意事項

- 本書の内容の実行については、すべて自己責任のもとで行ってください。内容の実行により発生した、直接・間接的被害について、著者およびＳＢクリエイティブ株式会社、製品メーカー、購入された書店、ショップはその責を負いません。
- お電話による、本書の内容に関するお問い合わせはご遠慮ください。
- お問い合わせに関しては、上記サポートページ内にあります「お問い合わせ」をクリックしていただき、「書籍の内容について」のメールフォームからお送り頂くか、郵送でお願いいたします。回答に関しては多少のお時間を頂戴するか、返答できない場合もありますので、あらかじめご了承ください。また、本書の内容を逸脱したお問い合わせに関しては、ご返答しかねますのでご了承ください。

【この１冊でよくわかる】

ソフトウェアテストの教科書　[増補改訂 第2版]

2012年12月10日　初版第１刷発行
2020年 1月20日　初版第12刷発行
2021年 8月12日　増補改訂第２版 第１刷発行
2024年10月29日　増補改訂第２版 第７刷発行

著　者……布施 昌弘、江添 智之、永井 努、三堀 雅也
監　修……石原 一宏、堀 明広
発行者……出井 貴完
発行所……SBクリエイティブ株式会社
〒105-0001 東京都港区虎ノ門2-2-1
https://www.sbcr.jp/
装　幀……米倉 英弘（株式会社 細山田デザイン事務所）
本文デザイン・組版……クニメディア株式会社
印　刷……株式会社シナノ
編　集……岡本 晋吾

落丁本、乱丁本は小社営業部にてお取り替えいたします。
定価はカバーに記載されております。

Printed in Japan　ISBN 978-4-8156-0875-0